Atlas Geográfico do Brasil

Marcos Roberto dos Santos

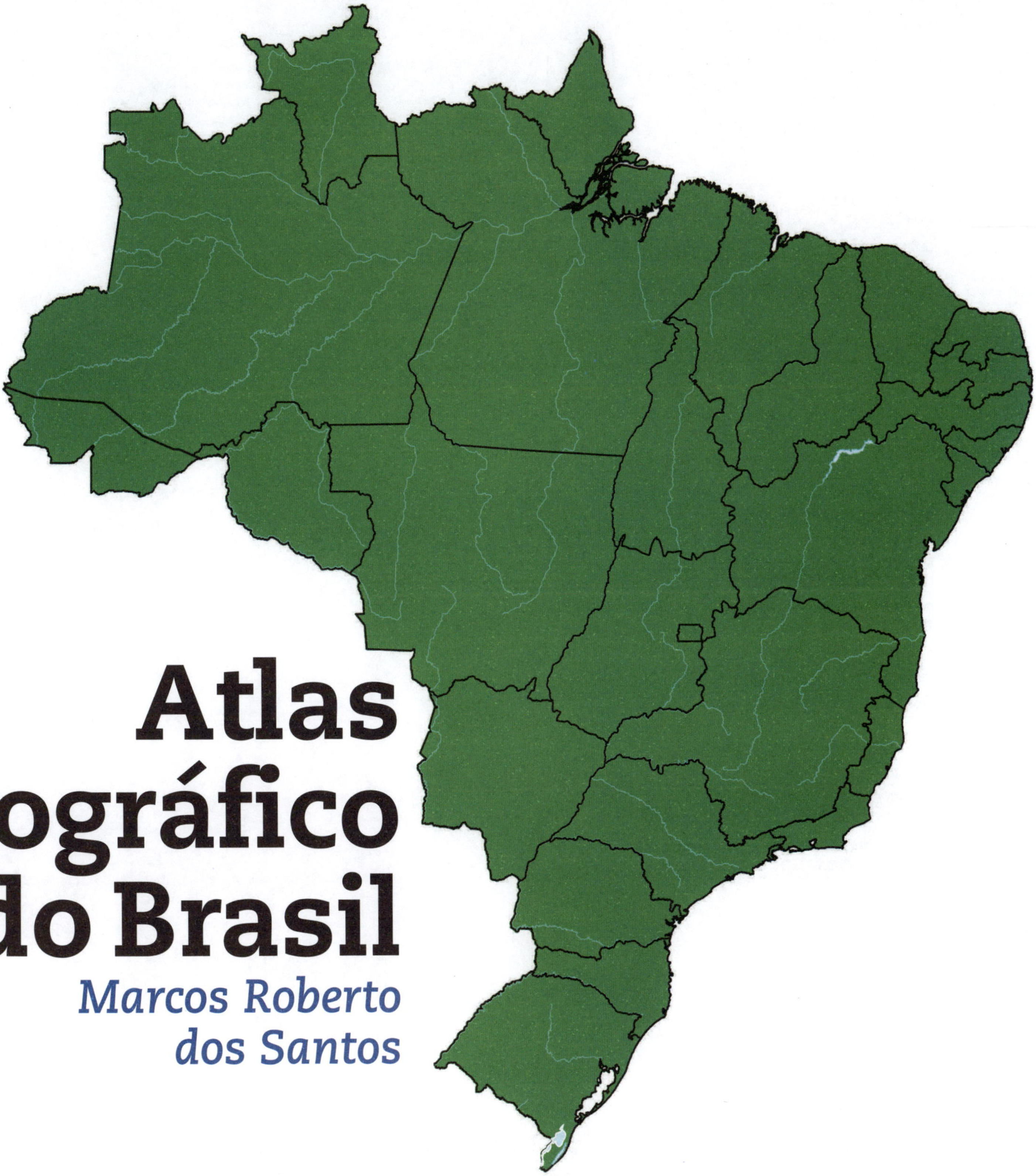

São Paulo
2014

© Marcos Roberto dos Santos, 2014
1ª edição, Global Editora, São Paulo 2014

Diretor Editorial
Jefferson L. Alves

Gerente Editorial
Dulce S. Seabra

Gerente de Produção
Flávio Samuel

Coordenação Editorial
Solange Scattolini

Assistente Editorial
Marcelo dos Santos Saccomann

Revisão
Garagem Editorial
Esther O. Alcântara

Revisão Técnica
Carlos Tadeu de Carvalho Gamba

Cartografia
Marcos Roberto dos Santos

Infomapas
Leo Arruda
Marcos Puntel de Oliveira

Pesquisa Iconográfica
Tempo Composto Ltda.

Ilustrações
Luis Moura

Capa
Victor Burton

Foto de capa
Istock

Projeto Gráfico e Editoração Eletrônica
Estudo Gráfico Design

CIP-BRASIL. CATALOGAÇÃO NA PUBLICAÇÃO
SINDICATO NACIONAL DOS EDITORES DE LIVROS, RJ

S233a	
Santos, Marcos Roberto dos	
Atlas Geográfico do Brasil / Marcos Roberto dos Santos. - 1. ed. - São Paulo : Global, 2014.	
176 p. : il. ; 30 cm.	
ISBN 978-85-260-1999-7	
1. Atlas. 2. Brasil - Mapas. I. Título.	
14-10208	CDD: 912.81
	CDU: 912(815.5)

Direitos Reservados
Global Editora e Distribuidora Ltda.
Rua Pirapitingui, 111 – Liberdade
CEP 01508020 – São Paulo – SP
Tel.: (11) 32777999 – Fax: (11) 32778141
e-mail: global@globaleditora.com.br
www.globaleditora.com.br

Colabore com a produção científica e cultural.
Proibida a reprodução total ou parcial desta obra sem a autorização do editor.
Nº de Catálogo: **3374**

APRESENTAÇÃO

Nos últimos tempos, o ser humano, as sociedades e as nações dependem cada vez mais da informação e do conhecimento para direcionar, planejar e estruturar suas ações e estratégias. O acesso à informação é condição imprescindível para a produção do conhecimento, o meio de assegurar a autonomia e a independência necessárias para o pleno desenvolvimento.

O Brasil está entre os dez maiores países do mundo em tamanho de território, economia e demografia. Soma-se a isso a imensa diversidade biológica que projeta o Brasil como um dos maiores detentores do patrimônio natural do planeta.

Desse modo, a abordagem das dinâmicas socioespaciais, econômicas e físico-naturais do território brasileiro constitui uma grande tarefa de pesquisa, organização e sistematização de dados. Assim, os temas aqui representados trazem, por meio de mapas, infomapas, gráficos, fotos e textos, um panorama geral do Brasil e do atual momento de sua economia e de sua sociedade.

Utilizando diferentes escalas – nacional, regional, global e local –, o **Atlas Geográfico do Brasil** aborda os diversos aspectos que realçam uma nova dinâmica espacial brasileira. São 179 mapas, inúmeros gráficos, fotos e textos explicativos provenientes de uma pesquisa aprofundada sobre aspectos internos do Brasil e de sua posição no mundo, que resultou em uma valiosa contribuição para a leitura das diferentes realidades que constituem nosso país.

O Autor

SUMÁRIO

Cartografia 6

1. Os continentes 10
2. África e Europa – Ásia e Oceania 12
3. Continente americano 14
4. América do Sul.. 15
5. Países de língua portuguesa 16
6. Brasil territorial 17
7. Municípios 18
8. Brasil político 19
9. Representação política 20
10. Eleitores 20
11. Fusos horários do mundo 21
12. Fusos horários do Brasil 21
13. Distrito Federal 22
14. Plano piloto 23
15. Paisagens naturais 24
16. Altimetria 26
17. Declividade 27
18. Geologia: eras geológicas 28
19. Geologia: grupos de rochas 29
20. Relevo 31
21. Relevo I 32
22. Relevo II 32
23. Solos 33
24. Rede hidrográfica 34
25. Bacias hidrográficas 35
26. Bacia Amazônica 36
27. Bacia do Paraguai e bacia do Paraná 37
28. Bacia do Tocantins-Araguaia e
    bacia do São Francisco 38
29. Principais aquíferos :
    unidades hidrogeológicas 39

CENÁRIO MUNDIAL
30. Maiores bacias hidrográficas mundiais 40
31. Temperatura média 42
32. Precipitação média 43
33. Massas de ar 44
34. Clima (classificação de Köppen) 45
35. Clima (classificação de Strahler) 45
36. Zonas climáticas 46
37. Classificação climática 47
38. Vegetação atual 48
39. Vegetação original 49
40. Biomas 50
41. Domínios morfoclimáticos 51
42. Unidades de conservação 53
43. Fauna em risco de extinção 55

44. Riscos ambientais 56
45. Pressão antrópica 56
46. Uso e ocupação do solo 57

CENÁRIO MUNDIAL
47. Os países megadiversos 58
48. População 61
49. Espaço populacional 62
50. Densidade demográfica 63

CENÁRIO MUNDIAL
51. População mundial 64
52. Crescimento populacional 66
53. Mortalidade 67
54. População – faixas 67
55. Longevidade 68
56. Natalidade e mortalidade infantil 68
57. IDH por município 69

CENÁRIO MUNDIAL
58. IDH mundial 70
59. Renda 72
60. Migrações internas 73
61. Emigração por países de destino 74
62. Emigrantes internacionais por região de origem 74
63. Imigração por região de destino 75
64. Imigrantes por países de origem 75
65. Trabalho precário 76
66. Pobreza e desigualdade 76
67. População economicamente ativa (PEA) 77
68. Desempenho escolar 78
69. Analfabetismo 79
70. Ensino superior público 80
71. Ensino superior privado 80
72. Rede de ensino 81
73. Violência 81
74. Violência no campo 82
75. Indígenas e quilombolas 83

CENÁRIO REGIONAL
76. Brasil cultura popular 84
77. Acesso à internet 86
78. Padrão de vida 87
79. Acesso à saúde 88
80. Leitos hospitalares 88
81. Estrutura hospitalar 89
82. Rede de água canalizada 90
83. Esgotamento sanitário 90
84. Saneamento 91
85. Habitações precárias 92
86. Grandes centros 93
87. Hierarquia urbana 94

#	Título	Página
88.	Urbanização	95
89.	Transporte ferroviário	96
90.	Transporte rodoviário	97
91.	Aeroportos	98
92.	Movimento de passageiros nos principais aeroportos	99
93.	Movimento de cargas	99
94.	Hidrovias	99
95.	Hidrelétricas	101
96.	Termelétricas	102
97.	Energias renováveis	103
98.	Energia eólica	104
99.	Energia hidrelétrica	104
100.	Energia nuclear	105
101.	Energia elétrica	105
102.	Etanol	106
103.	Biodiesel	106
104.	Petróleo e gás natural	107

CENÁRIO MUNDIAL
105.	Petróleo – cenário mundial	108

106.	Recursos minerais	111
107.	Indústria I – química, metalurgia, máquinas e equipamentos	112
108.	Indústria II – alimentos, bebidas, têxtil	112
109.	Indústria III – siderurgia, automobilística	113
110.	Atividade industrial	114
111.	Produção e culturas agrícolas	115
112.	Arroz	116
113.	Feijão	116
114.	Soja	117
115.	Milho	117
116.	Batata	118
117.	Mandioca	118
118.	Algodão	119
119.	Tomate	119
120.	Cana-de-açúcar	120
121.	Trigo	120
122.	Café	121
123.	Laranja	121
124.	Pecuária I	122
125.	Pecuária II	122
126.	Agronegócio	123

CENÁRIO MUNDIAL
127.	Maiores parceiros comerciais	124

CENÁRIO MUNDIAL
128.	Produto interno bruto mundial	126
129.	Produto interno do Brasil	128
130.	Mercosul	129

CENÁRIO REGIONAL
131.	Regiões turísticas	130

CENÁRIO MUNDIAL
132.	Fluxo turístico internacional	132

#	Título	Página
133.	Divisão regional em 1945	134
134.	Divisão regional em 1980	134
135.	Regiões administrativas em 1990	135
136.	Regiões geoeconômicas	135
137.	Norte físico	136
138.	Norte político	137
139.	Nordeste físico	138
140.	Nordeste político	139
141.	Centro-Oeste físico	140
142.	Centro-Oeste político	141
143.	Sudeste físico	142
144.	Sudeste político	143
145.	Sul físico	144
146.	Sul político	145
147.	Regiões metropolitanas	146
148.	RM de São Paulo e RM da Baixada Santista	147
149.	RM do Rio de Janeiro	147
150.	RM do Distrito Federal e Entorno	148
151.	RM de Goiânia	148
152.	RM de Manaus	149
153.	RM de Cuiabá	149
154.	RM do Sudoeste Maranhense	150
155.	RM de São Luís	150
156.	RIDE de Teresina	150
157.	RM de Belém	151
158.	RM do Cariri	151
159.	RM de Fortaleza	151
160.	RM de Natal	152
161.	RM de Salvador	152
162.	RM de Aracaju	152
163.	RIDE de Juazeiro e Petrolina	153
164.	RM de João Pessoa	153
165.	RM de Recife	153
166.	RM de Vitória	154
167.	RM do Agreste	154
168.	RM de Campina Grande	154
169.	RM de Campinas	155
170.	RM do Vale do Aço	155
171.	RM de Belo Horizonte	155
172.	RM de Londrina	156
173.	RM de Curitiba	156
174.	RM de Maringá	156
175.	RM do Vale do Itajaí	157
176.	RM de Florianópolis	157
177.	RM do Norte-Nordeste Catarinense	157
178.	RM de Macapá	158
179.	RM de Porto Alegre	158

Bandeiras ... 159
Siglas e abreviaturas ... 160
Fontes de pesquisa ... 160

CARTOGRAFIA

Para a Geografia, os mapas têm sido uma rica fonte de informações e um recurso imprescindível para a análise do espaço geográfico, fato que explica a estreita relação que sempre existiu entre a Geografia e a Cartografia. A Cartografia é a ciência que se preocupa com a elaboração de mapas e outros recursos gráficos que visam representar fenômenos naturais ou sociais num plano bidimensional. Ou seja, é a técnica utilizada para representar o mundo em que vivemos numa superfície plana, geralmente na folha de papel. Na prática, isso já é feito pelo ser humano há mais de quatro mil anos. Acredita-se que o primeiro mapa foi produzido na antiga mesopotâmia sobre uma peça de argila.

Cartografar o espaço foi uma das primeiras habilidades desenvolvidas pelo ser humano. A representação da percepção espacial revela que os humanos primitivos já se orientavam por registros da paisagem, indicando espaços de cultivo, territórios de caça e pesca e a disposição de ambientes naturais, mesmo antes da criação da escrita.

Assim, a Cartografia se desenvolveu de forma distinta nos diferentes lugares; veja: enquanto os primeiros mapas eram produzidos na Europa, na China seu uso já orientava o planejamento e o controle de assuntos burocráticos do Estado, de estratégias militares e até o uso de recursos naturais.

DIFERENTES FORMAS DE REPRESENTAÇÃO ESPACIAL

Mapa: é uma representação gráfica em uma superfície plana, geralmente de pequena escala, delimitando aspectos naturais e artificiais da superfície terrestre. É composto por sistemas de projeção e orientação relacionados a um sistema de coordenadas.

Mapa do Brasil.

Cartografia

Carta: é um tipo de representação plana, de escala média ou grande, subdividida em folhas articuladas de forma sistemática, destinada a avaliações precisas de distâncias, direções e localização de pontos, áreas e detalhes.

Planta: é uma representação plana de escala grande, que se restringe a uma área muito limitada, destinada a fornecer informações detalhadas sobre os aspectos gerais de um determinado espaço geográfico.

Carta topográfica da cidade de Teixeiras (MG).

Planta de uma cidade.

Projeções cartográficas

A necessidade de elaborar representações que traduzissem o mundo real da maneira mais precisa possível fez com que os mapas se multiplicassem e gerassem técnicas sofisticadas.

Quando o interesse do cartógrafo é representar uma parte da superfície terrestre, a situação fica um pouco mais complicada, pois a Terra possui uma forma arredondada que, ao ser representada na forma de mapas, necessariamente exige uma configuração plana. Essa transferência de formas demanda alguns princípios básicos: *as projeções cartográficas*.

O globo é a representação que mais se assemelha à forma da Terra. Ele não é uma representação idêntica, pois a Terra não é uma esfera perfeita, e sim uma forma irregular a que damos o nome de geoide. No entanto, o globo oferece a vantagem de representar a superfície do planeta praticamente sem distorções.

Embora os globos representem os melhores mapas-múndi para diversas finalidades, eles apresentam algumas desvantagens, por exemplo: apenas um pedaço da superfície terrestre pode ser visto de cada vez; o globo é pequeno demais para registrar informações suficientes sobre algum país ou alguma região.

Na história da Cartografia isso foi solucionado por meio da projeção da superfície esférica do planeta sobre formas geométricas diferenciadas, dando origem ao que hoje conhecemos como projeções cartográficas. Matematicamente, esse processo significa transferir as coordenadas esféricas da Terra para um plano correspondente, podendo ser feito de várias maneiras. A principal delas emprega uma projeção do globo sobre uma figura geométrica de referência, que pode ser um cilindro, um cone ou, até mesmo, um plano. No entanto, as projeções não se limitam a essas formas e podem variar dentro da mesma categoria por causa das deformações que apresentam. A projeção dymaxion, de Fuller, por exemplo, utiliza como base um poliedro, figura que reduz distorções habituais e fornece uma visão mais precisa das dimensões relativas dos continentes.

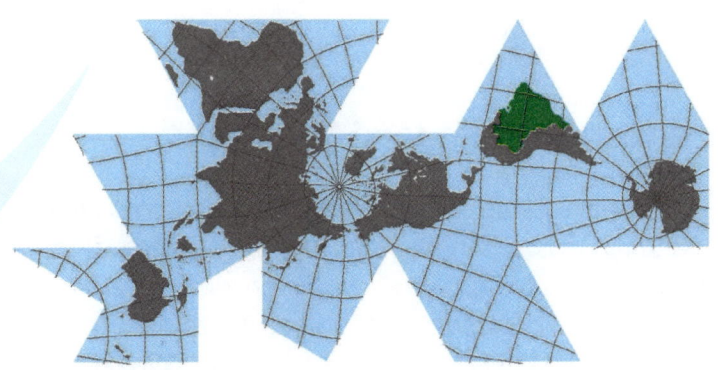
Projeção Fuller.

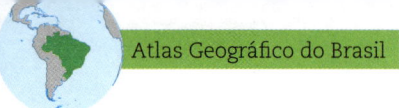

Como é impossível transferir um desenho de forma arredondada para uma forma plana sem que ocorram distorções, essas projeções passaram a ser classificadas de acordo com o tipo de deformação.

As projeções que apresentam uma determinada superfície sem que haja alteração das dimensões do terreno são denominadas *equivalentes*.

Quando os interesses estão voltados à preservação dos ângulos, caso comum das cartas de navegação, elas são chamadas projeções *conformes*. Mapas feitos com o objetivo de não apresentar deformações nas distâncias, de maneira a não alterar a escala do mapa numa linha reta, utilizam as projeções *equidistantes*.

Quando as projeções não possuem nenhuma das características citadas anteriormente, ou seja, áreas, ângulos ou distâncias deformados, elas são chamadas *afiláticas*.

As *anamorfoses* são mapas em que a superfície dos países ou dos continentes é deformada com o propósito de representar proporcionalmente uma determinada quantidade. Esse tipo de representação é muito utilizado na Cartografia de dados socioeconômicos, por exemplo, na comparação de dados estatísticos entre países.

Paralelos são linhas horizontais paralelas ao Equador. O Equador é o paralelo que divide a Terra nos hemisférios Norte e Sul, considerado o paralelo de origem (0°). Os paralelos representam a *latitude*, que é a distância angular de um ponto em relação à linha do Equador. Partindo do Equador em direção aos polos, são representados vários planos paralelos que diminuem gradativamente até se tornarem um ponto nos polos Norte (+90°) e Sul (-90°).

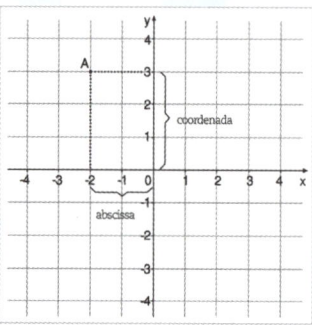

Paralelos.

Meridianos são os semicírculos que ligam os dois polos terrestres. Considera-se meridiano inicial ou fundamental o semicírculo imaginário que passa pelo observatório britânico de Greenwich, nas proximidades de Londres. Os meridianos representam a *longitude*, que é a distância angular de um ponto em relação ao Equador.

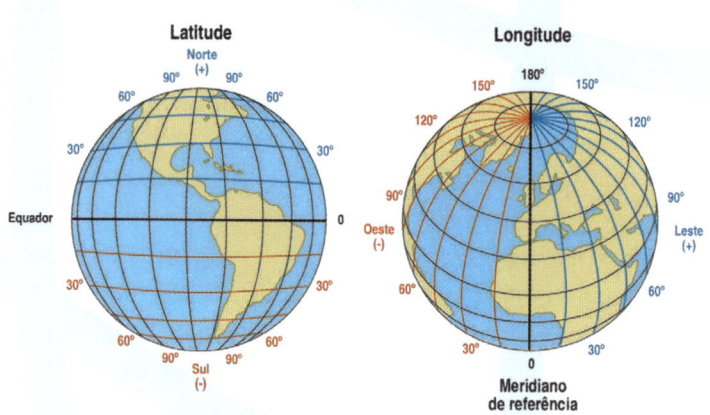

Meridianos.

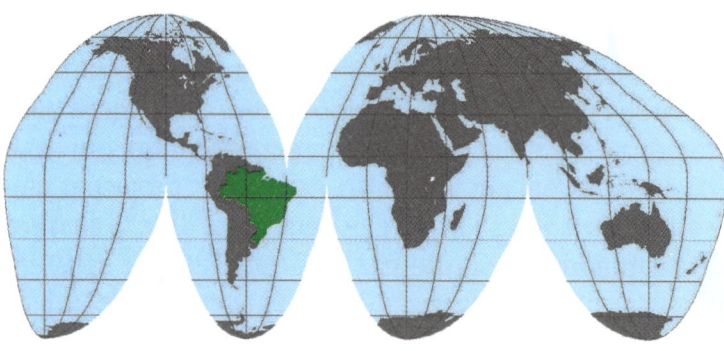

Projeção de Goode.

Elementos de representação cartográfica

Sistemas de coordenadas

Empregando uma grade de *paralelos* e *meridianos*, os sistemas de coordenadas são representações utilizadas para indicar a posição de pontos sobre uma superfície esférica ou plana. Nesse caso, a localização de um ponto é determinada pela interseção de um paralelo (latitude) com um meridiano (longitude).

A escala

A escala de um mapa indica a relação entre uma dimensão representada no mapa e a dimensão real, na natureza. Na prática, ela tem a função de contar quanto do espaço real foi diminuído para "caber" dentro do mapa, oferecendo uma visão da dimensão de um determinado fenômeno ou lugar em relação ao todo.

Cartografia

É a escala que permite ao mapa essa aproximação da realidade em um tamanho que "caiba" no papel, em um globo ou na tela de um computador, possibilitando precisão e qualidade de manuseio. A escala de um mapa é expressa em valores numéricos e pode ser numérica ou gráfica. Sempre que possível deve acompanhar a representação, pois, em caso de redução ou ampliação, ela serve de parâmetro para o cálculo.

Na *escala numérica*, os valores são expressos numa fração matemática: o numerador corresponde à realidade representada no mapa e o denominador, ao terreno propriamente dito. Dessa forma, 1 : 1.000 significa 1/1.000, ou seja, 1 unidade no mapa corresponde a 1.000 unidades no terreno. Assim, 1 centímetro no mapa corresponde a 1.000 centímetros no terreno. Como cada metro possui 100 centímetros, dividindo 1.000 por 100, temos 10 metros no terreno.

A *escala gráfica* é representada por um segmento de reta graduado. Nesse caso, as distâncias correspondentes no mapa são representadas numa régua que contém os valores das distâncias reais. Essa régua pode ser construída formando duas partes distintas: uma primária, na qual os valores são apresentados inteiros; e uma fracionária, também chamada talão, em que o número inteiro é subdividido.

Imagem do Aeroporto Santos Dumont (RJ) obtida pelo satélite GeoEye-1.

Embora seja atualmente uma das técnicas mais utilizadas pela Cartografia para a obtenção de informações da superfície da Terra, ele já era utilizado durante a Segunda Guerra Mundial (1939-1945), período em que a fotografia aérea teve grande evolução. Com o início das missões espaciais tripuladas, a tecnologia possibilitou a geração de imagens da superfície num ritmo praticamente diário. É difícil encontrar algo que tenha provocado tamanha revolução na produção de mapas como o sensoriamento remoto.

Hoje em dia, as fotografias aéreas e as imagens de satélite são largamente utilizadas no mapeamento de cidades, do relevo, de florestas, de atividades agrícolas, de fenômenos climáticos, entre outros, pois além de mapear, elas permitem que haja controle e atualização constantes da dinâmica desses fenômenos.

Imagem da confluência dos rios Negro e Solimões, na altura de Manaus, obtida pelo satélite sino-brasileiro CBERS-2.

Os levantamentos por sensoriamento remoto

O processo de confecção de mapas sempre envolveu o levantamento de um conjunto de informações da superfície que, na maioria das vezes, demandavam um exaustivo trabalho, em campo, dos profissionais envolvidos no processo cartográfico.

O desenvolvimento da aviação no início do século XX, dos computadores na década de 1950 e a conquista do espaço no final da década de 1970 foram decisivos para levar a produção de mapas a outro patamar.

O sensoriamento remoto é um conjunto de técnicas de levantamento de informações a distância realizado por meio de imagens. Apesar de muitas vezes ter como produto final apenas uma fotografia, ele envolve técnicas de aquisição e processamento de informações.

Sistemas de informações geográficas

Os sistemas de informações geográficas, também chamados SIG, são desenvolvidos com o objetivo de abrigar o maior número de informações geográficas de uma região que possam ser apresentadas em um mapa. Podemos considerá-los a evolução dos atlas. A diferença em relação à Cartografia tradicional é que as informações ficam arquivadas em um computador e os recortes geográficos são realizados de acordo com os nossos interesses. Além disso, o SIG permite uma série de análises espaciais, possibilitando a visualização de mapas em diferentes recursos multimídia.

1 Os continentes

Os continentes tiveram origem há cerca de 250 milhões de anos. Eles são massas continentais que se movimentam lentamente chocando-se ou separando-se ou, ainda, deslizando lateralmente entre si. Nesse processo, sua borda pode ser consumida ou expandida. A teoria Tectônica de Placas procura explicar o fenômeno e o atual estágio das superfícies continentais do planeta Terra.

Os continentes atuais são seis: África, América, Ásia, Europa, Oceania e Antártica. A Ásia e a América são os maiores continentes e os mais povoados, seguidos pela África, Europa e Oceania.

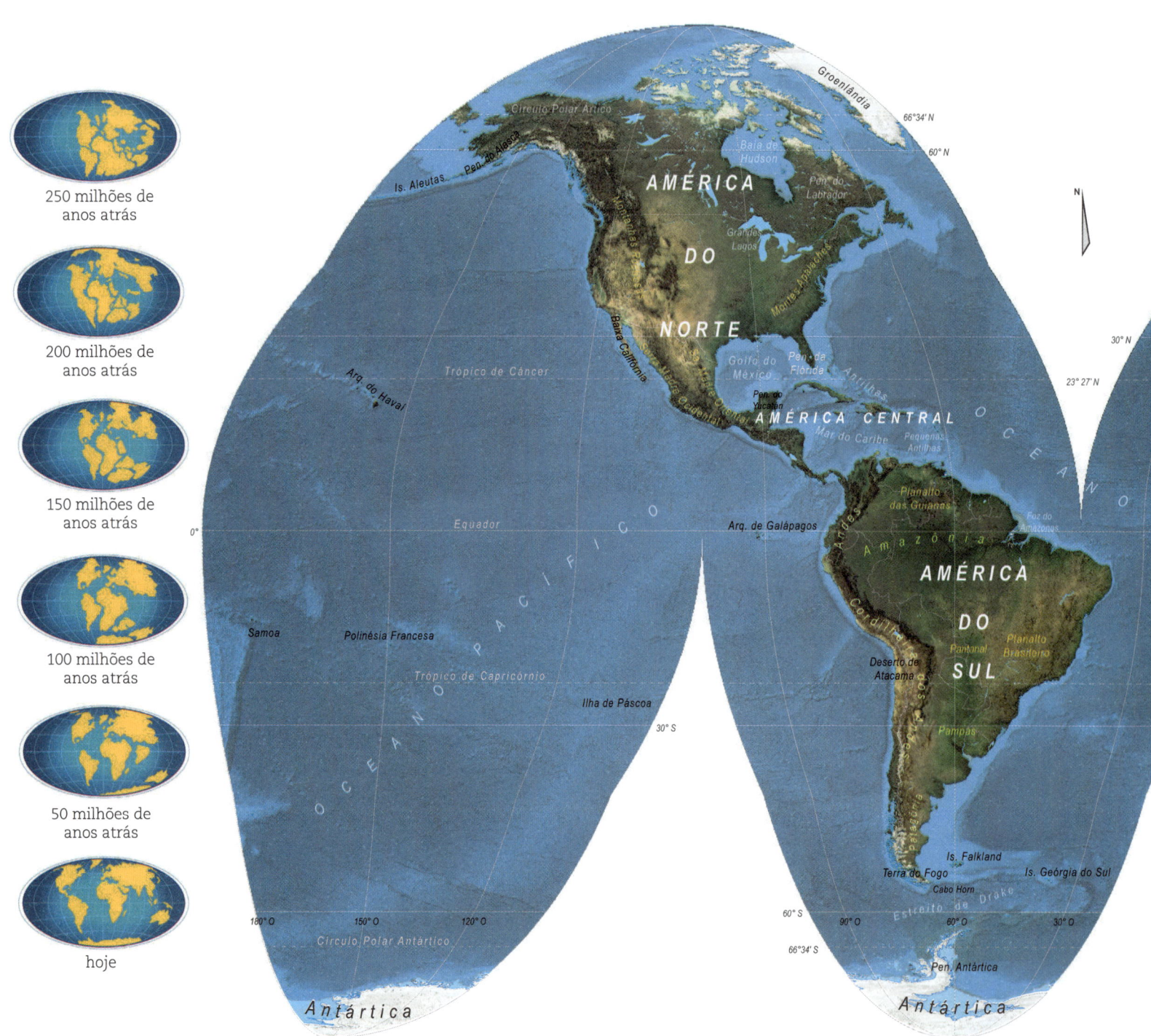

Cercados pela superfície oceânica, os continentes constituem a porção emersa da crosta terrestre. A Ásia e a Europa formam uma grande superfície contínua: a Eurásia. A Oceania compõe um aglomerado insular, onde se destaca a ilha da Austrália. Já o continente americano compreende três regiões geográficas: a América do Norte, a América Central e a América do Sul.

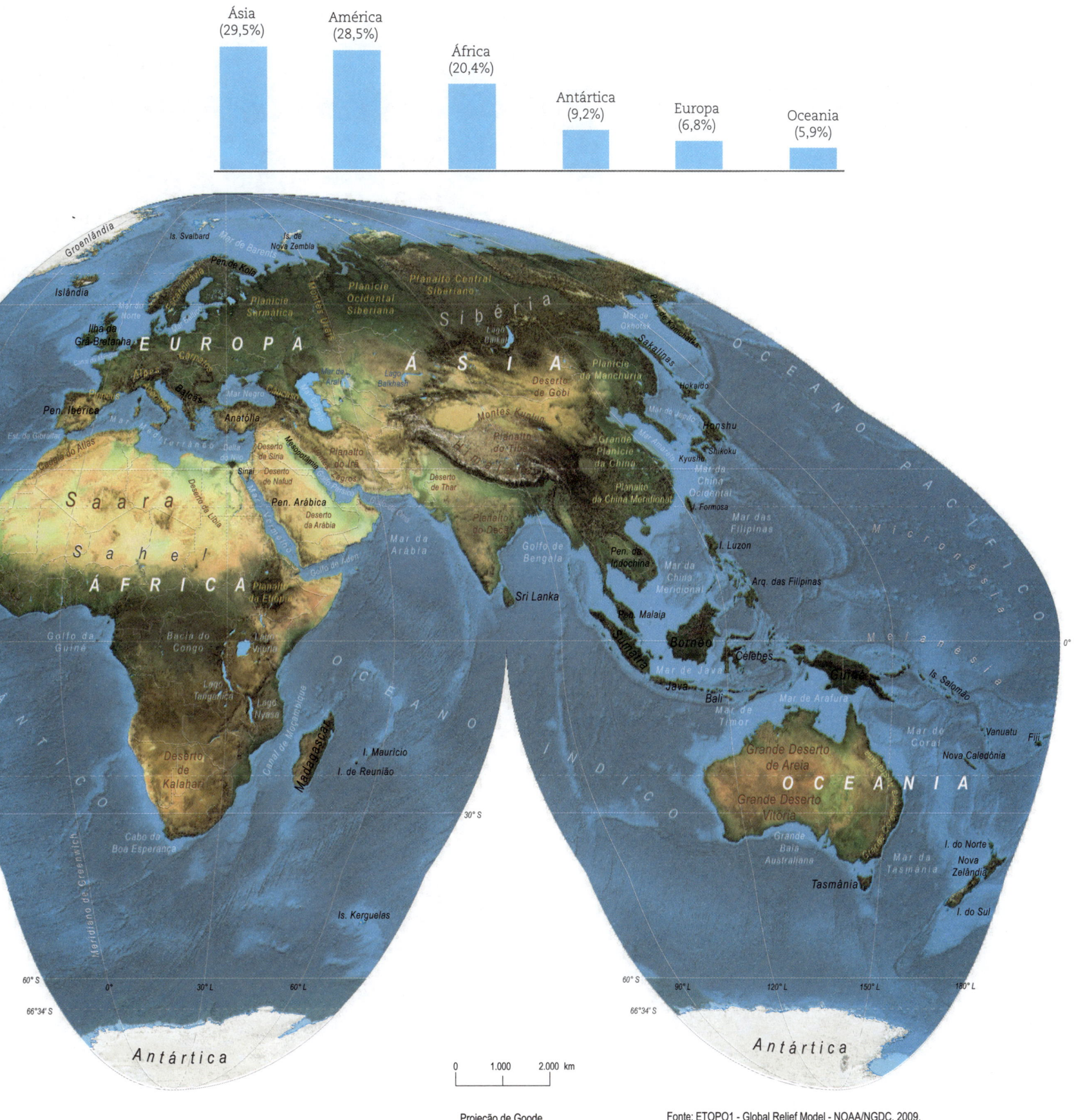

Proporção da superfície continental: Ásia (29,5%), América (28,5%), África (20,4%), Antártica (9,2%), Europa (6,8%), Oceania (5,9%).

Projeção de Goode

Fonte: ETOPO1 - Global Relief Model - NOAA/NGDC, 2009.

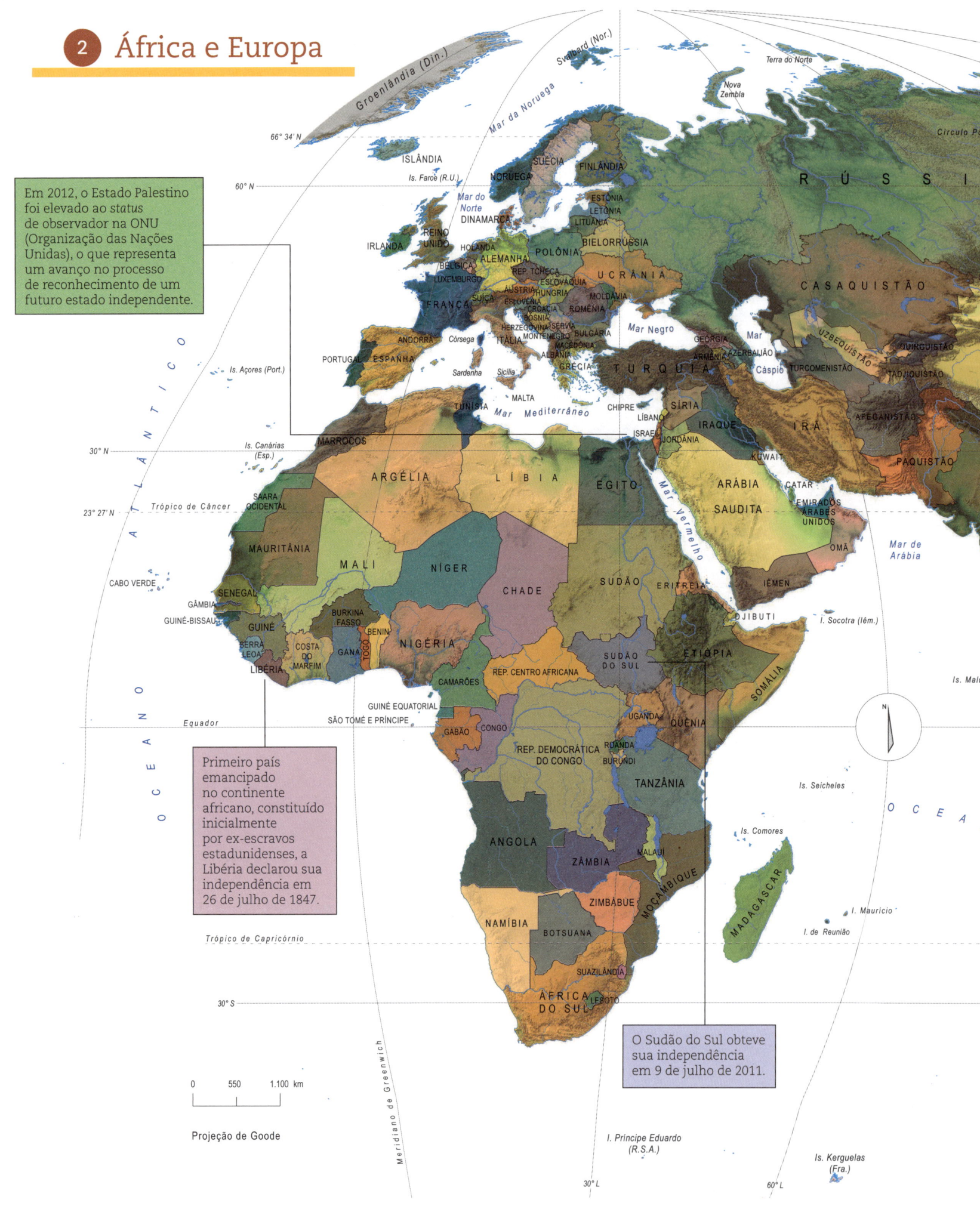

Ásia e Oceania

Existem hoje no mundo 195 países, incluindo Vaticano e Kosovo, mas apenas 193 são reconhecidos pela ONU.

Na ONU, destaca-se o Conselho de Segurança constituído por quinze Estados. Cinco deles são membros permanentes: Estados Unidos, Rússia, França, Reino Unido e China. Os outros dez são membros rotativos escolhidos em assembleia geral, por um período de dois anos.

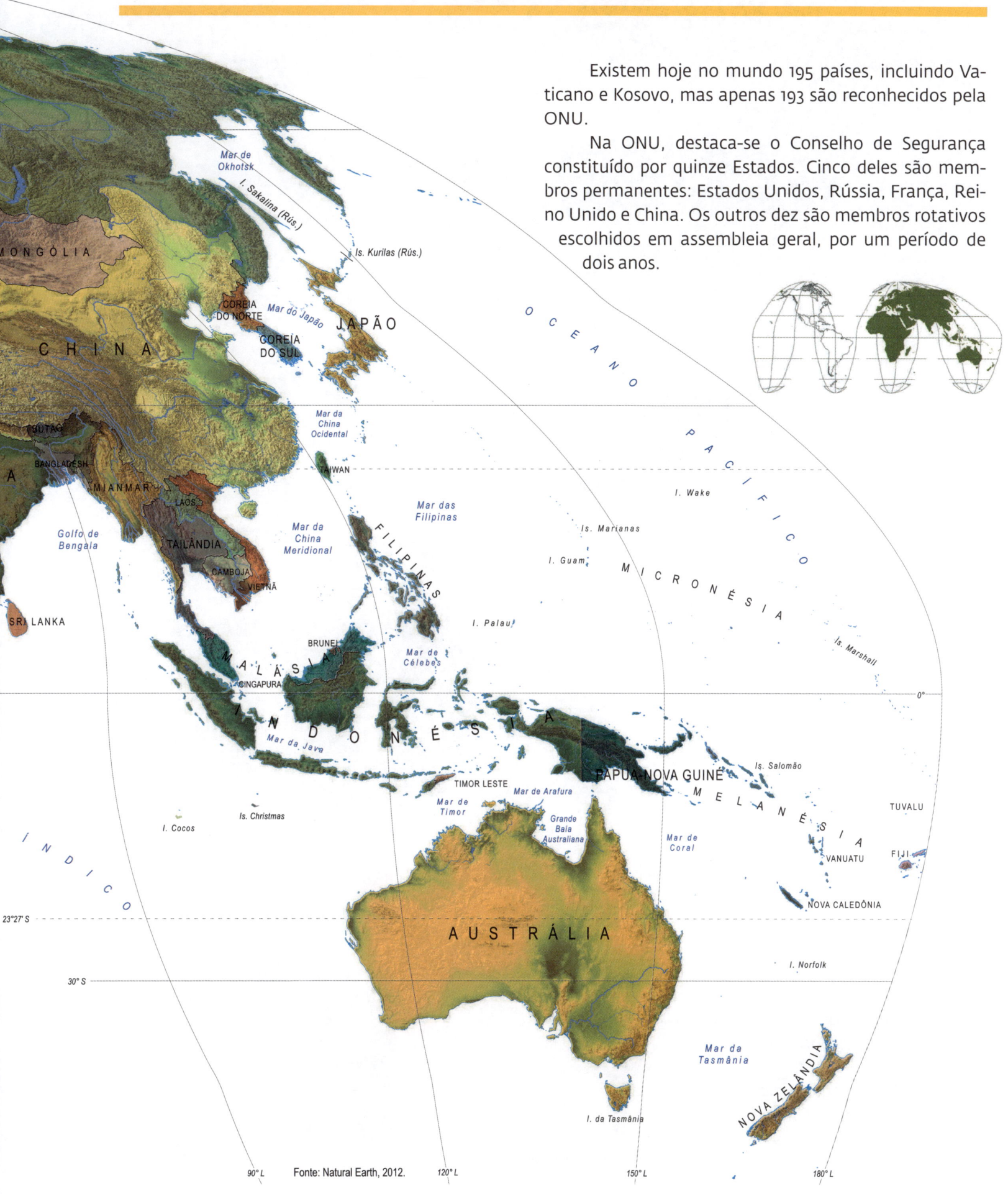

Fonte: Natural Earth, 2012.

3 Continente americano

Extensão territorial:
24 milhões km²

População continental:
980 milhões de habitantes

Do ponto de vista histórico-cultural, temos duas regiões: a América Anglo-saxônica (EUA e Canadá) e a América Latina (países a partir do México e Caribe até o extremo sul, no Chile e Argentina).

O continente americano é bastante heterogêneo, apresentando grandes diferenças socioeconômicas e culturais. Povos originais, como os Maias, Incas, Astecas, Guaranis, Tupis, Sioux, cederam espaço aos conquistadores europeus. Posteriormente, a entrada de africanos e asiáticos agregou culturas e costumes que hoje constituem o mosaico sociocultural desse imenso espaço continental.

Projeção de Goode

Fonte: Natural Earth, 2012.

4 América do Sul

Extensão territorial: 16 milhões de km²

População sul-americana: 380 milhões de habitantes

Contexto regional sulamericano

O Brasil está localizado na América do Sul e faz fronteira com quase todos os seus países, exceto Chile e Equador. Com esse último, compartilha parte da bacia Amazônica. Destaca-se não apenas pela dimensão de seu território, mas também pela importância política e econômica que assumiu na escala regional. Nesse contexto, desempenha importante papel na articulação para a integração dos países do subcontinente.

Fonte: Natural Earth, 2012.

Brasil multicultural

O território onde hoje se reconhece a soberania do Brasil já era povoado quando os colonos portugueses chegaram, no início do século XVI. Nesse período, etnias nativas compunham, de norte a sul, uma imensa teia de línguas e culturas. O contato dos europeus com os povos originais, a partir da exploração econômica iniciada no período colonial, e a entrada de povos africanos, imigrantes europeus e asiáticos inauguraram um processo de miscigenação que expressa, hoje, o traço multicultural da população brasileira.

Crianças indígenas da tribo Saterê-Maué, Manaus (AM).

Jogo de capoeira, em Porto Seguro (BA).

5 Países de língua portuguesa

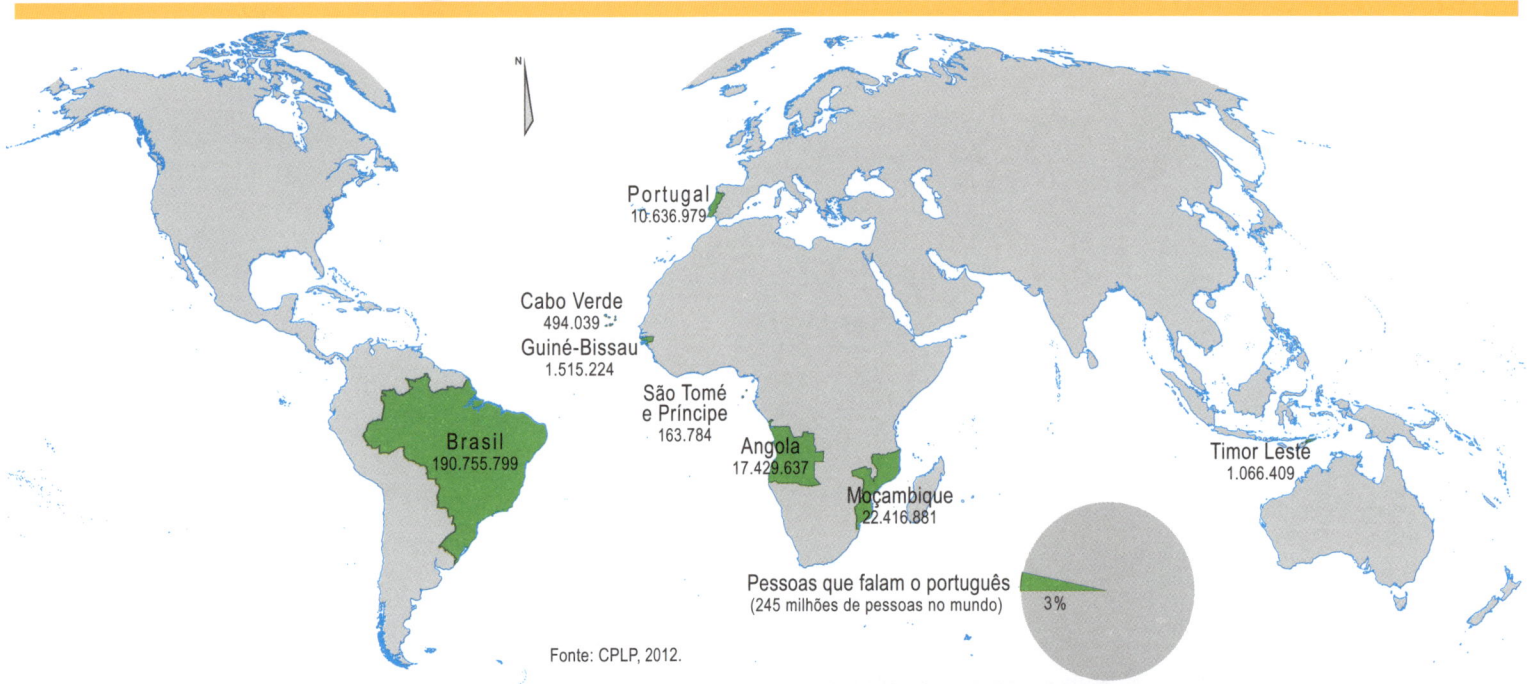

Fonte: CPLP, 2012.

Contexto contemporâneo

Após um período de transformações políticas e econômicas ocorridas nas últimas décadas, acompanhado da gradativa ascensão das nações emergentes no atual contexto do século XXI, o Brasil passou a consolidar sua presença no espaço mundial entre as dez maiores economias do mundo.

O desafio, no limiar desse novo cenário, é incluir no processo de desenvolvimento a superação de questões-chave como ensino público de qualidade, acesso à saúde, distribuição de renda, sustentabilidade econômica e socioambiental, reduzindo as desigualdades numa perspectiva de elevação do nível de vida da população.

Indústria automobilística francesa Peugeot-Citroën, Porto Real (RJ).

Colheita mecanizada de cana-de-açúcar na zona rural, Guaíra (SP).

Sala de aula na Escola Estadual Adriano Jorge, Arapiraca (AL).

Favela de Paraisópolis e edifícios de luxo, São Paulo (SP).

6 Brasil territorial

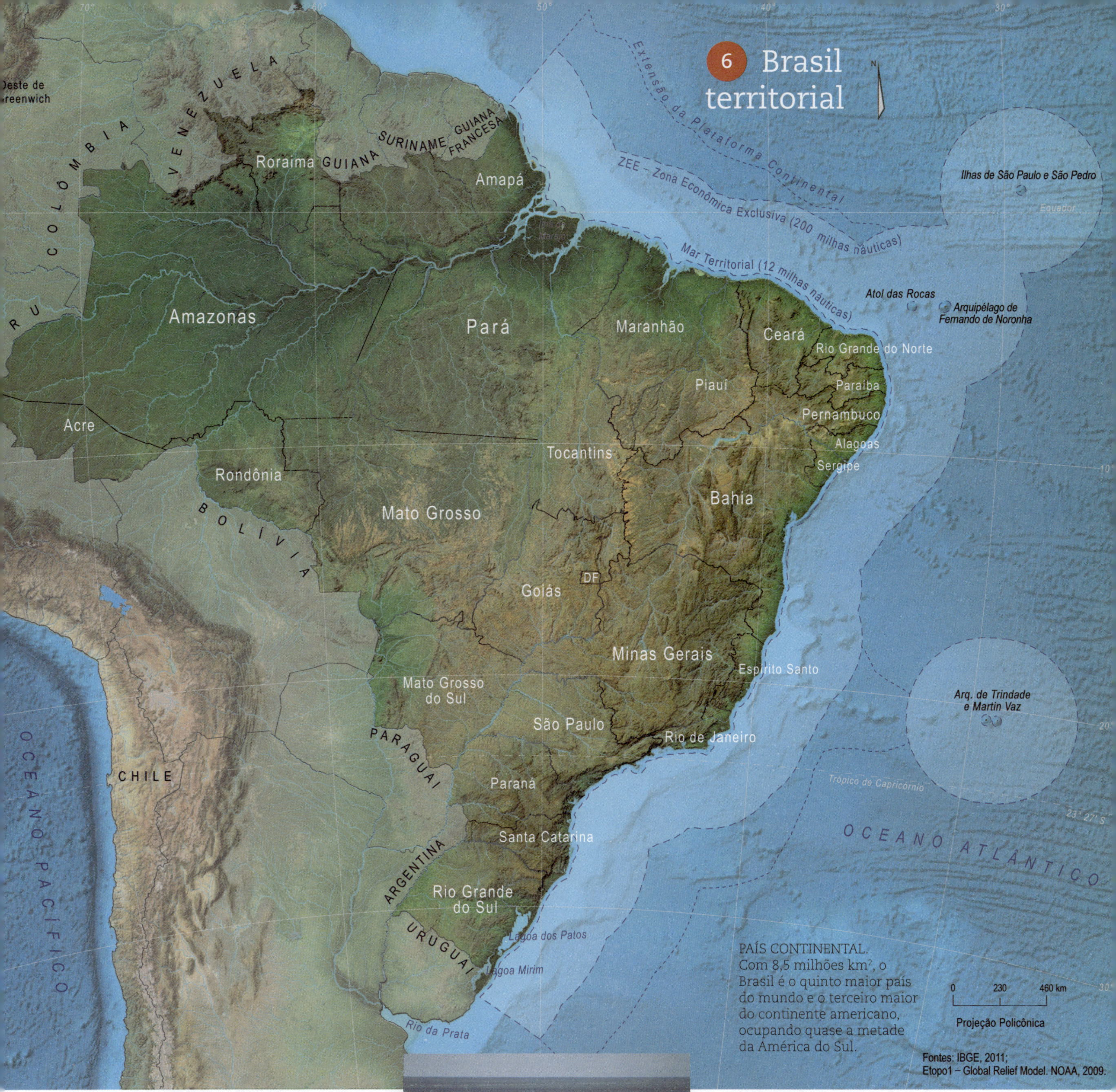

PAÍS CONTINENTAL.
Com 8,5 milhões km², o Brasil é o quinto maior país do mundo e o terceiro maior do continente americano, ocupando quase a metade da América do Sul.

Fontes: IBGE, 2011; Etopo1 – Global Relief Model. NOAA, 2009.

Mar territorial: faixa litorânea que parte da linha de praia até 25 quilômetros mar adentro, ao longo da linha de costa, e que representa o espaço marítimo de soberania nacional por direito.

Zona Econômica Exclusiva (ZEE): grande faixa de 300 km de largura mar adentro, onde o Brasil usufrui o direito de exclusividade para exploração de recursos e desenvolvimento de pesquisa.

Extensão da plataforma continental: ampliação pretendida para a ZEE considerando as características do relevo submarino; agregaria mais de 120 milhões de km² de mar ao território nacional.

Ernesto Reghran/Pulsar Imagens

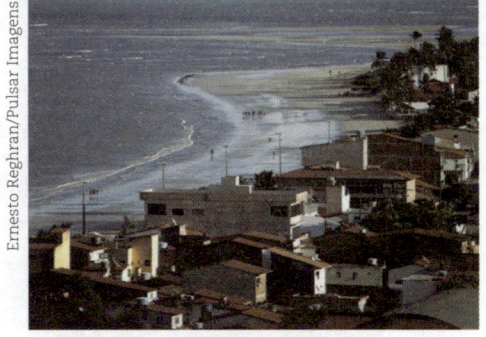

Praia de Maragogi, Maragogi (AL).

7 Municípios

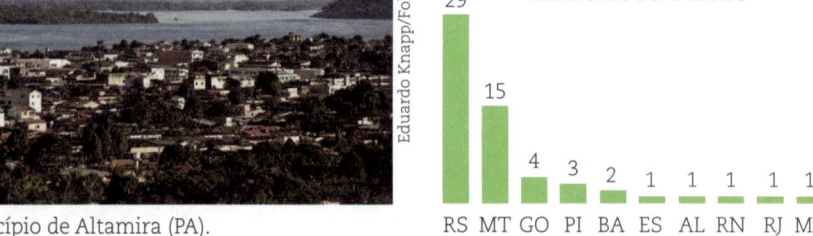

Em 1985, ano da redemocratização do Estado brasileiro, havia 4.890 municípios no território nacional. Desse período até o final de 1990, surgiram 450 novos municípios. Atualmente o país possui 5.565 municípios, e entre o período de 2000 e 2010 surgiram 58 novas cidades.

Fonte: IBGE, 2010.

Município de Altamira (PA).

Municípios emancipados entre 2000 e 2010

RS	MT	GO	PI	BA	ES	AL	RN	RJ	MS
29	15	4	3	2	1	1	1	1	1

8 Brasil político

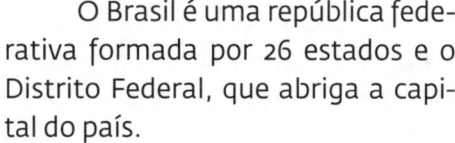

O Brasil é uma república federativa formada por 26 estados e o Distrito Federal, que abriga a capital do país.

Área dos estados (em km²)

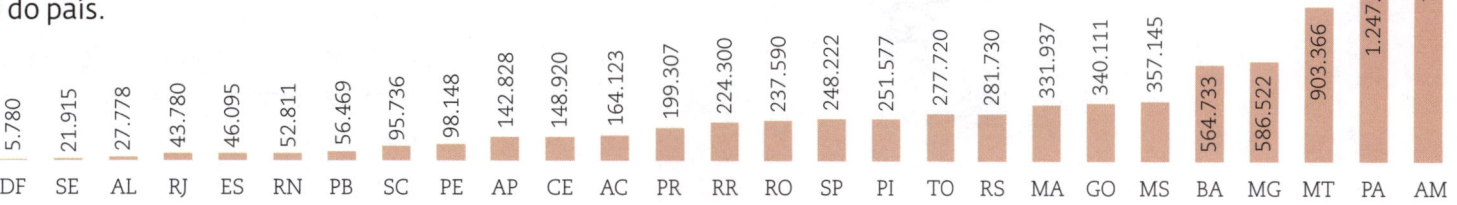

DF	SE	AL	RJ	ES	RN	PB	SC	PE	AP	CE	AC	PR	RR	RO	SP	PI	TO	RS	MA	GO	MS	BA	MG	MT	PA	AM
5.780	21.915	27.778	43.780	46.095	52.811	56.469	95.736	98.148	142.828	148.920	164.123	199.307	224.300	237.590	248.222	251.577	277.720	281.730	331.937	340.111	357.145	564.733	586.522	903.366	1.247.954	1.559.159

Fonte: IBGE, 2010.

9 Representação política

O sistema político do Brasil é o presidencialismo, no qual o chefe de Estado que representa a Nação é também o chefe de governo (presidente da República) que administra o país.

Esse modelo é composto por três poderes: o Executivo (presidente da República e ministros), o Legislativo (Congresso Nacional: Câmara dos Deputados e Senado Federal) e o Judiciário (Supremo Tribunal Federal).

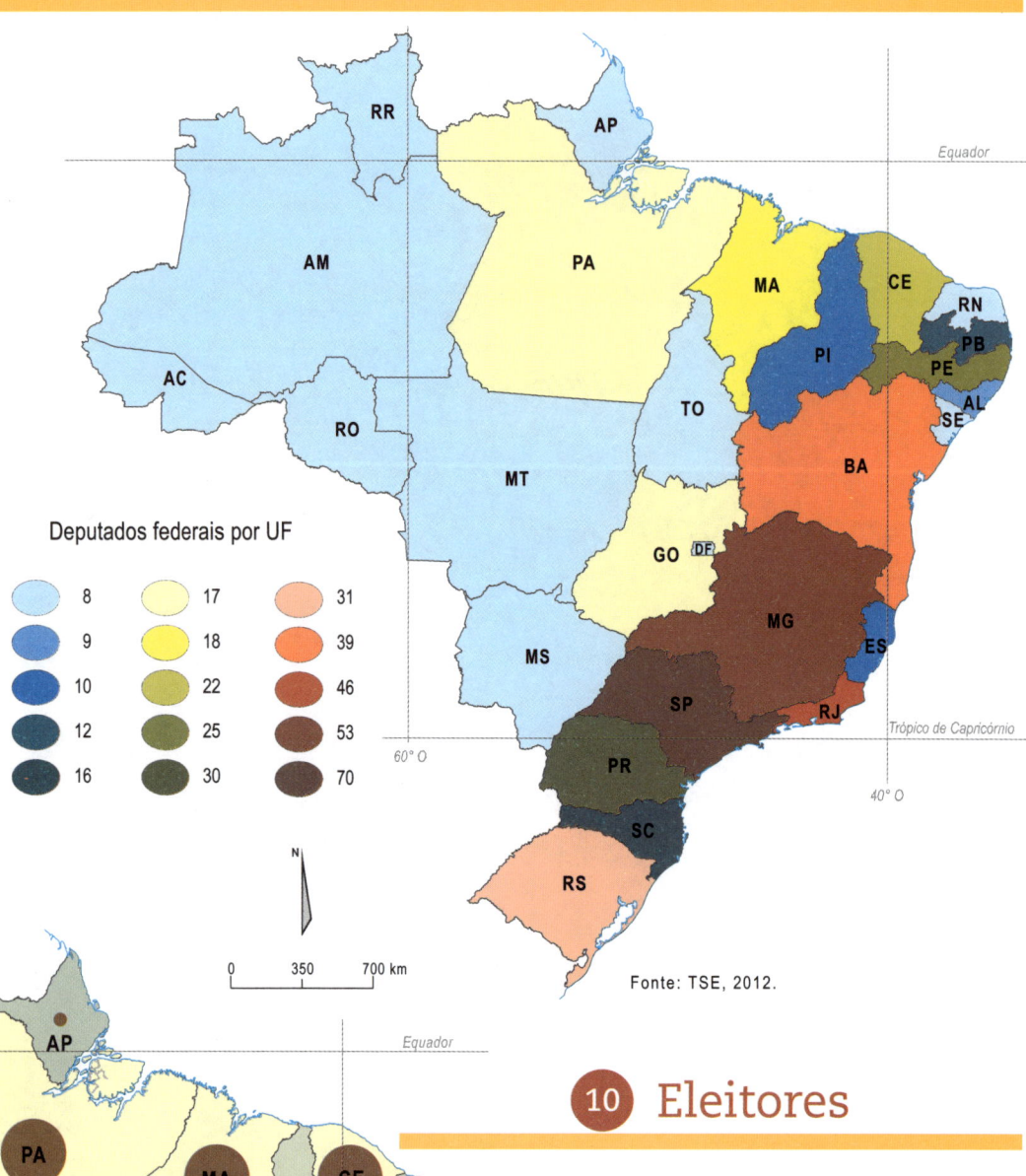

10 Eleitores

O Congresso Nacional tem a função de propor, modificar e aprovar as leis e de fiscalizar o poder Executivo. O poder Judiciário julga a constitucionalidade e a aplicação das leis e fiscaliza o poder Legislativo e o Executivo.

O Congresso Nacional é composto de 513 integrantes na Câmara dos Deputados e 81 no Senado Federal, todos são eleitos por voto direto, para mandatos de 4 e 8 anos, respectivamente.

O STF (Superior Tribunal Federal) é composto de sete juízes. Os magistrados são indicados pelo presidente da República.

11 Fusos horários do mundo

Fonte: The World Factbook, 1996.

12 Fusos horários do Brasil

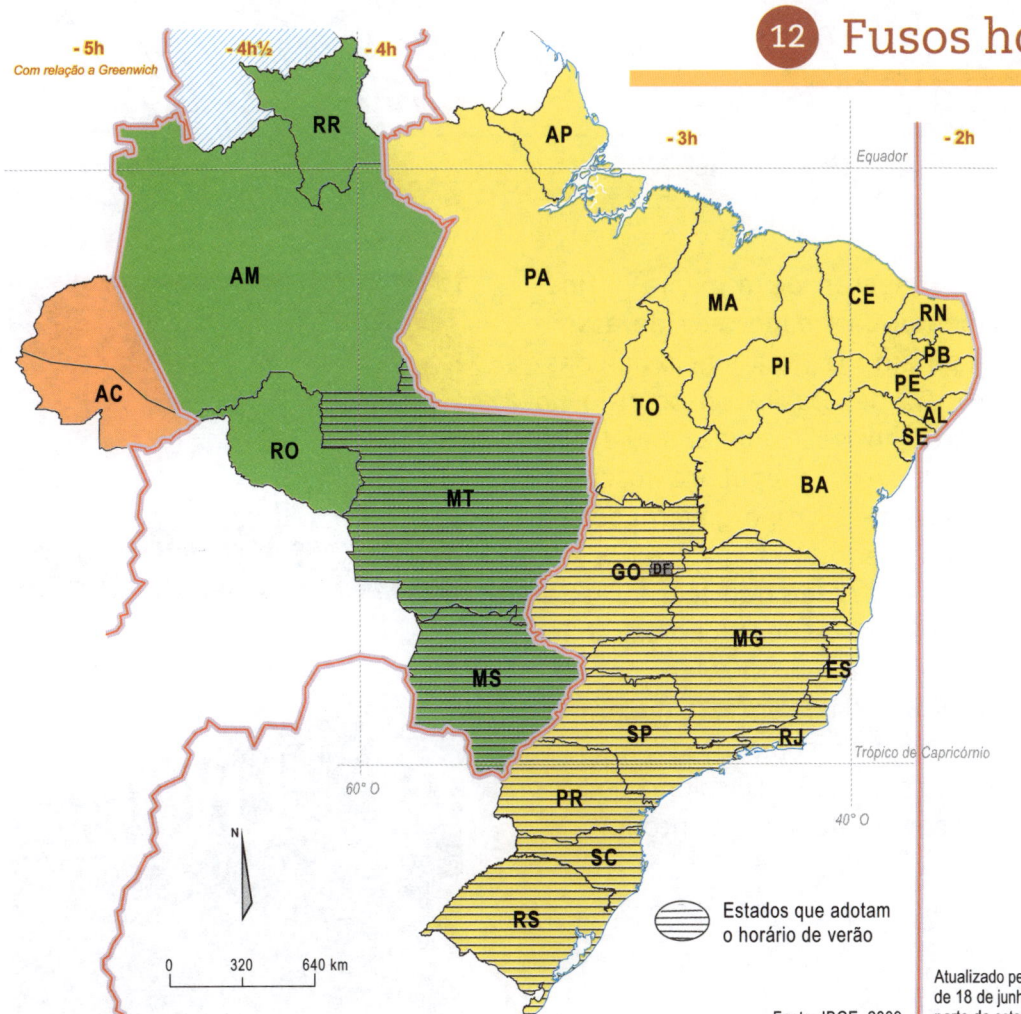

O horário de verão é uma estratégia para economizar energia elétrica, pois amplia o aproveitamento da luz natural no período dos dias mais longos do ano.

Durante parte da primavera e do verão, os relógios são adiantados em uma hora, retornando ao horário habitual no final do verão. Geralmente o horário de verão vigora de outubro a fevereiro.

Fonte: IBGE, 2009.

Atualizado pela Lei nº 12.876, de 30 de outubro de 2013, que altera o Decreto nº 2.784, de 18 de junho de 1913, que restabelece os fusos horários do estado do Acre e de parte do estado do Amazonas e revoga a Lei nº 11.662, de 24 de abril de 2008.

13 Distrito Federal

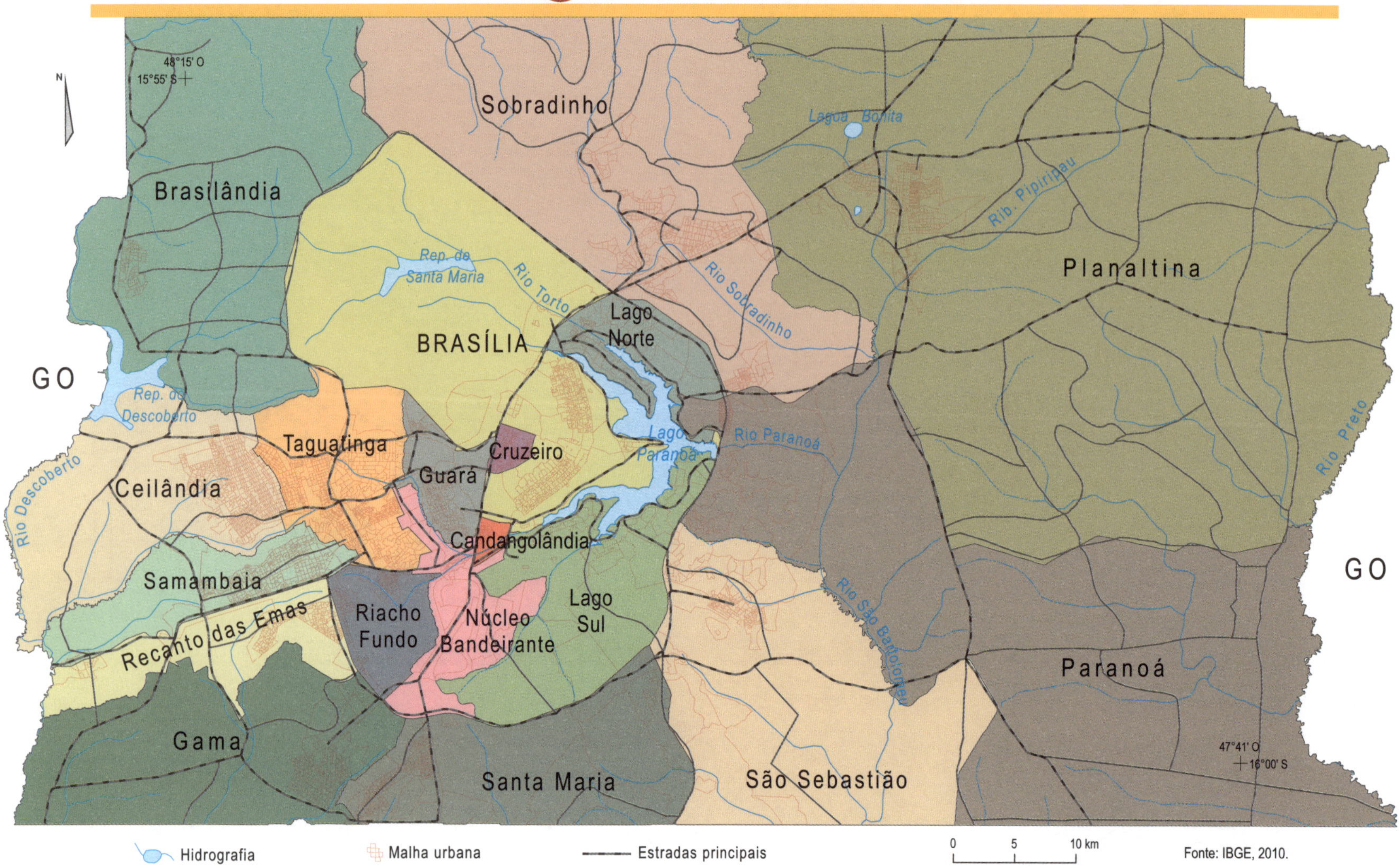

Hidrografia — Malha urbana — Estradas principais
Fonte: IBGE, 2010.

Palácio do Planalto, Praça dos Três Poderes, Brasília (DF).

Vista aérea do Eixo Monumental com Esplanada dos Ministérios, Brasília (DF).

Apesar de a pedra fundamental da cidade ter sido assentada em 1922, o anúncio da construção de Brasília só ocorreu no ano de 1955 pelo ainda candidato à presidência da república, Juscelino Kubitschek, então governador de Minas Gerais.

A ideia de transferir a capital federal do Rio de Janeiro para o interior era anterior ao plano de construir Brasília. Já em 1781, o Marquês de Pombal recomendava a mudança da sede do Brasil colônia do litoral para o interior do território.

Congresso Nacional, Brasília (DF).

Palácio da Justiça, Brasília (DF).

14 Plano piloto

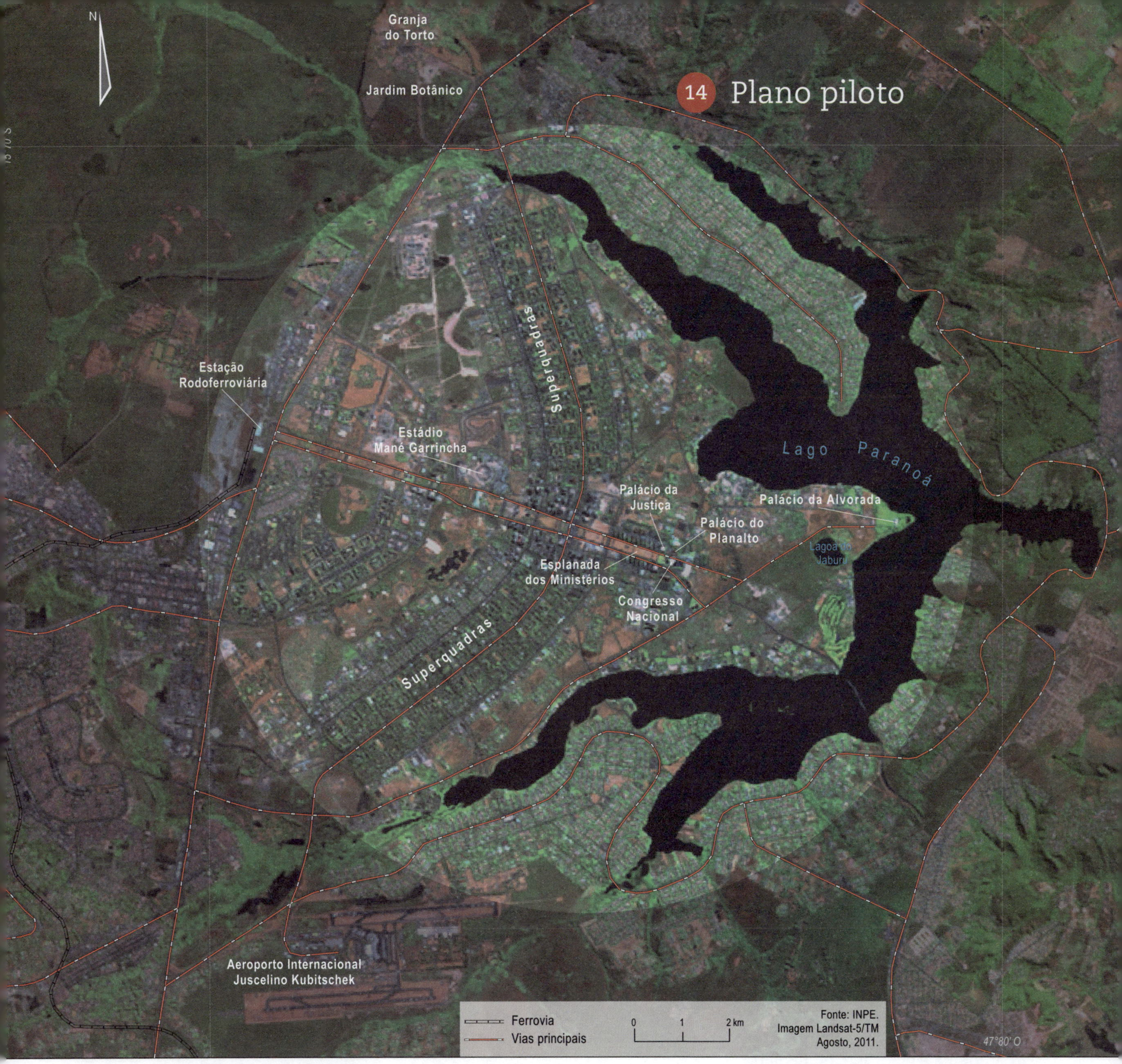

Vizzoni/Estadão Conteúdo

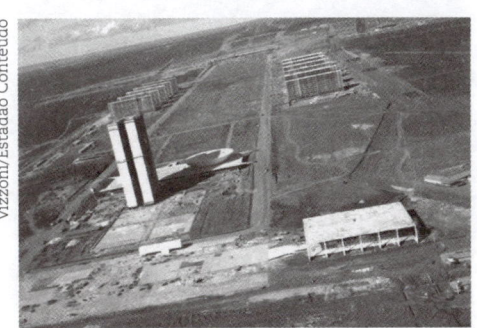

Vista aérea da construção do Palácio do Planalto, Brasília (DF).

Erguida em 1960, no meio do Cerrado brasileiro, a cidade de Brasília, capital federal, foi planejada e executada pelo arquiteto Oscar Niemeyer e pelo urbanista Lúcio Costa. Atualmente, a sede do governo federal é o centro de uma metrópole nacional, a quarta capital mais populosa do país.

Palê Zuppani/Pulsar Imagens

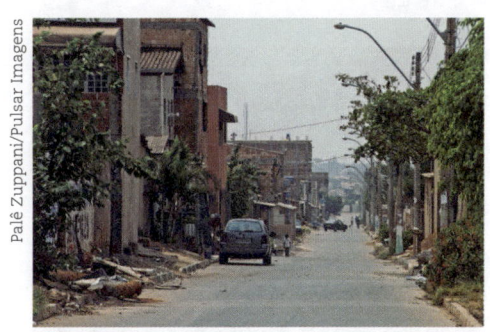

Rua residencial da cidade-satélite de Itapoã (DF).

Atlas Geográfico do Brasil

15 Paisagens naturais

No território brasileiro, predominam formas moderadas de relevo, com destaque para serras e chapadas, formações residuais que abrigam uma rica rede de mananciais que descem para os vales e terras baixas. Nesses planaltos acidentados, numerosas nascentes dão origem a rios que cortam vales, planícies e depressões, modelando a paisagem pela ação constante da dissecação e sedimentação.

1. CHAPADA DIAMANTINA (BA)
Localizada no interior do estado da Bahia, é uma formação constituída por planaltos residuais esculpidos em formato tabular contendo riachos e cachoeiras, cavernas e rios subterrâneos.

2. PANTANAL MATO-GROSSENSE (MT e MS)
Trata-se de uma imensa planície fluvial, inundada periodicamente. O ambiente de rica fauna é caracterizado pela presença de um ciclo anual em que se alternam uma estação seca e outra alagada.

3. CATARATAS DO IGUAÇU (PR)
Localizada na divisa com a Argentina, a região das Cataratas do Iguaçu conta com uma exuberante floresta tropical, um significativo ecossistema incluído na lista de Patrimônios da Humanidade da Unesco.

4. ILHA DO BANANAL (TO)
Importante santuário ecológico, a ilha está localizada entre os rios Araguaia e Javaés. Com mais de 20 mil km², é a maior ilha fluvial do mundo e se divide entre o Parque Nacional do Araguaia e o Parque Indígena do Araguaia.

5. ANAVILHANAS (AM)
O arquipélago de Anavilhanas, localizado no município de Novo Airão, no estado do Amazonas, é um conjunto de ilhas fluviais cobertas por floresta, sazonalmente inundadas numa área aproximada de 100 mil hectares.

Parque Nacional da Chapada Diamantina (BA).

Tuiuiús cabeça-seca e garças-brancas no Pantanal, Cáceres (MT).

Cataratas do Iguaçu no Parque Nacional do Iguaçu, Foz do Iguaçu (PR).

Rio Javaés, no Parque Nacional do Araguaia, Ilha do Bananal (TO).

Parque Nacional de Anavilhanas, no Rio Negro, Manaus (AM).

Atlas Geográfico do Brasil

16 Altimetria

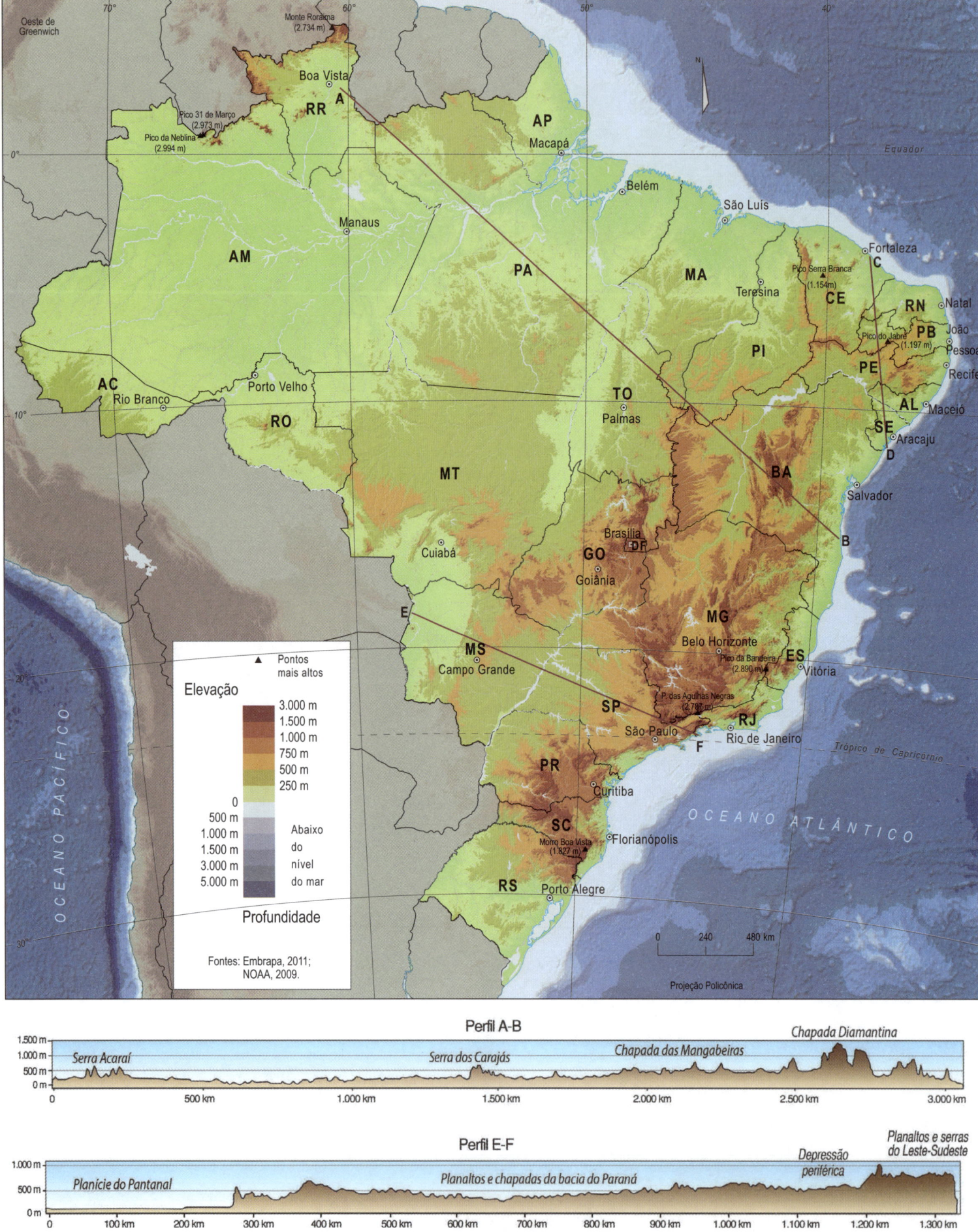

17 Declividade

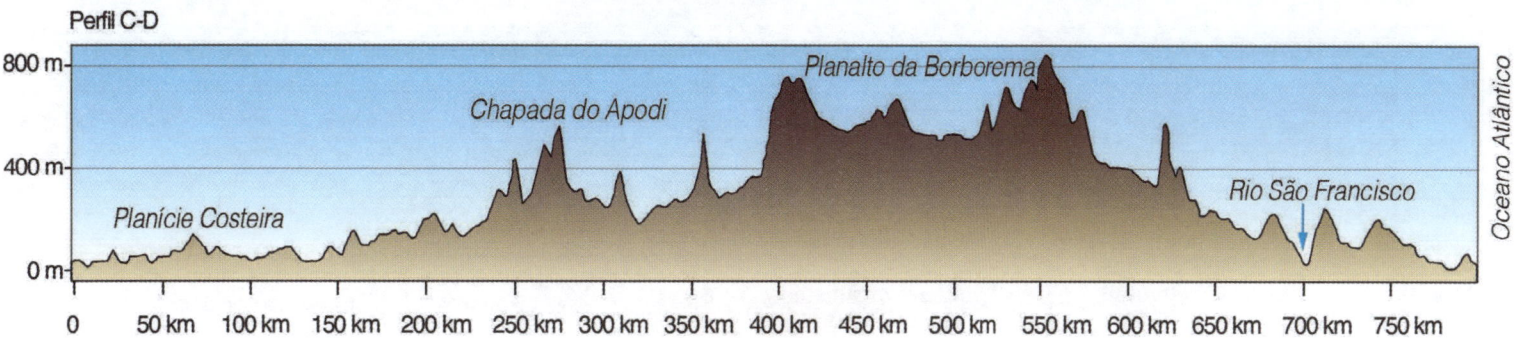

Pontos mais altos

- Plano 0 a 3%
- Suave ondulado 3 a 8%
- Ondulado 8 a 20%
- Forte ondulado 20 a 45%
- Montanhoso 45 a 75%
- Escarpado > 75%

Fonte: Mapa de declividade em percentual do relevo brasileiro (CPRM, 2011).

Projeção Policônica

Perfil C-D

18 Geologia: eras geológicas

Idade das rochas
- Cenozoico (< 65 Ma)
- Mesozoico (250 a 65 Ma)
- Paleozoico (540 a 250 Ma)
- Neoproterozoico (1,0 Ga a 540 Ma)
- Mesoproterozoico (1,6 a 1,0 Ga)
- Paleoproterozoico (2,5 a 1,6 Ga)
- Neoarqueano (2,8 a 2,5 Ga)
- Mesoarqueano (3,2 a 2,8 Ga)
- Paleoarqueano (3,6 a 3,2 Ga)

Ma – milhões de anos
Ga – bilhões de anos

Fonte: CPRM, 2011.

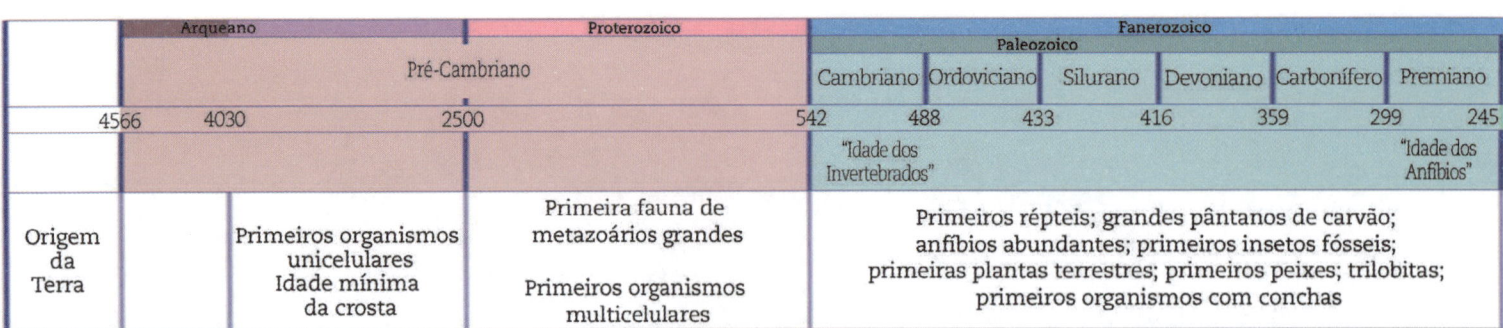

	Arqueano		Proterozoico		Fanerozoico					
							Paleozoico			
	Pré-Cambriano				Cambriano	Ordoviciano	Silurano	Devoniano	Carbonífero	Premiano
4566	4030		2500		542	488	433	416	359	299	245
					"Idade dos Invertebrados"					"Idade dos Anfíbios"
Origem da Terra	Primeiros organismos unicelulares Idade mínima da crosta		Primeira fauna de metazoários grandes Primeiros organismos multicelulares		Primeiros répteis; grandes pântanos de carvão; anfíbios abundantes; primeiros insetos fósseis; primeiras plantas terrestres; primeiros peixes; trilobitas; primeiros organismos com conchas					

Atlas Geográfico do Brasil

19 Geologia: grupos de rochas

Rochas predominantes
- Rochas sedimentares
- Rochas metamórficas
- Rochas ígneas

Fonte: CPRM, 2011.

Projeção Policônica

Fanerozoico											Eon	Unidades de tempo
Mesozoico			Cenozoico								Era	
Triássico	Jurássico	Cretáceo	Terciário					Quaternário			Período	
245	199,6	145,5	65,5					1,8			Ma	
"Idade dos Répteis"			Paleoceno	Eoceno	Oligoceno	Mioceno	Plioceno	Pleistoceno		Holoceno	Época	
Primeiras plantas com flores Primeiros pássaros Dinossauros dominantes			"Idade dos Mamíferos" Extinção dos dinossauros e muitas outras espécies					Desenvolvimento do ser humano			Desenvolvimento de plantas e animais	

Aspectos gerais do relevo brasileiro

O território brasileiro está classificado em grandes unidades de relevo. Uma das primeiras classificações do relevo brasileiro identificou oito unidades e foi elaborada, na década de 1940, pelo geógrafo Aroldo de Azevedo. No ano de 1958, essa classificação foi substituída pela tipologia do geógrafo Aziz Ab'Saber, que acrescentou duas novas unidades de relevo. No ano de 1995, surgiu uma nova classificação, elaborada pelo pesquisador Jurandyr Sanches Ross, baseada nos levantamentos do projeto Radambrasil*, realizado entre os anos de 1970 e 1985. De modo geral, o relevo brasileiro é muito antigo e bastante desgastado por processos erosivos. As altitudes são modestas, sendo inferiores a 900 metros em 93% do território. Entre as formas de terrenos, predominam os planaltos e planícies, com 58,5% e 41%, respectivamente. O país possui uma grande geodiversidade, apresentando formas de chapadas, serras, montanhas antigas, planícies, depressões relativas, cânions, cavernas, além de estruturas, rochas e minerais variados, distribuídos em terrenos sedimentares, cristalinos e vulcânicos.

Unidades de relevo

PLANALTOS

1. PLANALTO DA BACIA AMAZÔNICA ORIENTAL
2. PLANALTO E CHAPADAS DA BACIA DO PARNAÍBA
3. PLANALTO E CHAPADAS DA BACIA DO PARANÁ
4. PLANALTO E CHAPADAS DA BACIA DOS PARECIS
5. PLANALTOS RESIDUAIS NORTE AMAZÔNICOS
6. PLANALTOS RESIDUAIS SUL AMAZÔNICOS
7. PLANALTOS E SERRAS DO ATLÂNTICO – LESTE-SUDESTE
8. PLANALTOS E SERRAS GOIÁS-MINAS
9. PLANALTOS E SERRAS RESIDUAIS DO ALTO PARAGUAI
10. PLANALTO DA BORBOREMA
11. PLANALTO SUL-RIO-GRANDENSE

DEPRESSÕES PERIFÉRICAS E MARGINAIS

12. DEPRESSÃO MARGINAL NORTE AMAZÔNICA
13. DEPRESSÃO MARGINAL SUL AMAZÔNICA
14. DEPRESSÃO DO ARAGUAIA
15. DEPRESSÃO CUIABANA
16. DEPRESSÃO DO ALTO PARAGUAI-GUAPORÉ
17. DEPRESSÃO DO MIRANDA
18. DEPRESSÃO SERTANEJA E DO SÃO FRANCISCO
19. DEPRESSÃO DO ALTO TOCANTINS – PARANÁ
20. DEPRESSÃO PERIFÉRICA DO TOCANTINS
21. DEPRESSÃO PERFÉRICA DA BORDA LESTE DA BACIA DO PARANÁ
22. DEPRESSÃO PERIFÉRICA SUL-RIO-GRANDENSE
23. DEPRESSÃO DA AMAZÔNIA OCIDENTAL

PLANÍCIES E TABULEIROS

24. PLANÍCIE DO RIO AMAZONAS
25. PLANÍCIE DO RIO ARAGUAIA
26. PLANÍCIE E PANTANAL DO RIO GUAPORÉ
27. PLANÍCIE E PANTANAL DO RIO PARAGUAI (MATO-GROSSENSE)
28. PLANÍCIE MARINHA DAS LAGOAS DOS PATOS E MIRIM
29. PLANÍCIES MARINHO-FLUVIAL
30. TABULEIROS COSTEIROS

Formações rochosas na região conhecida como Área Q, Quixadá (CE).

Serra da Mantiqueira, Virgínia (MG).

---

* Em outubro de 1970, criou-se o Projeto Radam (Radar na Amazônia), priorizando a coleta de dados sobre recursos minerais, solos, vegetação, uso da terra e cartografia da Amazônia e áreas adjacentes da região Nordeste. Em junho de 1971, iniciou-se o aerolevantamento. Devido aos bons resultados do projeto, em julho de 1975 o levantamento de radar foi expandido para o restante do território nacional, visando o mapeamento integrado dos recursos naturais e passando a ser denominado Projeto Radambrasil. (Fonte: CPRM, 2012.)

20 Relevo

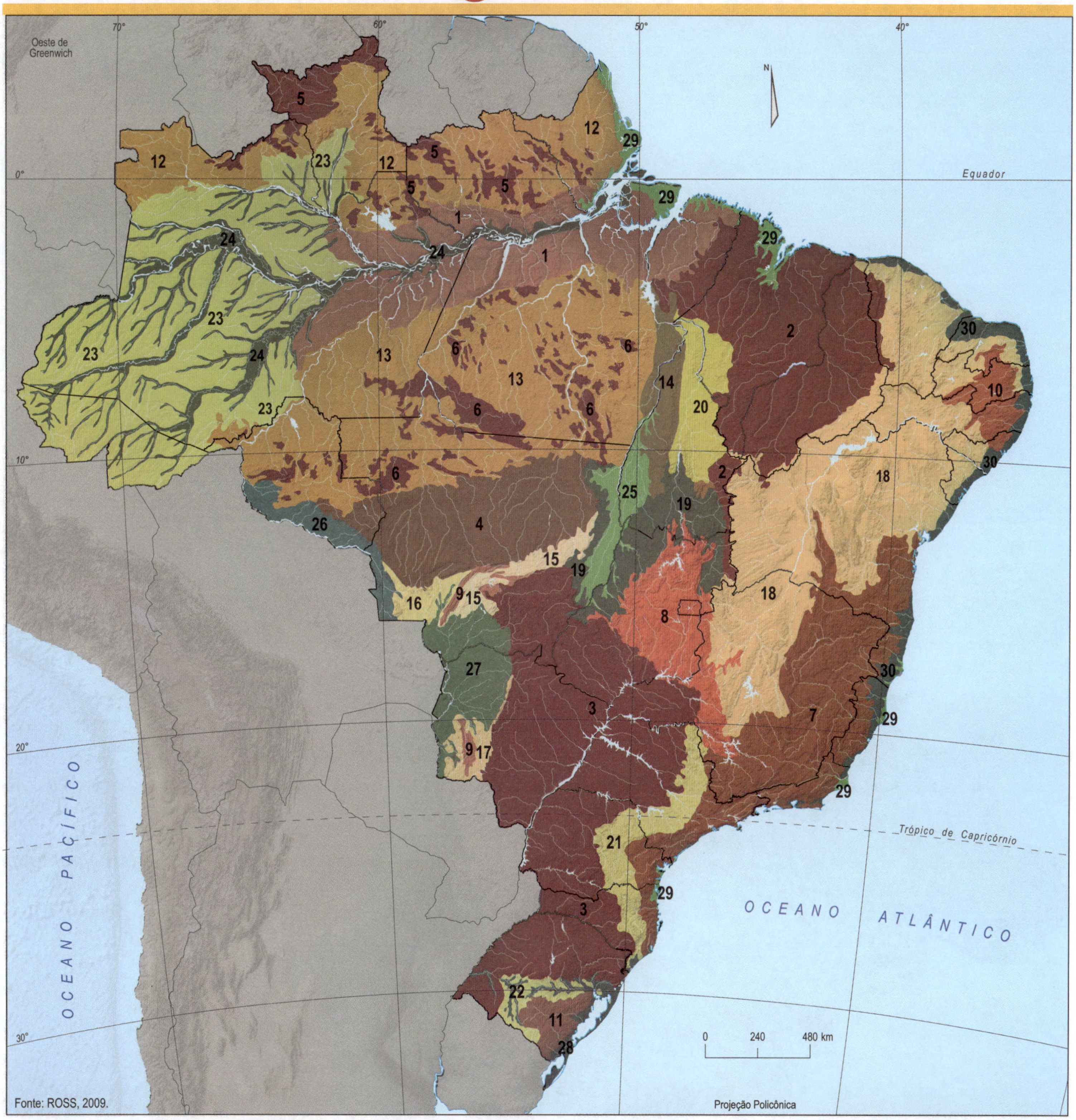

Fonte: ROSS, 2009.

Luis Salvatore/Pulsar Imagens

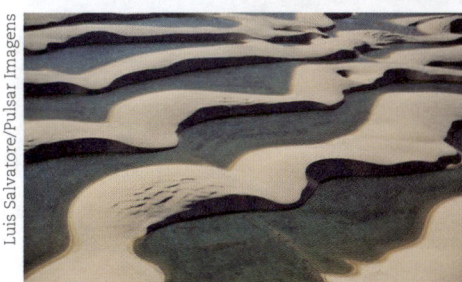

Parque Nacional dos Lençóis Maranhenses, Barreirinhas (MA).

André Dib/Pulsar Imagens

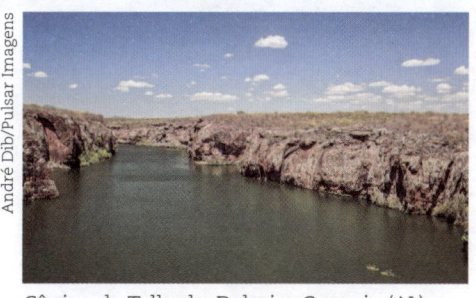

Cânion do Talhado, Delmiro Gouveia (AL).

Marcio Lourenço/Pulsar Imagens

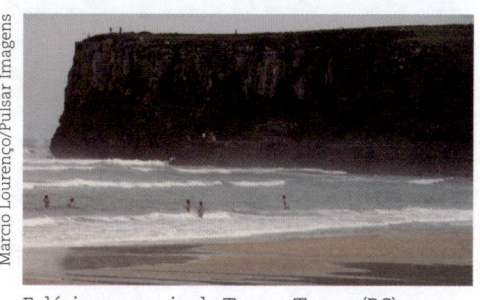

Falésias na praia de Torres, Torres (RS).

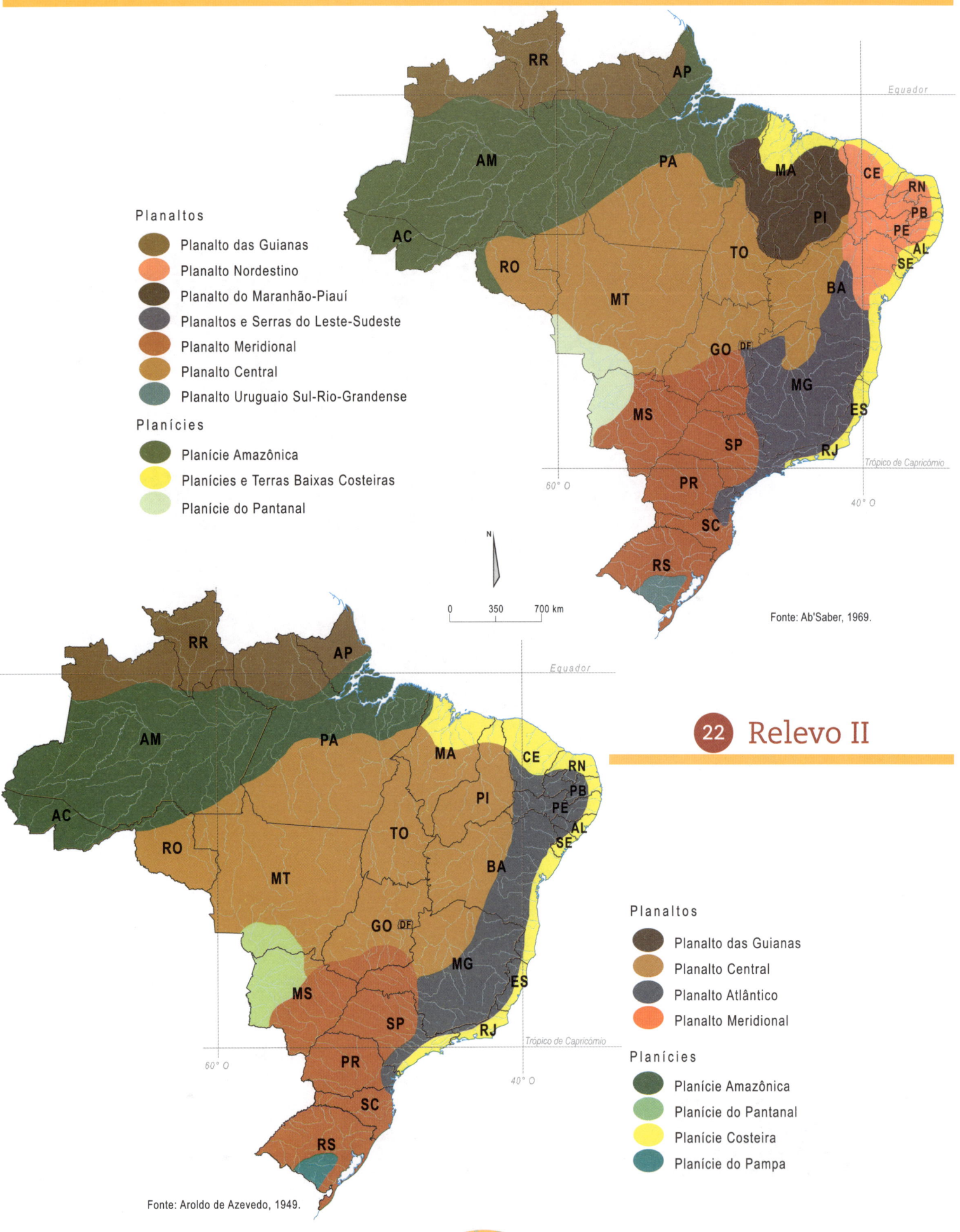

23 Solos

Tipos de solos
- Brunizens
- Cambissolos
- Lateritas hidromórficas
- Latossolos
- Planossolos
- Podzol
- Regossolos
- Solonetz – Solodizado
- Solos aluviais
- Solos arenoquartzosos profundos
- Solos brunos não cálcicos
- Solos concrecionários lateríticos
- Solos glei
- Solos litólicos
- Solos podzólicos
- Solos salinos
- Terras roxas estruturadas
- Vertissolos

Fonte: Embrapa, 1981.

Canavial e terra roxa, Floresta (PR).

Aplicação de calcário para correção de ph do solo (MT).

No Brasil há solos férteis, como a terra roxa – que por muito tempo foi fundamental para a consolidação do Ciclo do Café, no oeste do estado de São Paulo e no sul de Minas Gerais –, e solos com baixa disponibilidade de nutrientes, como os solos do Cerrado – que hoje abrigam a expansão da cultura de grãos graças ao uso de corretivos e fertilizantes.

Atlas Geográfico do Brasil

25 Bacias hidrográficas

Legenda:
- Bacia Amazônica
- Bacia do Leste
- Bacia do Nordeste
- Bacia Platina
- Bacia do São Francisco
- Bacia do Sudeste
- Bacia do Tocantins-Araguaia
- Bacia do Uruguai

Escala: 0 — 220 — 440 km

Projeção Policônica

Fontes: ANA, 2011; FAO/ONU, 2011.

Mapa secundário – Regiões Hidrográficas (RHs):
- RH Amazônica
- RH do Atlântico Nordeste Ocidental
- RH do Atlântico Nordeste Oriental
- RH do Parnaíba
- RH do Tocantins
- RH do Atlântico Leste
- RH do São Francisco
- RH do Paraguai
- RH do Paraná
- RH do Atlântico Sudeste
- RH do Uruguai
- RH do Atlântico Sul

O Conselho Nacional de Recursos Hídricos (CNRH) estabeleceu, em 2003, a Divisão Hidrográfica Nacional. Com isso, o Brasil passou a ser dividido em doze regiões hidrográficas (RHs). As RHs são regiões administrativas restritas ao espaço territorial brasileiro e diferem das bacias hidrográficas, que são compartilhadas com outros países além das fronteiras nacionais.

35

Atlas Geográfico do Brasil

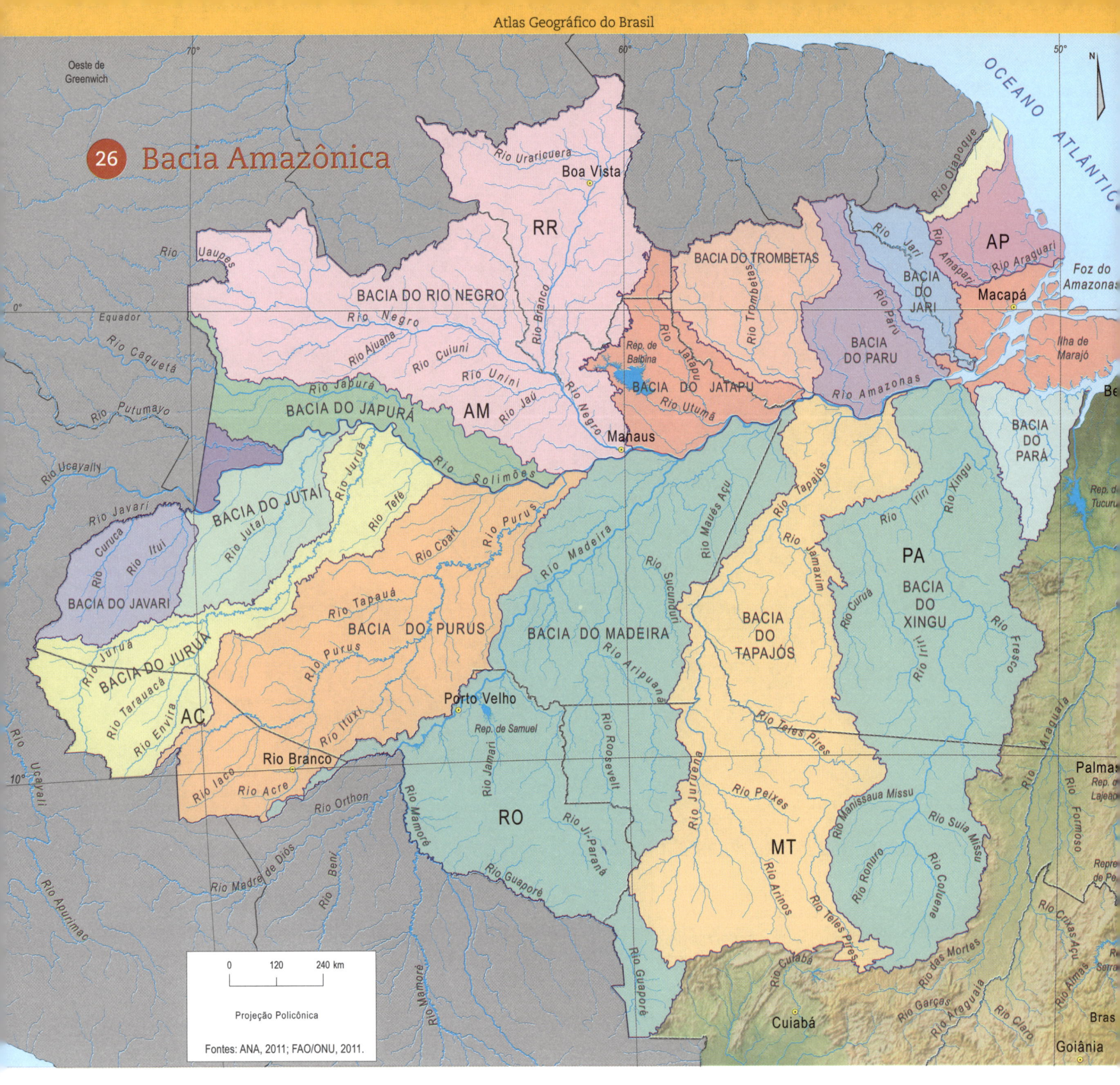

26 Bacia Amazônica

Map of the Amazon Basin showing sub-basins: Bacia do Rio Negro, Bacia do Trombetas, Bacia do Jari, Bacia do Paru, Bacia do Japurá, Bacia do Jatapu, Bacia do Jutaí, Bacia do Javari, Bacia do Juruá, Bacia do Purus, Bacia do Madeira, Bacia do Tapajós, Bacia do Xingu, Bacia do Pará. States shown: RR, AP, AM, AC, RO, MT, PA. Cities: Boa Vista, Macapá, Manaus, Rio Branco, Porto Velho, Cuiabá, Palmas, Goiânia.

Escala: 0 — 120 — 240 km
Projeção Policônica
Fontes: ANA, 2011; FAO/ONU, 2011.

Encontro das águas dos rios Negro e Solimões, em Manaus (AM).
Foto: Maurício Simonetti/Pulsar Imagens

As maiores bacias em território nacional (em km²)

- Amazônica 3.870.000
- Paraná 879.860
- Tocantins-Araguaia 767.000
- São Francisco 631.000

BRASIL – RIOS COM MAIOR VAZÃO (m³/s)

1º Rio Amazonas (Bacia Amazônica) 209.000
2º Rio Solimões (Bacia Amazônica) 103.000
3º Rio Madeira (Bacia Amazônica) 31.200
4º Rio Negro (Bacia Amazônica) 28.400
5º Rio Japurá (Bacia Amazônica) 18.620
6º Rio Tapajós (Bacia Amazônica) 13.500

36

27 Bacia do Paraguai e bacia do Paraná

Chatas estacionadas na margem do rio Paraguai, Corumbá (MS).

Rio Paraná, ao fundo a ponte rodoferroviária, que liga Mato Grosso do Sul a São Paulo, Rubineia (SP).

Os rios Paraguai e Paraná são os dois grandes rios da bacia Platina. O rio Paraguai nasce ao sul da chapada dos Parecis, no estado do Mato Grosso, e o rio Paraná surge da confluência dos rios Grande e Paranaíba, no extremo oeste de Minas Gerais e noroeste do estado de São Paulo. O sistema Paraguai-Paraná tem imensa importância estratégica para os setores de energia, transporte fluvial e agropecuária. Além disso, é grande sua importância ambiental, destacando-se o rio Paraguai, que atravessa toda a região do Pantanal Mato-Grossense.

Bacia do Tocantins-Araguaia e bacia do São Francisco

As bacias do Tocantins-Araguaia e do São Francisco são as maiores bacias localizadas totalmente em território nacional, cobrindo um quinto da superfície do país.

Confluência dos rios Araguaia e Tocantins no extremo norte de Tocantins, na região conhecida como Bico do Papagaio (TO).

Ponte Presidente Eurico Gaspar Dutra, entre Juazeiro (BA) e Petrolina (PE).

29 Principais aquíferos: unidades hidrogeológicas

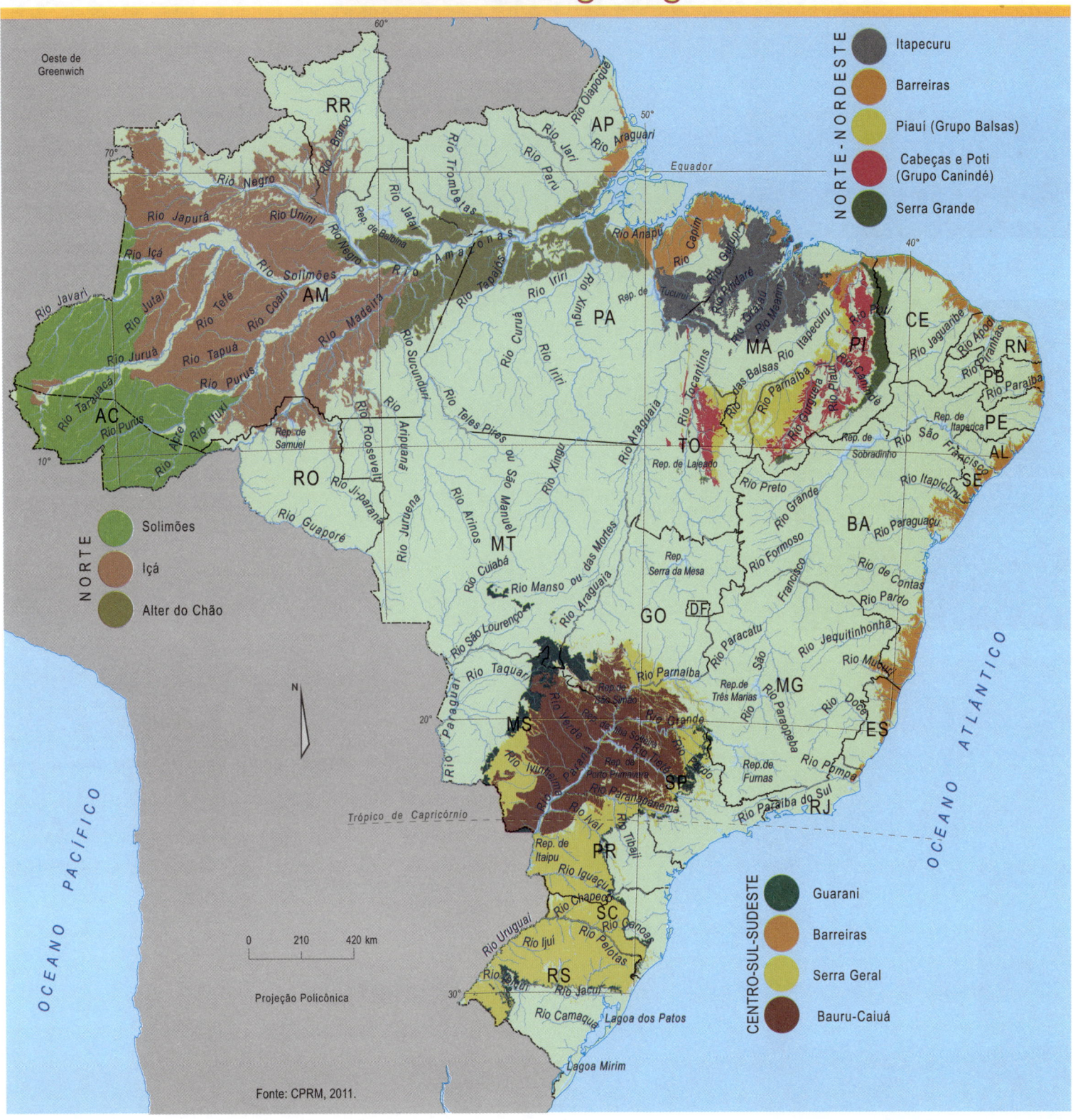

A grande oferta de água que encontramos no território brasileiro não se distribui de maneira uniforme. A maior parte, cerca de 70%, está na bacia Amazônica, que abriga aproximadamente 7% da população nacional. Já a região Sudeste, com 42% da população, tem apenas 6% das reservas de água. As águas confinadas no subsolo, que formam os aquíferos, constituem reservas estimadas em 112 bilhões de m³ e representam a maior parte das reservas de água doce do país.

30. Maiores bacias hidrográficas mundiais

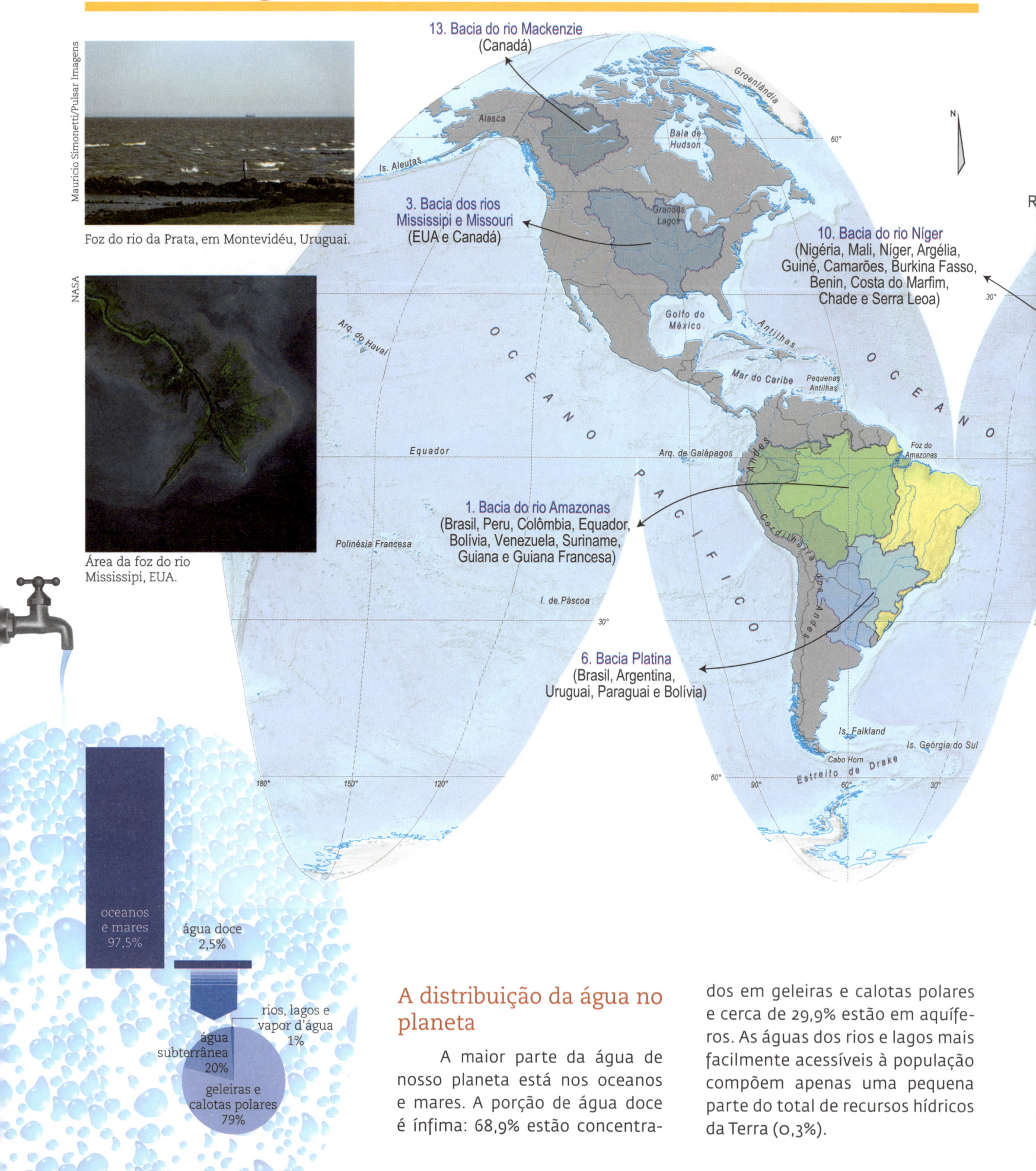

Foz do rio da Prata, em Montevidéu, Uruguai.

Área da foz do rio Mississipi, EUA.

13. Bacia do rio Mackenzie (Canadá)

3. Bacia dos rios Mississipi e Missouri (EUA e Canadá)

10. Bacia do rio Níger (Nigéria, Mali, Níger, Argélia, Guiné, Camarões, Burkina Fasso, Benin, Costa do Marfim, Chade e Serra Leoa)

1. Bacia do rio Amazonas (Brasil, Peru, Colômbia, Equador, Bolívia, Venezuela, Suriname, Guiana e Guiana Francesa)

6. Bacia Platina (Brasil, Argentina, Uruguai, Paraguai e Bolívia)

oceanos e mares 97,5%
água doce 2,5%
rios, lagos e vapor d'água 1%
água subterrânea 20%
geleiras e calotas polares 79%

A distribuição da água no planeta

A maior parte da água de nosso planeta está nos oceanos e mares. A porção de água doce é ínfima: 68,9% estão concentrados em geleiras e calotas polares e cerca de 29,9% estão em aquíferos. As águas dos rios e lagos mais facilmente acessíveis à população compõem apenas uma pequena parte do total de recursos hídricos da Terra (0,3%).

40

Países com maior proporção de reservas em recursos hídricos (FAO, 2010)

Congo, Índia, Peru, Colômbia, China, Indonésia, EUA, Canadá, Rússia, Brasil

15. Bacia do rio Volga (Federação Russa)

5. Bacia do rio Obi (Federação Russa)

7. Bacia do rio Yenissey (Federação Russa e Mongólia)

9. Bacia do rio Lena (Federação Russa)

1. Bacia do lago Chade (Níger, Nigéria, Centro-Africana, ..., Sudão, ... e Líbia)

11. Bacia do rio Amur (Federação Russa, Mongólia e China)

12. Bacia do rio Amarelo (China)

4. Bacia do rio Nilo (Egito, Etiópia, Sudão, Sudão do Sul, Uganda, Tanzânia, Quênia, República Democrática do Congo, Burundi, Ruanda, Eritreia e República Centro-Africana)

14. Bacia dos rios Ganges e Bramaputra (Índia, Nepal, Butão e Bangladesh)

16. Bacia do rio Zambeze (Tanzânia, Quênia, Gabão República Democrática do Congo e Zâmbia)

2. Bacia do rio Congo/Zaire (Tanzânia, Quênia, Gabão República Democrática do Congo, Zâmbia, Tanzânia, Camarões, Burundi, Ruanda, Malauí e República Sul-Africana)

Projeção de Goode

Fonte: FAO/ONU, 2011.

Maiores bacias hidrográficas do mundo (em km²)

Imagem de satélite do delta do rio Nilo ao norte do Egito.

41

Atlas Geográfico do Brasil

31 Temperatura média

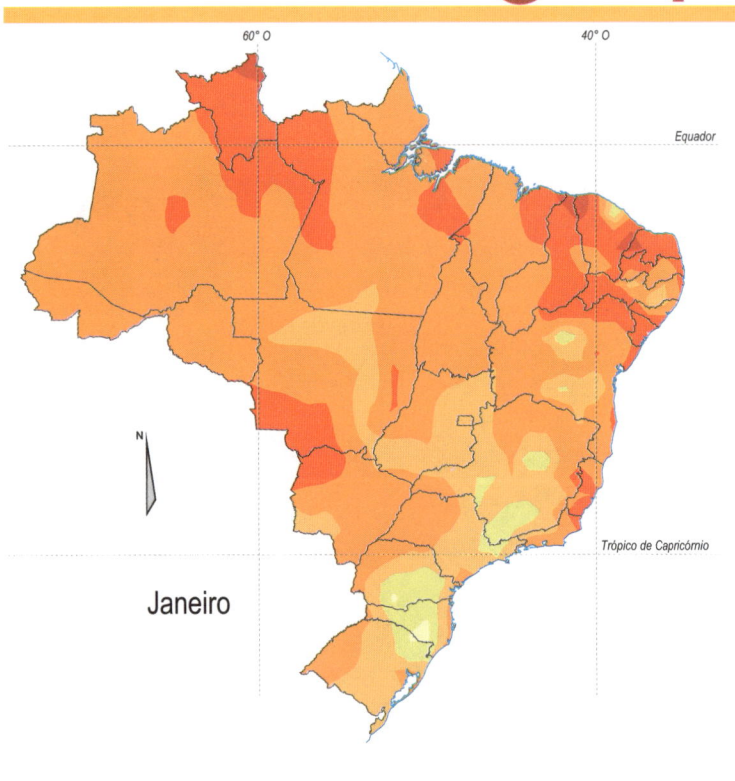

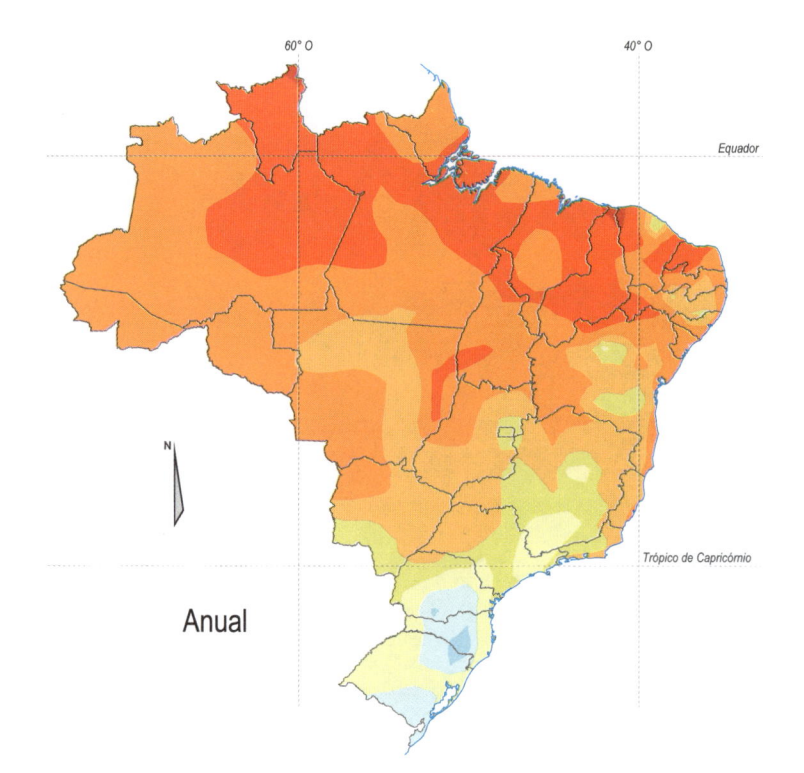

Janeiro

Temperatura média compensada (ºC)

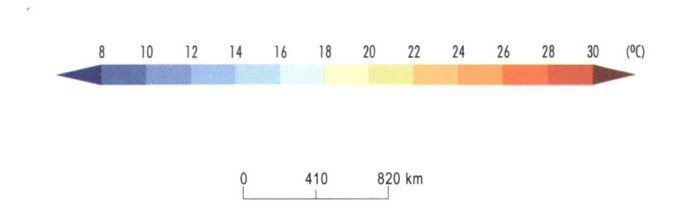

8 10 12 14 16 18 20 22 24 26 28 30 (ºC)

0   410   820 km

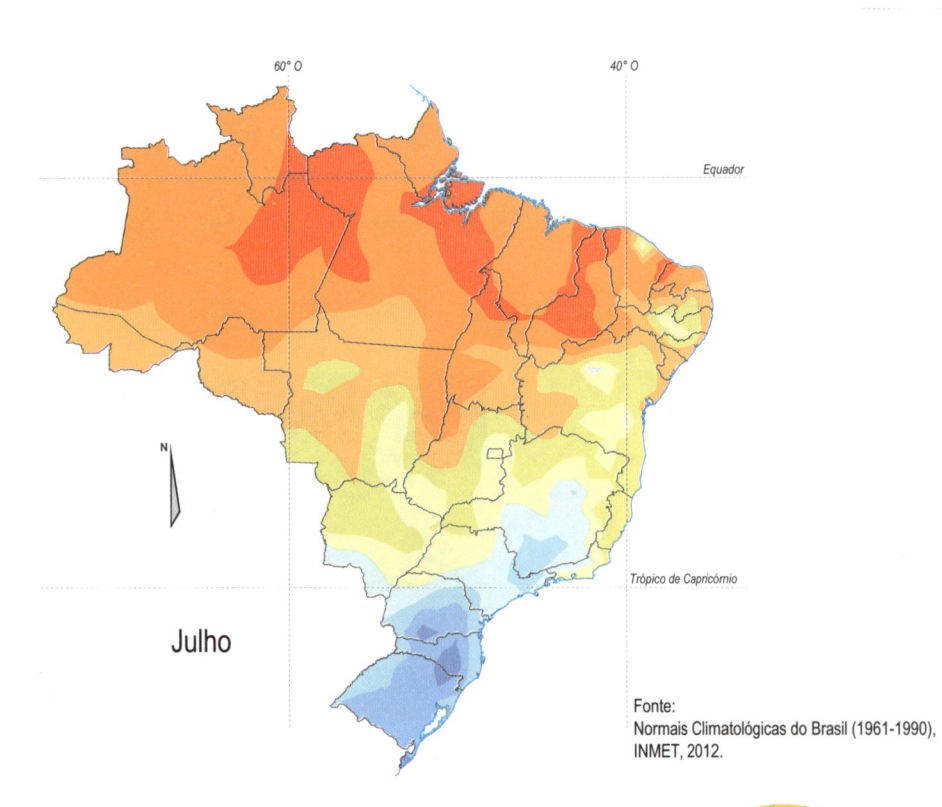

Julho

Fonte:
Normais Climatológicas do Brasil (1961-1990), INMET, 2012.

Anual

Morro da Igreja no município de Urubici (SC).

42

Atlas Geográfico do Brasil

32 Precipitação média

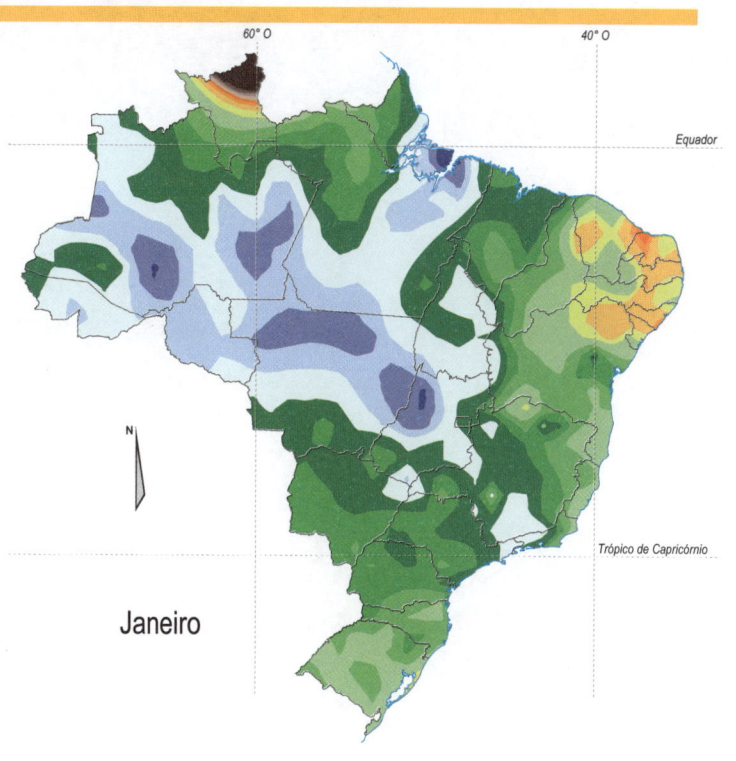

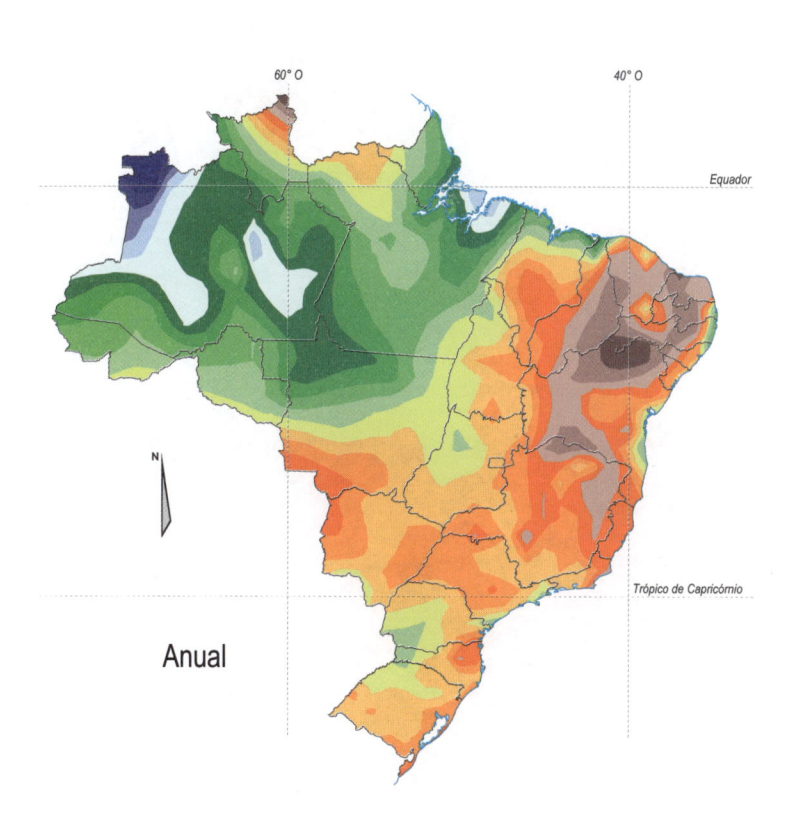

Janeiro

Anual

Precipitação acumulada (em mm)

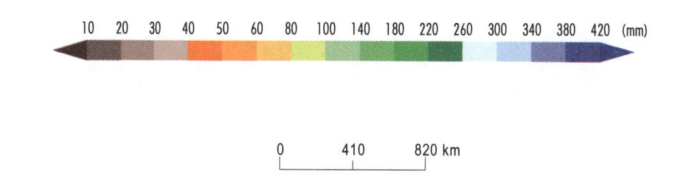

| 10 | 20 | 30 | 40 | 50 | 60 | 80 | 100 | 140 | 180 | 220 | 260 | 300 | 340 | 380 | 420 (mm) |

0   410   820 km

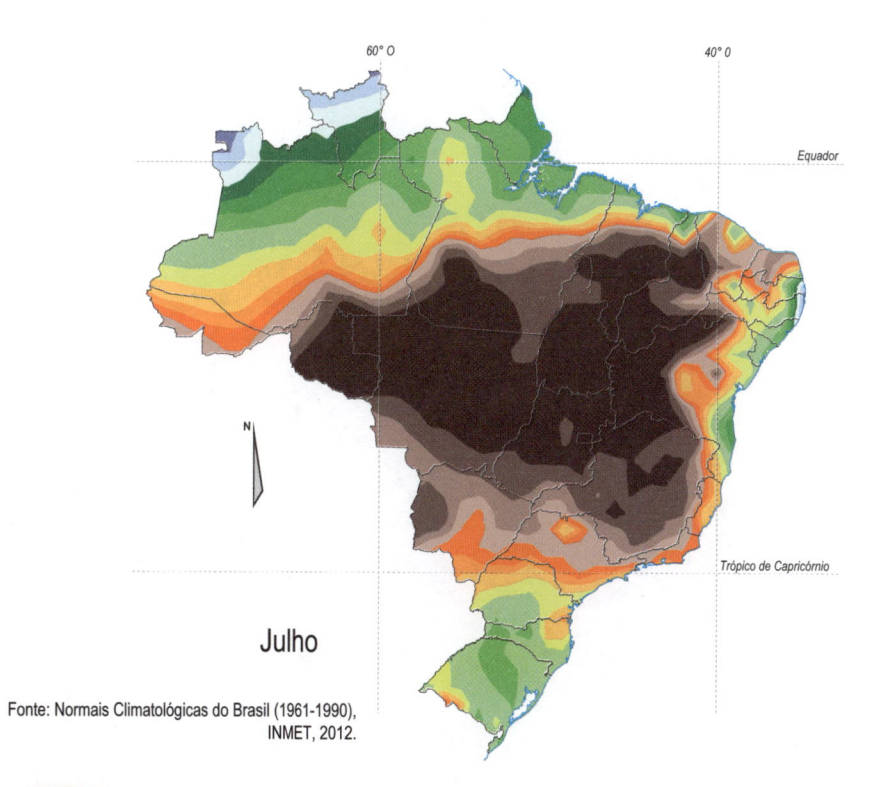

Julho

Fonte: Normais Climatológicas do Brasil (1961-1990), INMET, 2012.

Forte de Itamaracá, Recife (PE).

43

Atlas Geográfico do Brasil

33 Massas de ar

Massas de ar são grandes deslocamentos atmosféricos que têm características homogêneas de temperatura e umidade. Podem ser frias, quentes, secas ou úmidas. Elas compõem o clima e as condições do tempo por onde passam.

mEc - massa equatorial continental
mEa - massa equatorial atlântica
mTc - massa tropical continental
mTa - massa tropical atlântica
mPa - massa polar atlântica

>> correntes quentes
>> correntes frias

Projeção de Goode

NOTA:
A origem das massas de ar e as setas indicadas são uma referência aproximada das respectivas zonas de formação e dispersão.

Fonte: IBGE, 2011.

Atlas Geográfico do Brasil

34 Clima (classificação de Köppen)

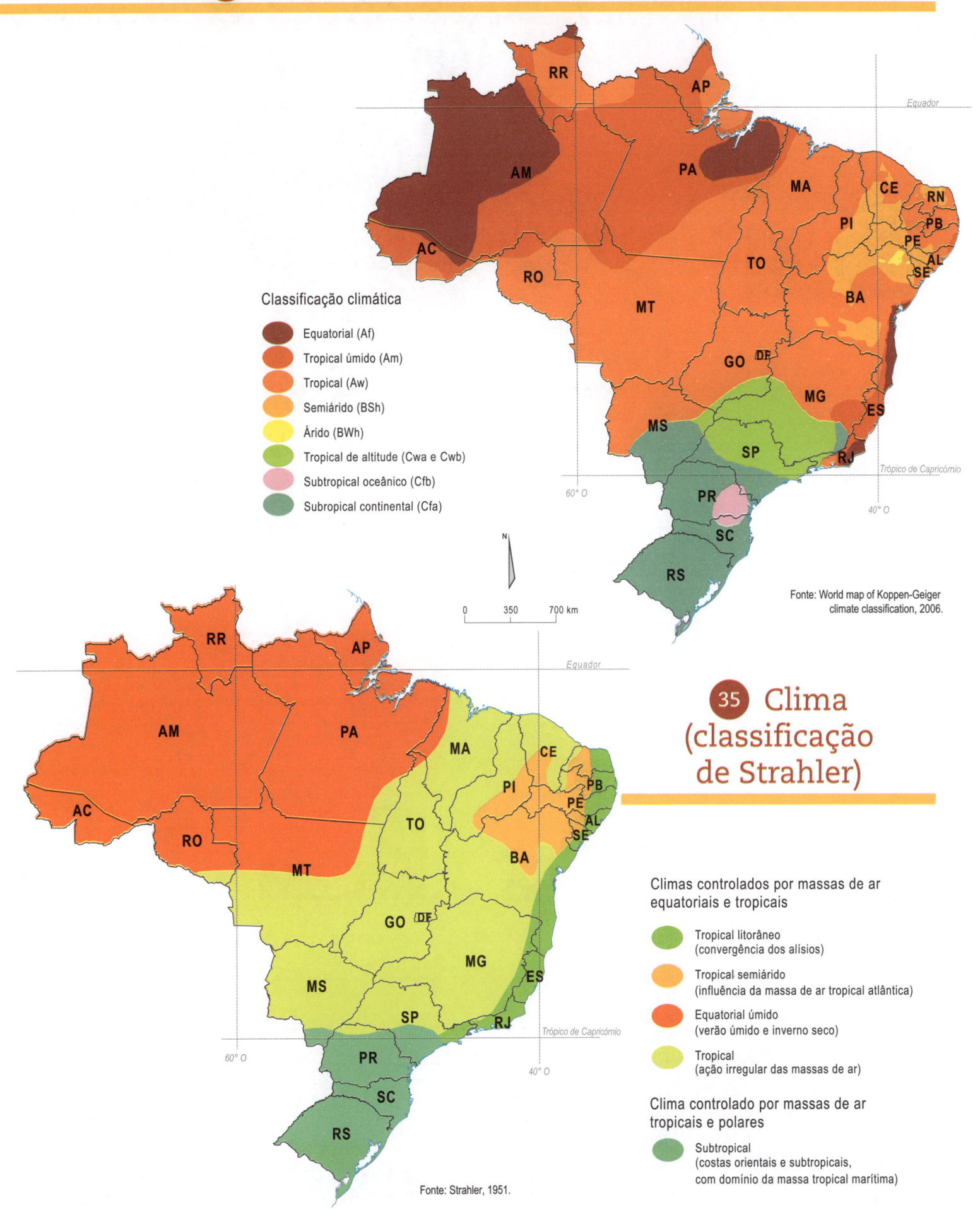

Classificação climática

- Equatorial (Af)
- Tropical úmido (Am)
- Tropical (Aw)
- Semiárido (BSh)
- Árido (BWh)
- Tropical de altitude (Cwa e Cwb)
- Subtropical oceânico (Cfb)
- Subropical continental (Cfa)

Fonte: World map of Koppen-Geiger climate classification, 2006.

35 Clima (classificação de Strahler)

Climas controlados por massas de ar equatoriais e tropicais

- Tropical litorâneo (convergência dos alísios)
- Tropical semiárido (influência da massa de ar tropical atlântica)
- Equatorial úmido (verão úmido e inverno seco)
- Tropical (ação irregular das massas de ar)

Clima controlado por massas de ar tropicais e polares

- Subtropical (costas orientais e subtropicais, com domínio da massa tropical marítima)

Fonte: Strahler, 1951.

45

36 Zonas climáticas

Gráficos pluviotérmicos

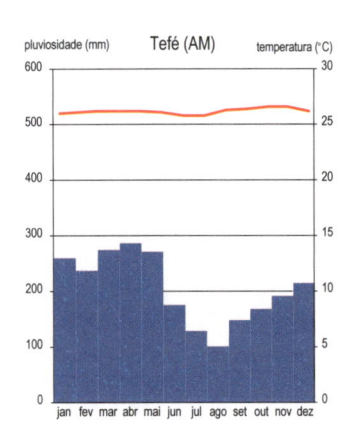

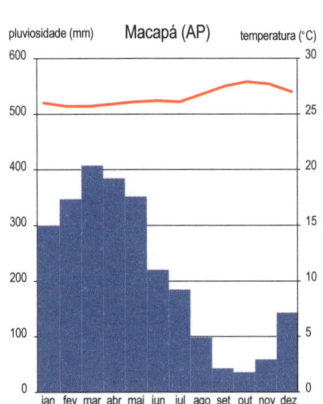

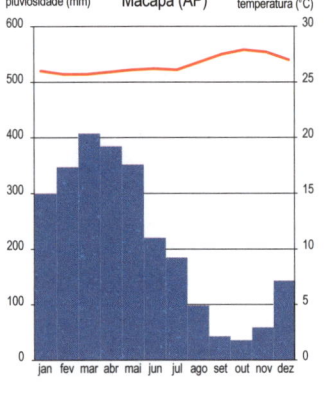

Fonte: Normais Climatológicas do Brasil (1961-1990) INMET, 2011.

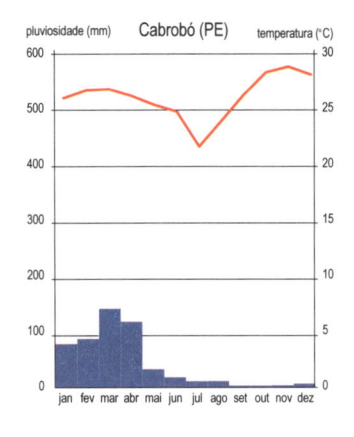

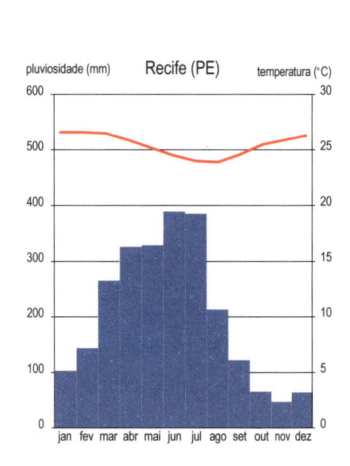

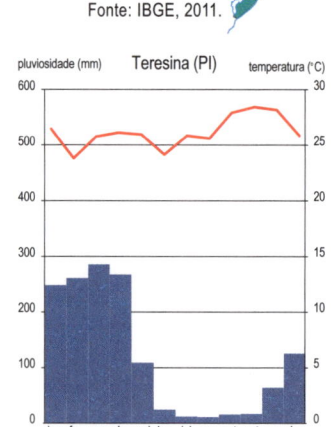

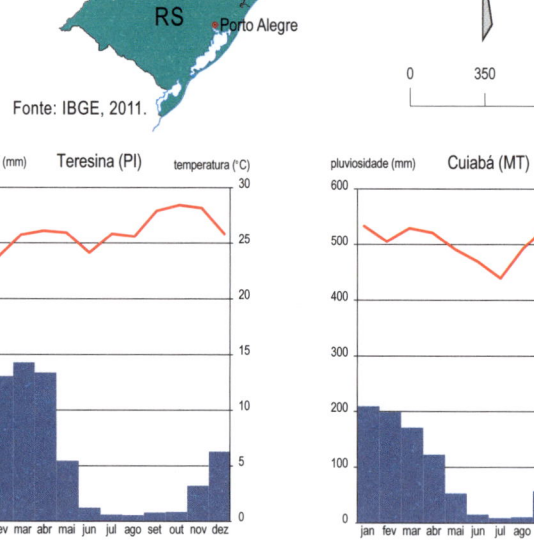

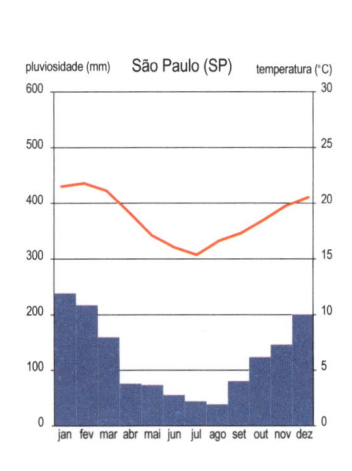

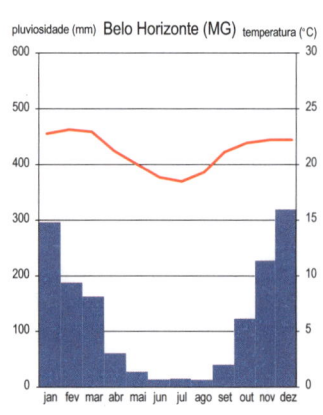

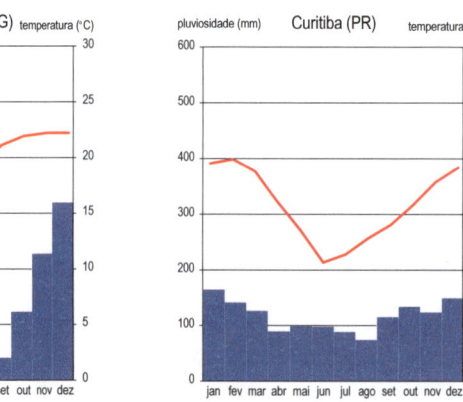

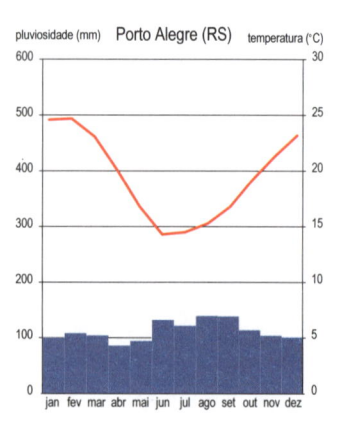

Tipos
- Equatorial
- Temperado
- Tropical Brasil Central
- Tropical Nordeste Oriental
- Tropical Zona Equatorial

Fonte: IBGE, 2011.

37 Classificação climática

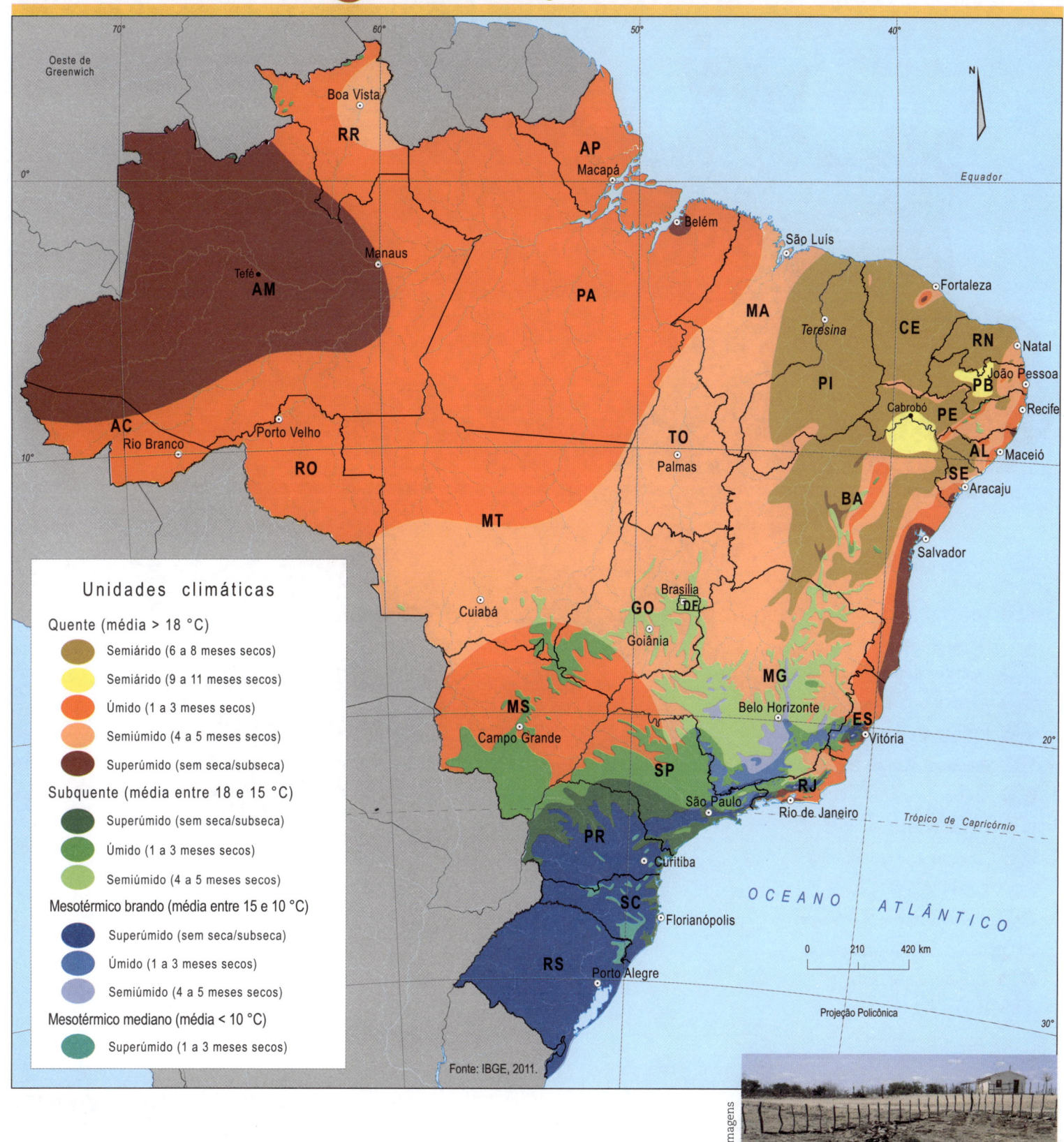

Unidades climáticas

Quente (média > 18 °C)
- Semiárido (6 a 8 meses secos)
- Semiárido (9 a 11 meses secos)
- Úmido (1 a 3 meses secos)
- Semiúmido (4 a 5 meses secos)
- Superúmido (sem seca/subseca)

Subquente (média entre 18 e 15 °C)
- Superúmido (sem seca/subseca)
- Úmido (1 a 3 meses secos)
- Semiúmido (4 a 5 meses secos)

Mesotérmico brando (média entre 15 e 10 °C)
- Superúmido (sem seca/subseca)
- Úmido (1 a 3 meses secos)
- Semiúmido (4 a 5 meses secos)

Mesotérmico mediano (média < 10 °C)
- Superúmido (1 a 3 meses secos)

Fonte: IBGE, 2011.

As características climáticas do território brasileiro são bem diversificadas, em geral, com temperaturas e pluviosidades médias elevadas. A maior parte da extensão territorial do Brasil está localizada na zona intertropical. As formas de relevo e a ação constante de massas de ar compõem o conjunto de elementos que influenciam os tipos climáticos e as mudanças das condições do tempo atmosférico.

Período de estiagem na região do Açude Cocorobó, Canudos (BA).

38 Vegetação atual

Tipos de cobertura vegetal

- Caatinga
- Floresta estacional decídua
- Floresta estacional semidecídua
- Floresta ombrófila aberta
- Floresta ombrófila densa
- Floresta de araucárias
- Cerrado
- Savana estépica
- Campinarana
- Estepe
- Formações pioneiras (flúvio/lacustre)
- Transição entre tipos de vegetação
- Manguezal e campo salino
- Restinga

Fonte: IBGE, 2010.

Projeção Policônica

Mata Atlântica

Floresta pluvial tropical que ocorria em zonas costeiras e interiores da porção ocidental do país ao longo do Atlântico. Heterogênea e com diversas espécies animais e vegetais, a Mata Atlântica tem ainda uma valiosa biodiversidade.

A Mata Atlântica vem sendo devastada desde o período colonial, primeiro pela exploração do pau-brasil, depois pela lavoura da cana-de-açúcar e do café até a atual ocupação urbana. Hoje, resta menos de 10% da mata original.

Cachoeira Véu de Noiva no Parque Estadual da Serra do Mar, Cubatão (SP).

39 Vegetação original

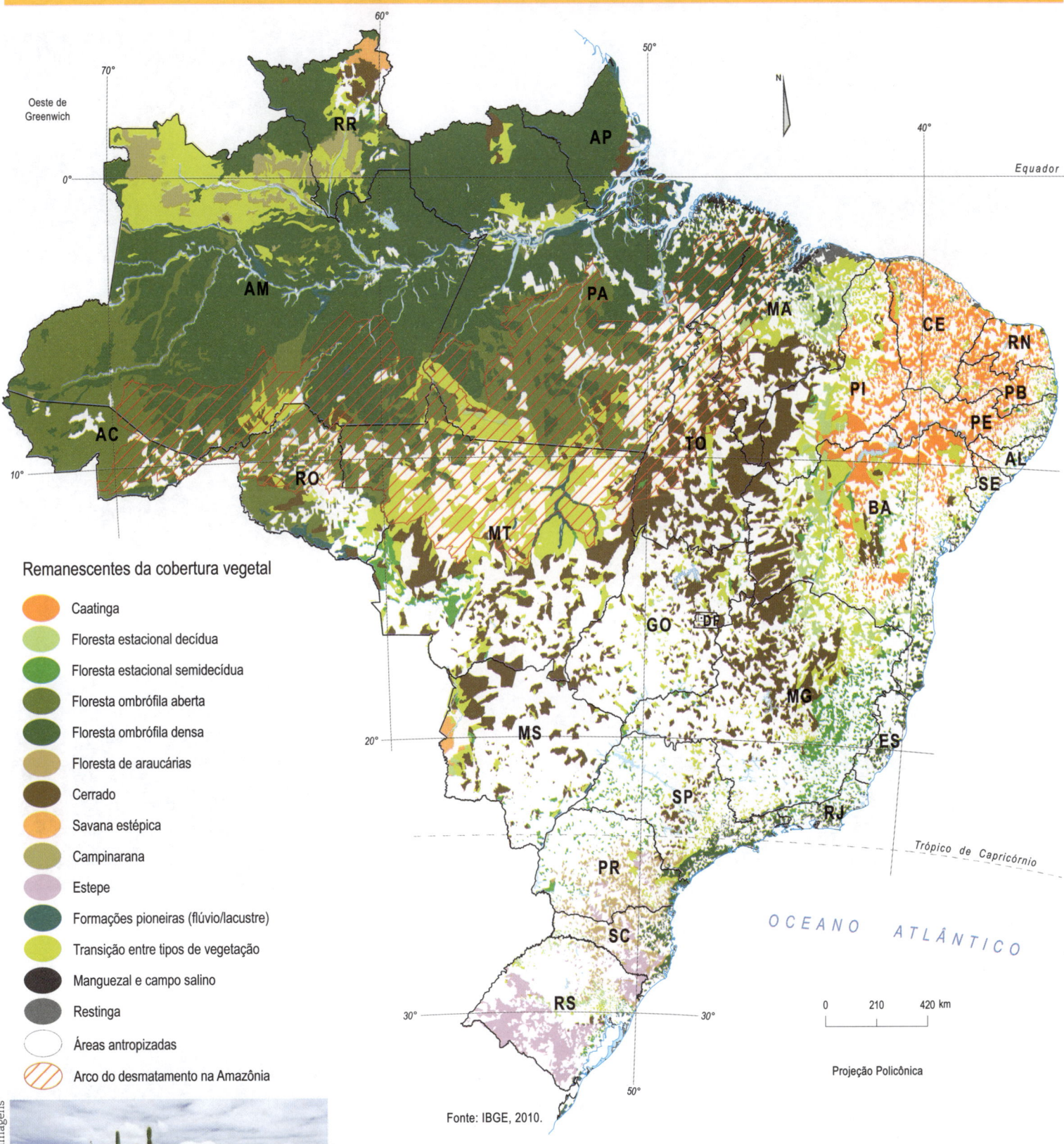

Remanescentes da cobertura vegetal

- Caatinga
- Floresta estacional decídua
- Floresta estacional semidecídua
- Floresta ombrófila aberta
- Floresta ombrófila densa
- Floresta de araucárias
- Cerrado
- Savana estépica
- Campinarana
- Estepe
- Formações pioneiras (flúvio/lacustre)
- Transição entre tipos de vegetação
- Manguezal e campo salino
- Restinga
- Áreas antropizadas
- Arco do desmatamento na Amazônia

Fonte: IBGE, 2010.

Projeção Policônica

Mandacaru na caatinga, Jatobá (PE).

Caatinga

É uma típica mata seca que abrange uma área de quase 1 milhão de km², onde predominam as formações arbórea-arbustivas, com variações locais e sazonais, associadas a um período prolongado de estiagem e um curto período de chuvas. A adaptação ao ambiente seco pode ser observada na ocorrência de diferentes espécies vegetais xeromórficas, como o xique-xique e o mandacaru.

Atlas Geográfico do Brasil

40 Biomas

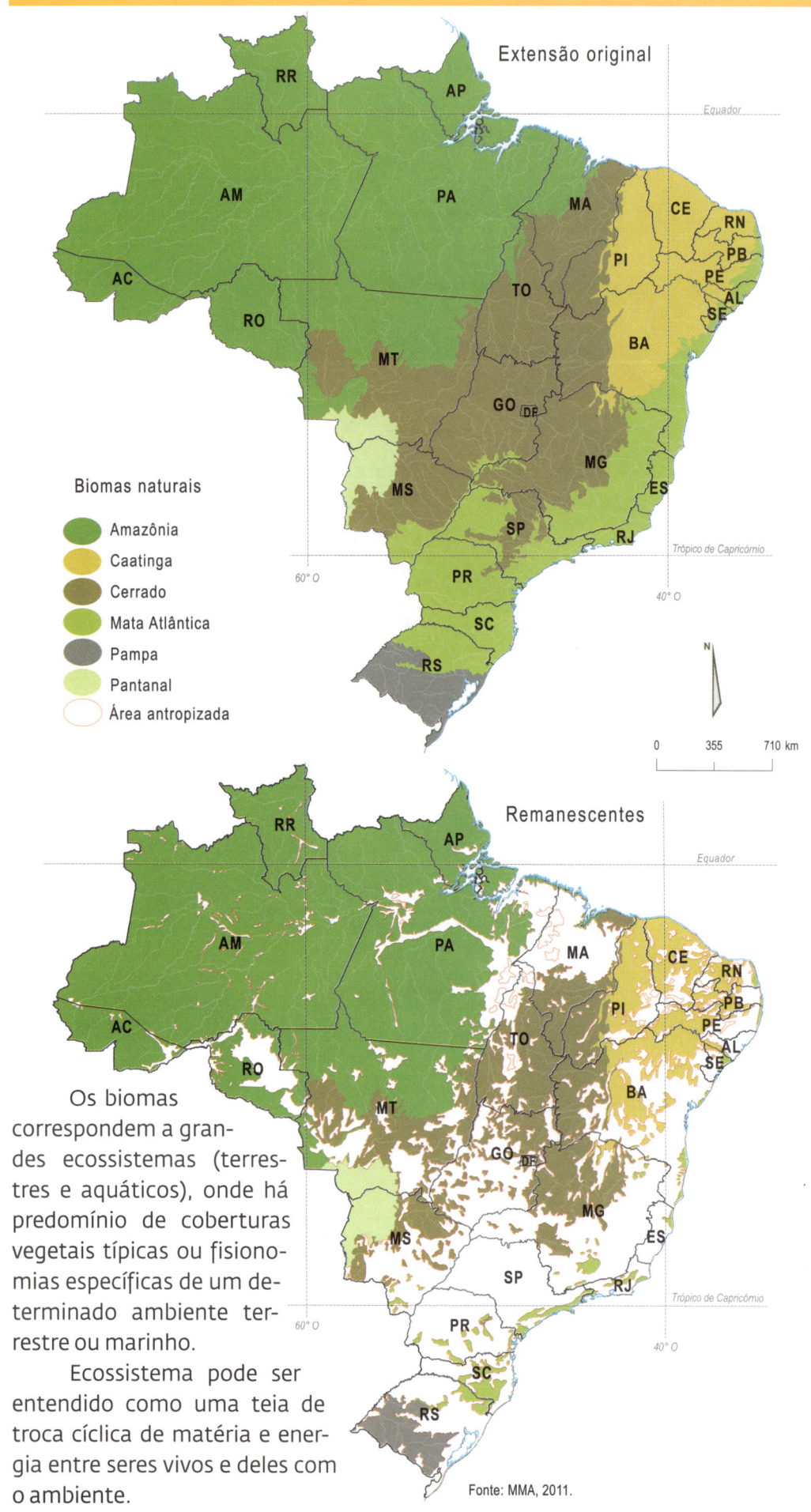

Extensão original

Biomas naturais
- Amazônia
- Caatinga
- Cerrado
- Mata Atlântica
- Pampa
- Pantanal
- Área antropizada

Remanescentes

Os biomas correspondem a grandes ecossistemas (terrestres e aquáticos), onde há predomínio de coberturas vegetais típicas ou fisionomias específicas de um determinado ambiente terrestre ou marinho.

Ecossistema pode ser entendido como uma teia de troca cíclica de matéria e energia entre seres vivos e deles com o ambiente.

Fonte: MMA, 2011.

Mata de Igapó na Amazônia, Manaus (AM).

Período de chuva no Vale da Gurita, Serra da Canastra (MG).

Período de chuva no Cerrado, Parque Nacional da Chapada dos Veadeiros (GO).

Período de chuva no Pantanal (MT).

50

41 Domínios morfoclimáticos

Domínios naturais

- Amazônia — 1 — Terras baixas florestadas equatoriais
- Mares de Morros — 2 — Terrenos mamelonares tropicais-atlânticas florestadas
- Caatinga — 3 — Depressões intermontanas e interplanálticas semiáridas
- Cerrado — 4 — Chapadões tropicais interiores com cerrados e florestas-galerias
- Pampas — 5 — Coxilhas subtropicais com pradarias mistas
- Araucárias — 6 — Planaltos subtropicais com araucárias
- Zonas de Transição — Áreas não diferenciadas

Fonte: Ab'Saber, 1969.

Projeção Policônica

Paisagem dos Pampas gaúchos, Santana do Livramento (RS).

Pampas: paisagem marcada por campos naturais dominados por gramíneas, com presença de arbustos e bosques; ocupam mais da metade do estado do Rio Grande do Sul.

Matas de Araucárias: paisagem constituída por florestas mistas dominadas pelo pinheiro-do-paraná ou araucária; a maior parte dessa mata está em áreas isoladas no estado do Paraná.

Proteção ambiental

Os ambientes naturais variados, com a presença de diferentes tipos de relevo, clima e solo, apresentam também uma grande diversidade de tipos de cobertura vegetal. Destaque para as florestas tropicais úmidas e as formações savânicas como o Cerrado e a Caatinga, além dos campos naturais dos Pampas.

Raízes aéreas do manguezal na Lagoa de Guaraíras, Tibau do Sul (RN).

Buritizal, Barreirinhas (MA).

O ipê-amarelo é uma das árvores símbolo da biodiversidade brasileira. É uma espécie bastante conhecida, típica do Cerrado e da Mata Atlântica.

Pau-brasil, Porto Seguro (BA).

Manejo sustentável dos recursos naturais

As florestas e um grande conjunto de ambientes naturais estão hoje sob proteção ambiental graças à criação de leis e instrumentos legais que garantem uma rede de conservação e fiscalização, que vai desde o nível federal até o municipal. O Sistema Nacional de Unidades de Conservação (SNUC) foi o modelo de gestão institucional criado para cuidar do conjunto de áreas naturais protegidas em todo o país.

Distribuição das áreas de conservação

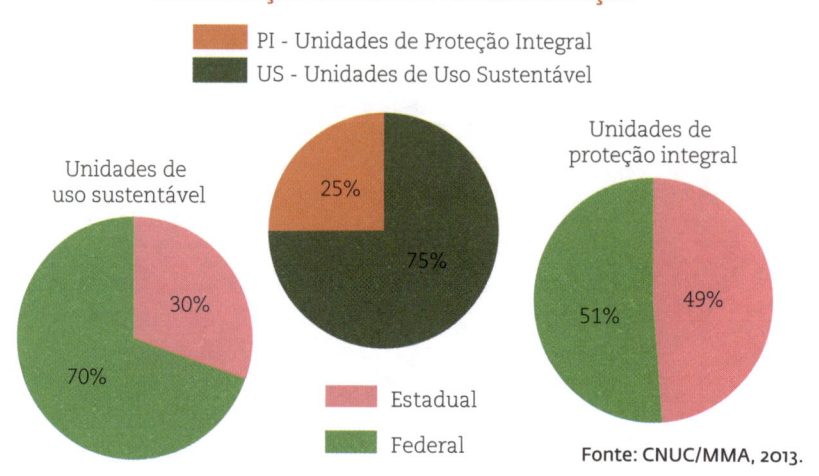

- PI - Unidades de Proteção Integral
- US - Unidades de Uso Sustentável

Unidades de uso sustentável: 30% / 70%

Total: 25% PI / 75% US

Unidades de proteção integral: 49% / 51%

- Estadual
- Federal

Fonte: CNUC/MMA, 2013.

Tipos de unidades

Unidades de proteção integral (PI): o objetivo básico é preservar a natureza, sendo admitido apenas o uso indireto dos recursos naturais em pesquisas científicas e no turismo sustentável. São elas:
Estação Ecológica (EE)
Reserva Biológica (RB)
Parque Nacional (PN)
Monumento Natural (MN)

Unidades de uso sustentável (US): o objetivo dessas unidades é compatibilizar a conservação da natureza com a presença de moradores e o uso sustentável dos recursos naturais. São elas:
Área de Proteção Ambiental (APA)
Área de Relevante Interesse Ecológico
Floresta Nacional (Flona)
Reserva Extrativista (Resex)
Reserva de Fauna
Reserva de Desenvolvimento Sustentável (RDS)
Reserva Particular do Patrimônio Natural (RPPN)

Fonte: MMA, 2012.

Área dos biomas (distribuição espacial)

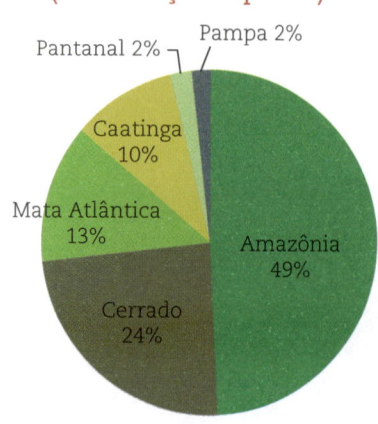

- Pantanal 2%
- Pampa 2%
- Caatinga 10%
- Mata Atlântica 13%
- Amazônia 49%
- Cerrado 24%

Fonte: MMA, 2013.

Atlas Geográfico do Brasil

42 Unidades de conservação

Unidades de conservação (área em km²)

Unidades de uso sustentável
- Federal (415.156 km²)
- Estadual (619.020 km²)
- Municipal (45.433 km²)

Unidades de proteção integral
- Federal (360.008 km²)
- Estadual (153.831 km²)
- Municipal (1.673 km²)
- Outras áreas *

Áreas de proteção menores que 20 ha (federais, estaduais e municipais)
- Uso Sustentável: < 10 ha, > 10 ha
- Proteção Integral: < 10 ha, > 10 ha

* Inclui UCs distritais e outras que não fazem parte do SNUC.

Fonte: MMA, 2011.

O Brasil possui atualmente cerca de 3 milhões de km² de áreas de conservação e preservação ambiental, um dos maiores índices mundiais. Na região Norte, as Unidades de Conservação representam as maiores parcelas de áreas de conservação e proteção do país.

Pedra da Mina na Serra Fina, Parque Nacional do Itatiaia (MG, SP, RJ).

Parque Nacional do Monte Roraima, Uiramutã (RR), fronteira Brasil-Venezuela.

Biodiversidade

A biodiversidade pode ser entendida como a diversidade biológica representada pela variedade de espécies de organismos vivos que são encontrados em todos os ecossistemas do planeta e compreende tanto o número de espécies como a variabilidade dentro das espécies.

A megadiversidade expressa a riqueza biológica de várias regiões do mundo, sobretudo na zona intertropical. A diversidade biológica de um país é determinada pelo número total de espécies existentes em seu território, como mamíferos, pássaros, répteis e anfíbios.

Biodiversidade da fauna

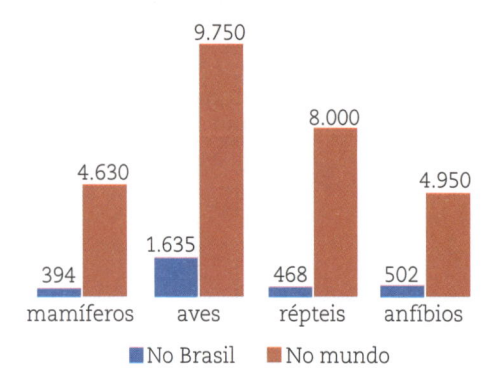

	mamíferos	aves	répteis	anfíbios
No Brasil	394	1.635	468	502
No mundo	4.630	9.750	8.000	4.950

Fonte: Groombrigde, 2002.

Biodiversidade de plantas (nº de espécies)

Brasil	mundo
56.215	270.000

Fonte: Groombrigde, 2004.

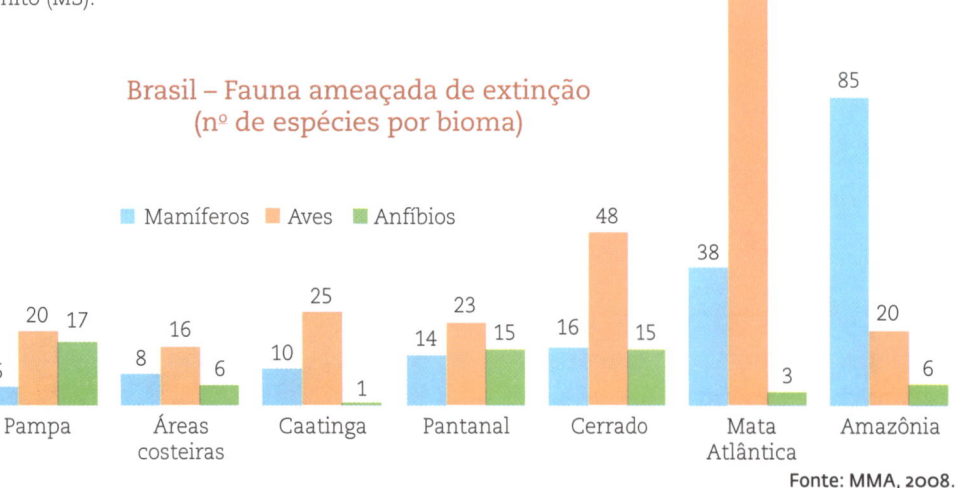

O lobo-guará é encontrado em diferentes biomas, mas vive, principalmente, nas áreas de Cerrado.

A fauna dos biomas brasileiros é muito diversificada, apresentando várias espécies endêmicas. Nos últimos anos, a pressão provocada pelo processo de expansão da agropecuária e da urbanização tem levado algumas espécies a situações de risco.

Manejo de açaí na ilha de Combu (PA), que responde por quase 90% de toda a produção nacional de açaí in natura.

Cardume de piraputangas, no rio da Prata, Bonito (MS).

Preguiça-de-coleira, na Mata Atlântica, Itabuna (BA).

Atualmente, a riqueza da biodiversidade brasileira vem despertando mais atenção, sobretudo pelo potencial econômico representado por princípios ativos, novos materiais, novas fontes de alimentos, entre outros recursos naturais dos biomas do país.

Brasil – Fauna ameaçada de extinção (nº de espécies por bioma)

Bioma	Mamíferos	Aves	Anfíbios
Pampa	5	20	17
Áreas costeiras	8	16	6
Caatinga	10	25	1
Pantanal	14	23	15
Cerrado	16	48	15
Mata Atlântica	38	112	3
Amazônia	85	20	6

Fonte: MMA, 2008.

Cachoeira Poço das Fadas, no Parque Estadual da Serra do Papagaio, Aiuruoca (MG).

43 Fauna em risco de extinção

Mamíferos
01- cervo-do-pantanal
02- veado-bororó-do-sul
03- lobo-guará
04- cachorro-vinagre
05- jaguatirica
06- gato-do-mato
07- gato-maracajá
08- gato-palheiro
09- onça-pintada
10- onça-parda, suçuarana,
11- onça-vermelha, leão-baio
12- ariranha
13- baleia-franca-do-sul
14- baleia-sei, espadarte
15- baleia-azul
16- baleia-fin
17- baleia-jubarte, jubarte
18- cachalote
19- toninha, cachimbo, boto-amarelo
20- morcego
21- cuíca-de-colete
22- guariba-de-mãos-ruivas
23- bugio, barbado
24- coatá, macaco-aranha
25- coatá
26- muriqui, mono-carvoeiro
27- muriqui
28- sagui-da-serra-escuro
29- sagui-da-serra
30- mico-leão-de-cara-preta
31- mico-leão-de-cara-dourada
32- mico-leão-preto
33- mico-leão-dourado
34- sagui-de-duas-cores
35- macaco-caiarara
36- macaco-prego
37- macaco-prego-de-peito-amarelo
38- macaco-de-cheiro
39- uacari-branco
40- uacari-de-novaes
41- uacari-vermelho
42- guigó
43- guigó-de-coimbra-filho
44- sauá, guigó
45- cuxiú-preto
46- cuxiú
47- rato-do-cacau
48- rato-de-espinho
49- rato-de-árvore
50- ouriço-preto
51- rato-do-mato-ferrugíneo
52- rato-do-mato-vermelho
53- rato-do-mato
54- tuco-tuco
55- peixe-boi-da-amazônia
56- peixe-boi-marinho
57- preguiça-de-coleira
58- tatu-canastra
59- tatu-bola
60- tamanduá-bandeira

Répteis e anfíbios
61- jiboia-de-cropan
62- dormideira-da-queimada-grande
63- cobra-de-vidro
64- lagartinho-do-cipó
65- camaleãozinho
66- lagartixa-de-abaeté
67- lagarto-da-cauda-verde
68- lagartinho-de-linhares
69- lagartinho-de-vacaria
70- lagartixa-da-areia
71- lagartinho-da-praia
72- jararaca-de-alcatrazes
73- jararaca-ilhoa
74- jararaca
75- cágado-de-hoge
76- cabeçuda, tartaruga-meio-pente
77- tartaruga-verde, aruanã
78- tartaruga-de-pente
79- tartaruga-oliva
80- tartaruga-de-couro
81- flamenguinho, sapinho-de-barriga-vermelha
82- sapinho-narigudo-de-barriga-vermelha
83- perereca-verde
84- perereca
85- perereca-de-folhagem-com-perna-reticulada
86- rãzinha
87- sapinho

Aves
88- mutum-do-sudeste
89- mutum-de-penacho
90- trinta-réis-real
91- maçarico-esquimó
92- socó-jararaca
93- gavião-cinza
94- águia-cinzenta
95- gavião-pombo-pequeno
96- pica-pau-de-coleira-do-sudeste
97- pica-pau-de-cara-amarela
98- pica-pau-dourado-escuro-do-sudeste
99- pica-pau-anão-dourado
100- pica-pau-anão-da-caatinga
101- arara-azul-de-lear
102- ararinha-azul
103- ararajuba
104- arara-azul-grande
105- arara-azul-pequena
106- papagaio-charão

Fonte: IBGE, 2010.

Projeção Policônica

Peixe-boi-marinho, Ilha de Itamaracá (PE).
Fabio Colombini

Atlas Geográfico do Brasil

44 Riscos ambientais

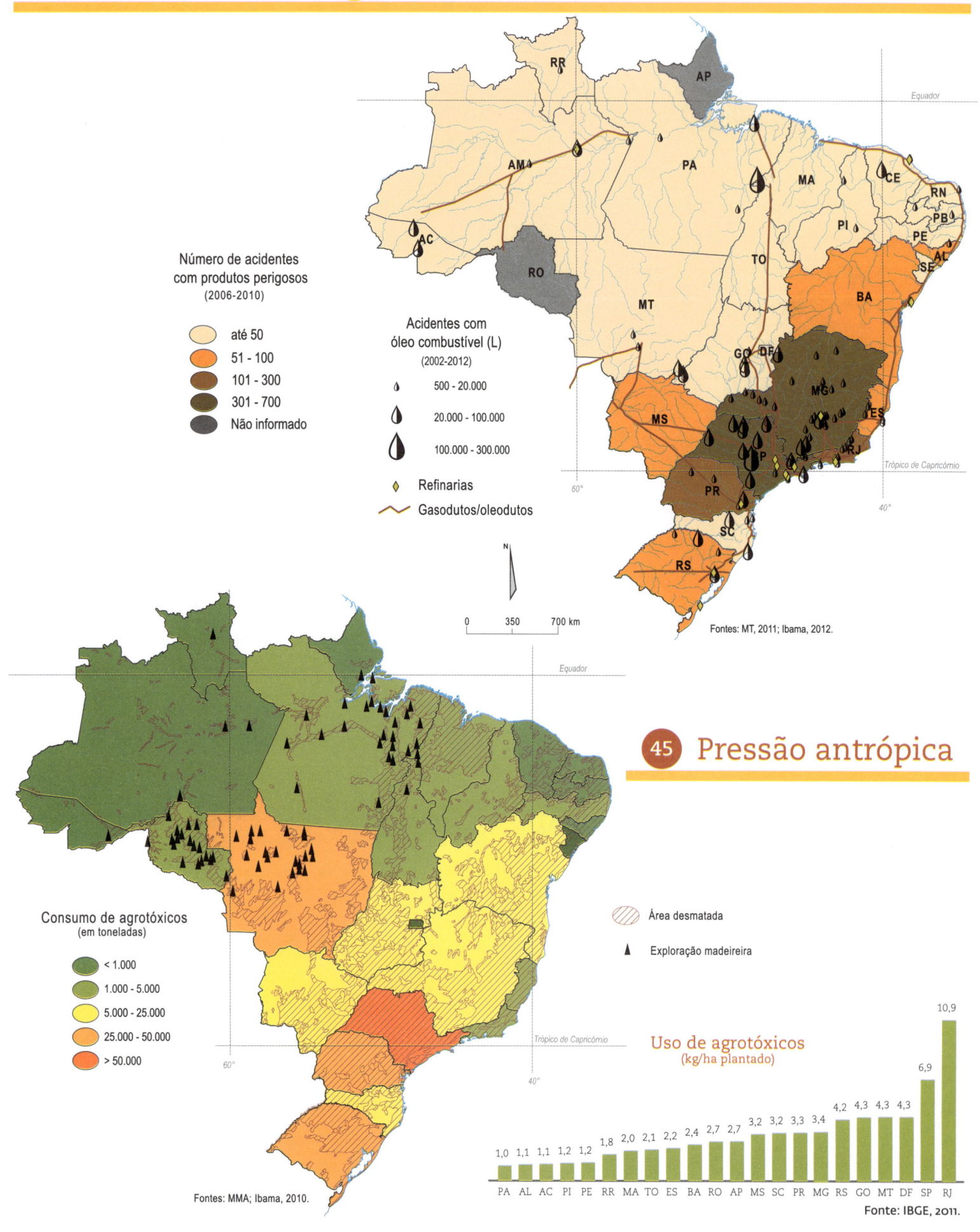

Número de acidentes com produtos perigosos (2006-2010)
- até 50
- 51 - 100
- 101 - 300
- 301 - 700
- Não informado

Acidentes com óleo combustível (L) (2002-2012)
- 500 - 20.000
- 20.000 - 100.000
- 100.000 - 300.000
- ◆ Refinarias
- ～ Gasodutos/oleodutos

Fontes: MT, 2011; Ibama, 2012.

45 Pressão antrópica

Consumo de agrotóxicos (em toneladas)
- < 1.000
- 1.000 - 5.000
- 5.000 - 25.000
- 25.000 - 50.000
- > 50.000

- ▨ Área desmatada
- ▲ Exploração madeireira

Fontes: MMA; Ibama, 2010.

Uso de agrotóxicos (kg/ha plantado)

PA	AL	AC	PI	PE	RR	MA	TO	ES	BA	RO	AP	MS	SC	PR	MG	RS	GO	MT	DF	SP	RJ
1,0	1,1	1,1	1,2	1,2	1,8	2,0	2,1	2,2	2,4	2,7	2,7	3,2	3,2	3,3	3,4	4,2	4,3	4,3	4,3	6,9	10,9

Fonte: IBGE, 2011.

56

46 Uso e ocupação do solo

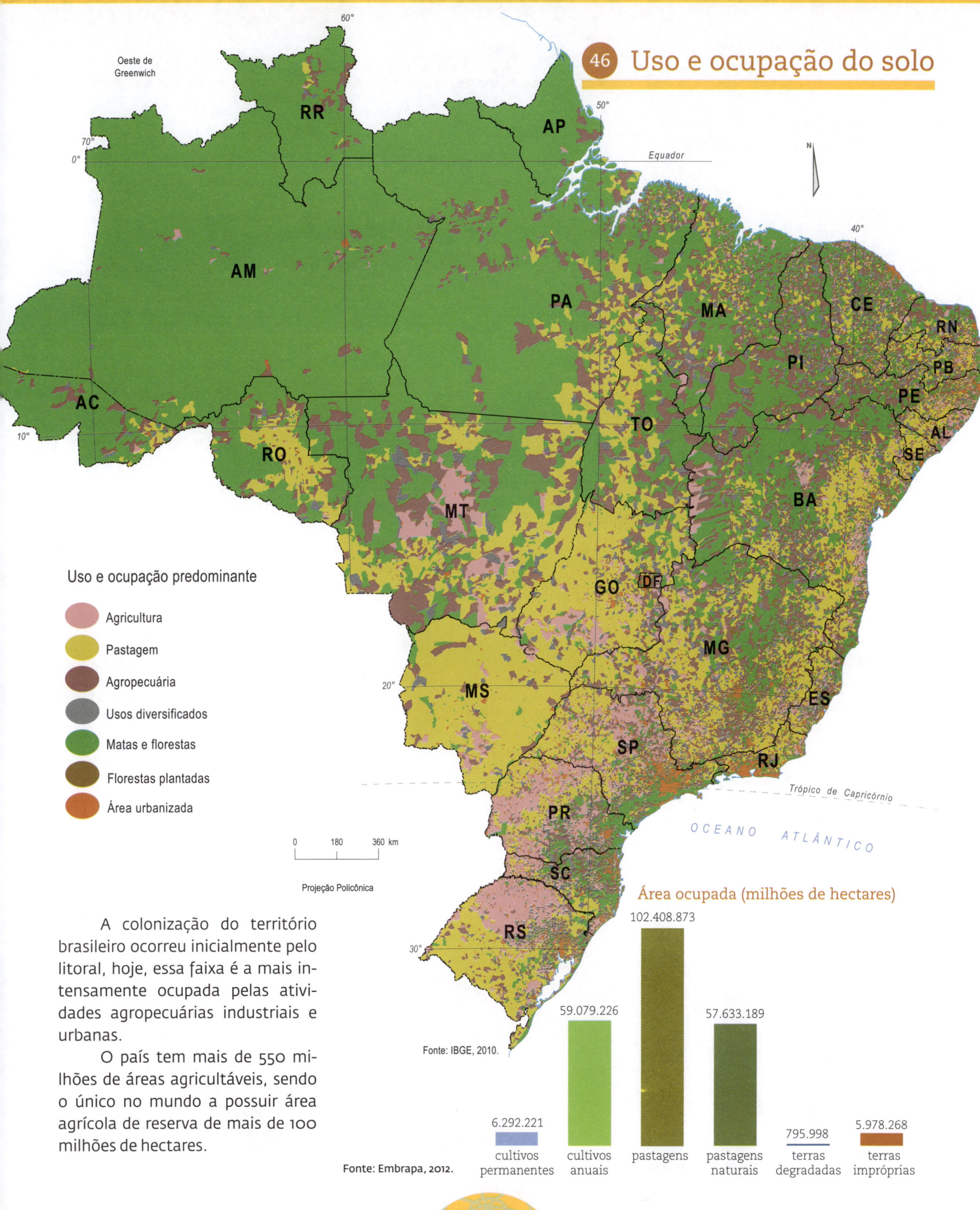

Uso e ocupação predominante
- Agricultura
- Pastagem
- Agropecuária
- Usos diversificados
- Matas e florestas
- Florestas plantadas
- Área urbanizada

Fonte: IBGE, 2010.

A colonização do território brasileiro ocorreu inicialmente pelo litoral, hoje, essa faixa é a mais intensamente ocupada pelas atividades agropecuárias industriais e urbanas.

O país tem mais de 550 milhões de áreas agricultáveis, sendo o único no mundo a possuir área agrícola de reserva de mais de 100 milhões de hectares.

Fonte: Embrapa, 2012.

Área ocupada (milhões de hectares)

cultivos permanentes	6.292.221
cultivos anuais	59.079.226
pastagens	102.408.873
pastagens naturais	57.633.189
terras degradadas	795.998
terras impróprias	5.978.268

57

47 Os países megadiversos

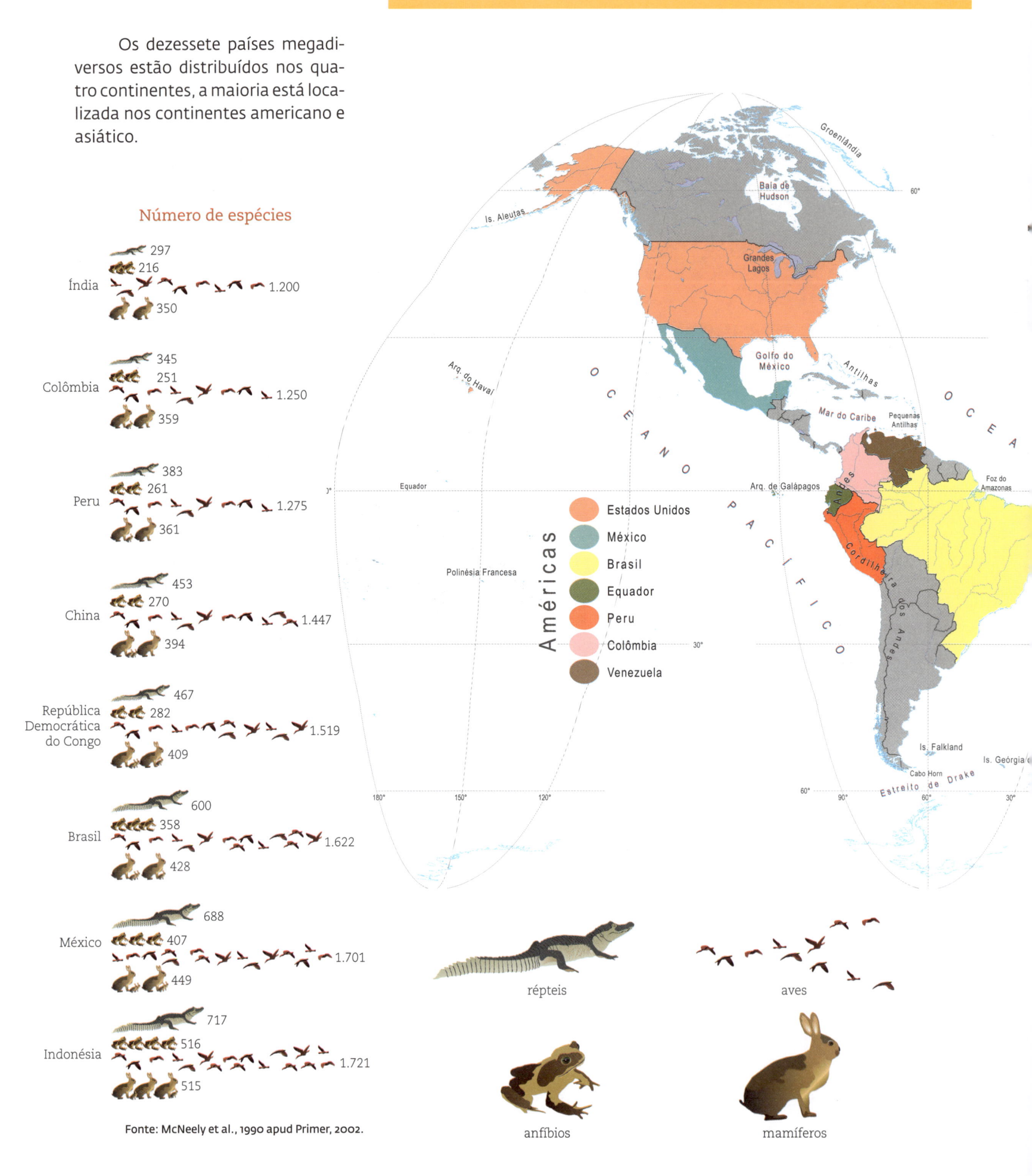

Os dezessete países megadiversos estão distribuídos nos quatro continentes, a maioria está localizada nos continentes americano e asiático.

Número de espécies

Índia
- répteis: 297
- anfíbios: 216
- aves: 1.200
- mamíferos: 350

Colômbia
- répteis: 345
- anfíbios: 251
- aves: 1.250
- mamíferos: 359

Peru
- répteis: 383
- anfíbios: 261
- aves: 1.275
- mamíferos: 361

China
- répteis: 453
- anfíbios: 270
- aves: 1.447
- mamíferos: 394

República Democrática do Congo
- répteis: 467
- anfíbios: 282
- aves: 1.519
- mamíferos: 409

Brasil
- répteis: 600
- anfíbios: 358
- aves: 1.622
- mamíferos: 428

México
- répteis: 688
- anfíbios: 407
- aves: 1.701
- mamíferos: 449

Indonésia
- répteis: 717
- anfíbios: 516
- aves: 1.721
- mamíferos: 515

Fonte: McNeely et al., 1990 apud Primer, 2002.

Américas
- Estados Unidos
- México
- Brasil
- Equador
- Peru
- Colômbia
- Venezuela

O número de plantas endêmicas, aquelas que existem somente em um determinado território, é um dos principais critérios para um país ser considerado megadiverso.

O Brasil é um dos dezessete países conhecidos como megadiversos, possuindo a segunda maior área de florestas do mundo, equivalente a mais da metade de todo o território nacional. Além das florestas e da imensa variedade de animais e plantas, os inúmeros rios que cortam o território nacional abrigam uma grande diversidade de peixes.

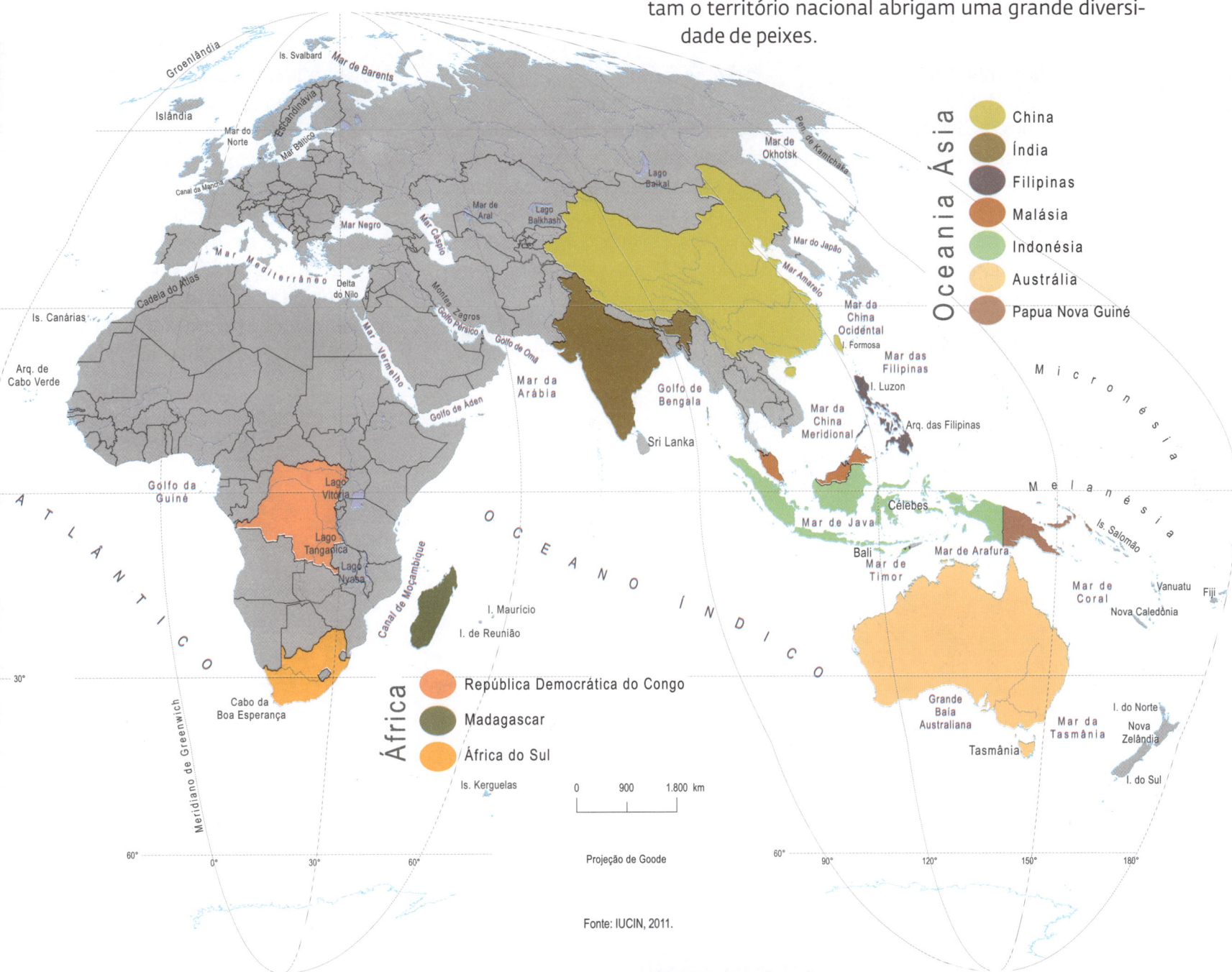

Fonte: IUCIN, 2011.

Diversidade natural – homem e meio

Além da biodiversidade, o Brasil abriga uma riquíssima sociodiversidade, representada pelos diversos povos indígenas e pelas comunidades tradicionais, como ribeirinhos, quilombolas, seringueiros, caiçaras e povos que acumularam, ao longo do tempo de convívio com a natureza, diferentes formas de conhecimento sobre a biodiversidade, as dinâmicas e o ritmo natural do ambiente onde vivem.

Os recursos da biodiversidade foram e ainda são fundamentais na vida das populações tradicionais em todo o mundo.
Na foto, quebradeiras de coco babaçu carregando cestos, São Miguel do Tocantins (TO).

Aspectos populacionais (1)

Transição demográfica

O perfil populacional brasileiro tem se transformado nas últimas décadas, indicando um processo gradual de envelhecimento da população. As alterações na pirâmide etária, com aumento da população mais velha e uma leve retração da população mais jovem, configuram um cenário de maior estabilidade no ritmo de crescimento populacional.

Com relação ao ritmo de crescimento, as estimativas de 2012, do IBGE, apontavam que a população brasileira estava próxima de 194 milhões de habitantes, cerca de 3 milhões a mais que o registrado em 2010, ano do último censo.

O estado mais populoso é São Paulo, com mais de 40 milhões de habitantes, seguido de Minas Gerais e do Rio de Janeiro, na região Sudeste. O estado menos populoso é Roraima, com cerca de 470 mil habitantes, seguido do Amapá e do Acre, na região Norte do país.

Segundo os dados do último censo, o crescimento mais significativo é registrado atualmente pelos municípios de médio porte, com população entre 100 mil e 200 mil habitantes, sobretudo aqueles cuja economia é ligada ao agronegócio, às atividades petrolíferas e à construção civil. Os municípios mais populosos e as grandes regiões metropolitanas, mesmo no atual momento de redução do crescimento natural e das entradas migratórias, ainda influenciam de forma significativa o incremento populacional.

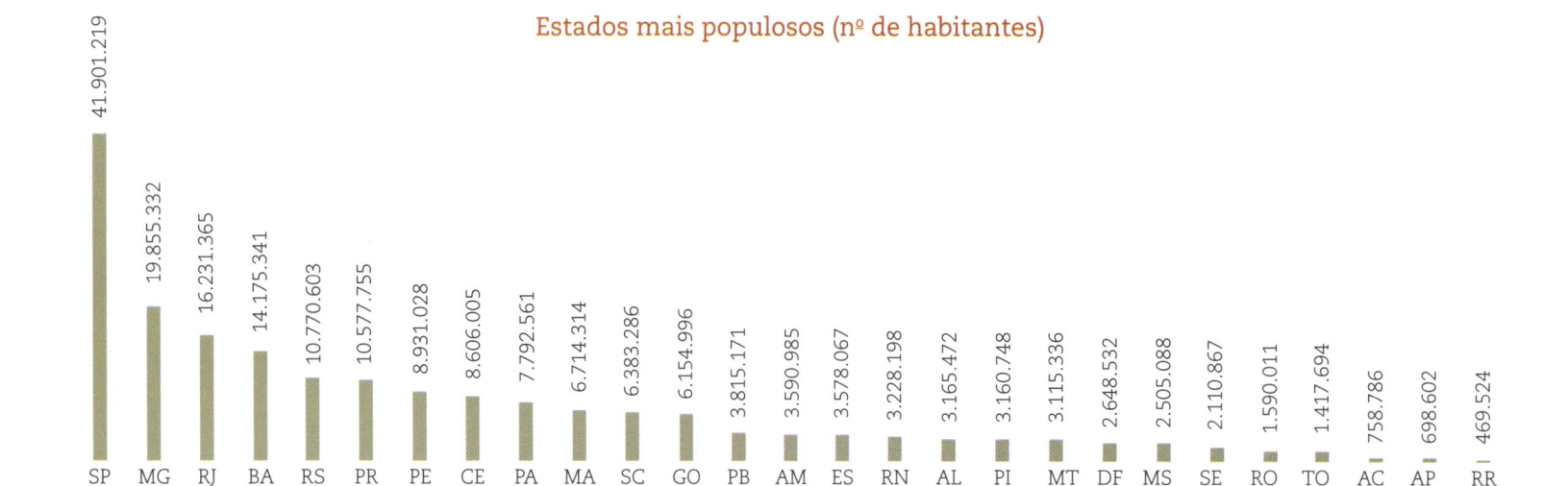

Estados mais populosos (nº de habitantes)

SP	41.901.219
MG	19.855.332
RJ	16.231.365
BA	14.175.341
RS	10.770.603
PR	10.577.755
PE	8.931.028
CE	8.606.005
PA	7.792.561
MA	6.714.314
SC	6.383.286
GO	6.154.996
PB	3.815.171
AM	3.590.985
ES	3.578.067
RN	3.228.198
AL	3.165.472
PI	3.160.748
MT	3.115.336
DF	2.648.532
MS	2.505.088
SE	2.110.867
RO	1.590.011
TO	1.417.694
AC	758.786
AP	698.602
RR	469.524

Fonte: IBGE. Estimativas, 2012.

Estrutura da população (idade e sexo)

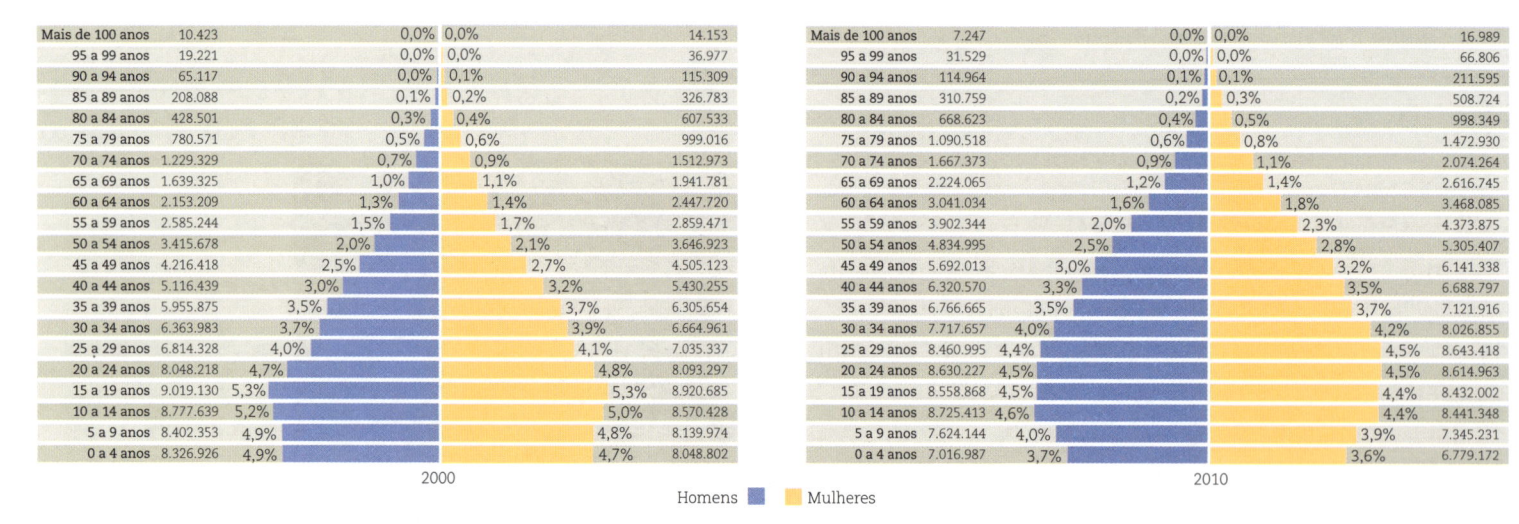

2000

Faixa etária	Homens	% H	% M	Mulheres
Mais de 100 anos	10.423	0,0%	0,0%	14.153
95 a 99 anos	19.221	0,0%	0,0%	36.977
90 a 94 anos	65.117	0,0%	0,1%	115.309
85 a 89 anos	208.088	0,1%	0,2%	326.783
80 a 84 anos	428.501	0,3%	0,4%	607.533
75 a 79 anos	780.571	0,5%	0,6%	999.016
70 a 74 anos	1.229.329	0,7%	0,9%	1.512.973
65 a 69 anos	1.639.325	1,0%	1,1%	1.941.781
60 a 64 anos	2.153.209	1,3%	1,4%	2.447.720
55 a 59 anos	2.585.244	1,5%	1,7%	2.859.471
50 a 54 anos	3.415.678	2,0%	2,1%	3.646.923
45 a 49 anos	4.216.418	2,5%	2,7%	4.505.123
40 a 44 anos	5.116.439	3,0%	3,2%	5.430.255
35 a 39 anos	5.955.875	3,5%	3,7%	6.305.654
30 a 34 anos	6.363.983	3,7%	3,9%	6.664.961
25 a 29 anos	6.814.328	4,0%	4,1%	7.035.337
20 a 24 anos	8.048.218	4,7%	4,8%	8.093.297
15 a 19 anos	9.019.130	5,3%	5,3%	8.920.685
10 a 14 anos	8.777.639	5,2%	5,0%	8.570.428
5 a 9 anos	8.402.353	4,9%	4,8%	8.139.974
0 a 4 anos	8.326.926	4,9%	4,7%	8.048.802

2010

Faixa etária	Homens	% H	% M	Mulheres
Mais de 100 anos	7.247	0,0%	0,0%	16.989
95 a 99 anos	31.529	0,0%	0,0%	66.806
90 a 94 anos	114.964	0,1%	0,1%	211.595
85 a 89 anos	310.759	0,2%	0,3%	508.724
80 a 84 anos	668.623	0,4%	0,5%	998.349
75 a 79 anos	1.090.518	0,6%	0,8%	1.472.930
70 a 74 anos	1.667.373	0,9%	1,1%	2.074.264
65 a 69 anos	2.224.065	1,2%	1,4%	2.616.745
60 a 64 anos	3.041.034	1,6%	1,8%	3.468.085
55 a 59 anos	3.902.344	2,0%	2,3%	4.373.875
50 a 54 anos	4.834.995	2,5%	2,8%	5.305.407
45 a 49 anos	5.692.013	3,0%	3,2%	6.141.338
40 a 44 anos	6.320.570	3,3%	3,5%	6.688.797
35 a 39 anos	6.766.665	3,5%	3,7%	7.121.916
30 a 34 anos	7.717.657	4,0%	4,2%	8.026.855
25 a 29 anos	8.460.995	4,4%	4,5%	8.643.418
20 a 24 anos	8.630.227	4,5%	4,5%	8.614.963
15 a 19 anos	8.558.868	4,5%	4,4%	8.432.002
10 a 14 anos	8.725.413	4,6%	4,4%	8.441.348
5 a 9 anos	7.624.144	4,0%	3,9%	7.345.231
0 a 4 anos	7.016.987	3,7%	3,6%	6.779.172

■ Homens ■ Mulheres

Fonte: IBGE, 2012.

Atlas Geográfico do Brasil

48 População

População absoluta

- < 25.000
- 25.000 - 50.000
- 50.000 - 100.000
- 100.000 - 250.000
- 250.000 - 500.000
- 500.000 - 1.000.000
- > 1.000.000

Capitais estaduais
- Até 1 milhão de habitantes
- De 1 até 2,6 milhões de habitantes
- Superior a 5 milhões de habitantes
- Capital federal

Fonte: IBGE, 2010.

Projeção Policônica

Cidades mais populosas

São Gonçalo/RJ	~1.000.000
São Luís/MA	~1.000.000
Campinas/SP	~1.100.000
Guarulhos/SP	~1.200.000
Goiânia/GO	~1.300.000
Belém/PA	~1.400.000
Porto Alegre/RS	~1.400.000
Recife/PE	~1.500.000
Curitiba/PR	~1.800.000
Manaus/AM	~1.900.000
Belo Horizonte/MG	~2.400.000
Fortaleza/CE	~2.500.000
Brasília/DF	~2.600.000
Salvador/BA	~2.700.000
Rio de Janeiro/RJ	~6.400.000
São Paulo/SP	~11.300.000

Fonte: IBGE, 2012.

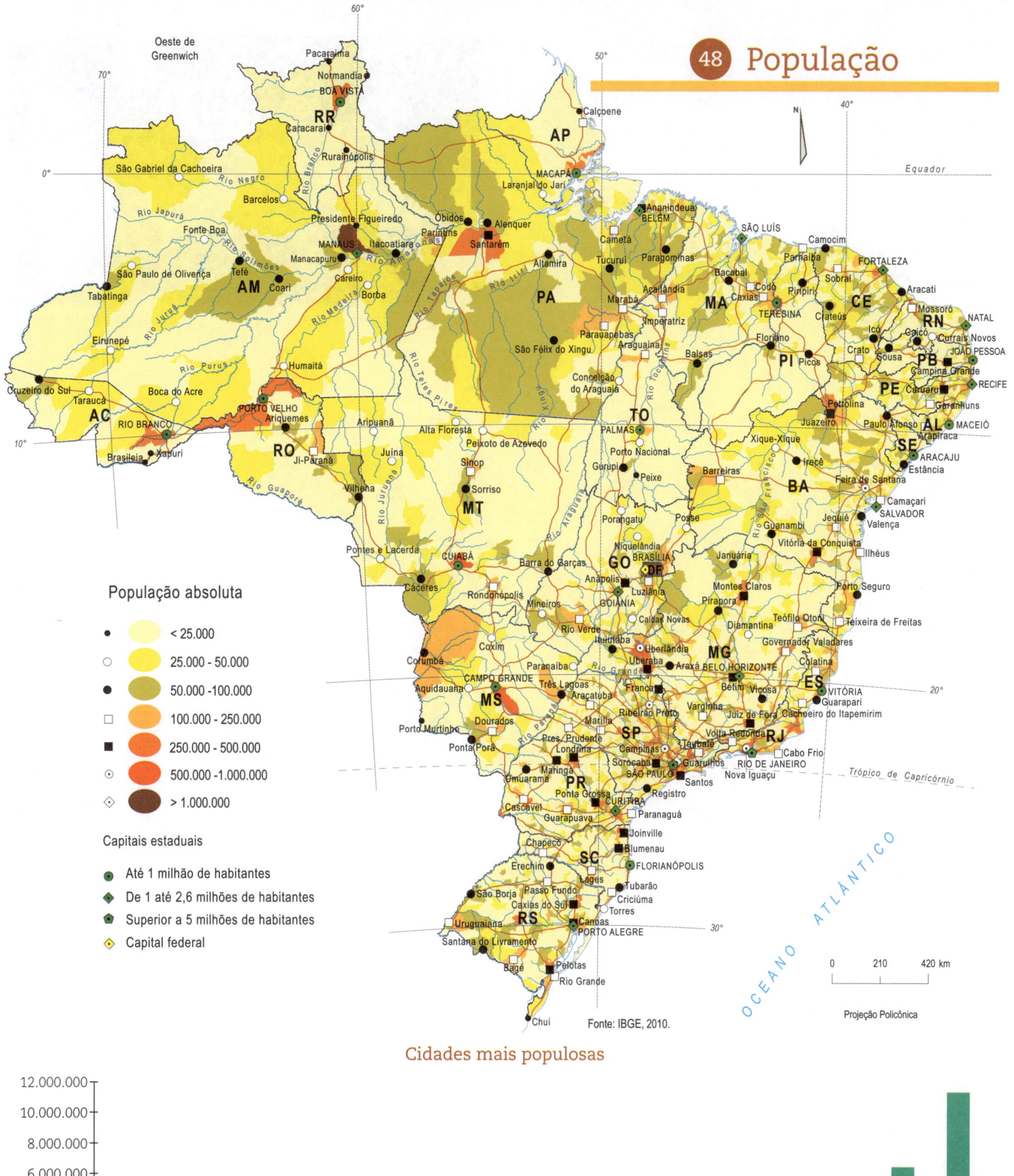

61

Aspectos populacionais (2)

Com densidade demográfica de 22 hab./km², o Brasil é um país extenso e pouco povoado, mas, ainda assim, o quinto mais populoso do mundo. Com crescimento de 1,17% ao ano, entramos em uma nova fase demográfica, marcada sobretudo pela redução no ritmo do crescimento vegetativo. No entanto, as disparidades regionais e as desigualdades econômicas e sociais ainda persistem nesse contingente populacional.

Rua 25 de Março no centro da cidade de São Paulo, o maior aglomerado populacional do país (SP).

49 Espaço populacional

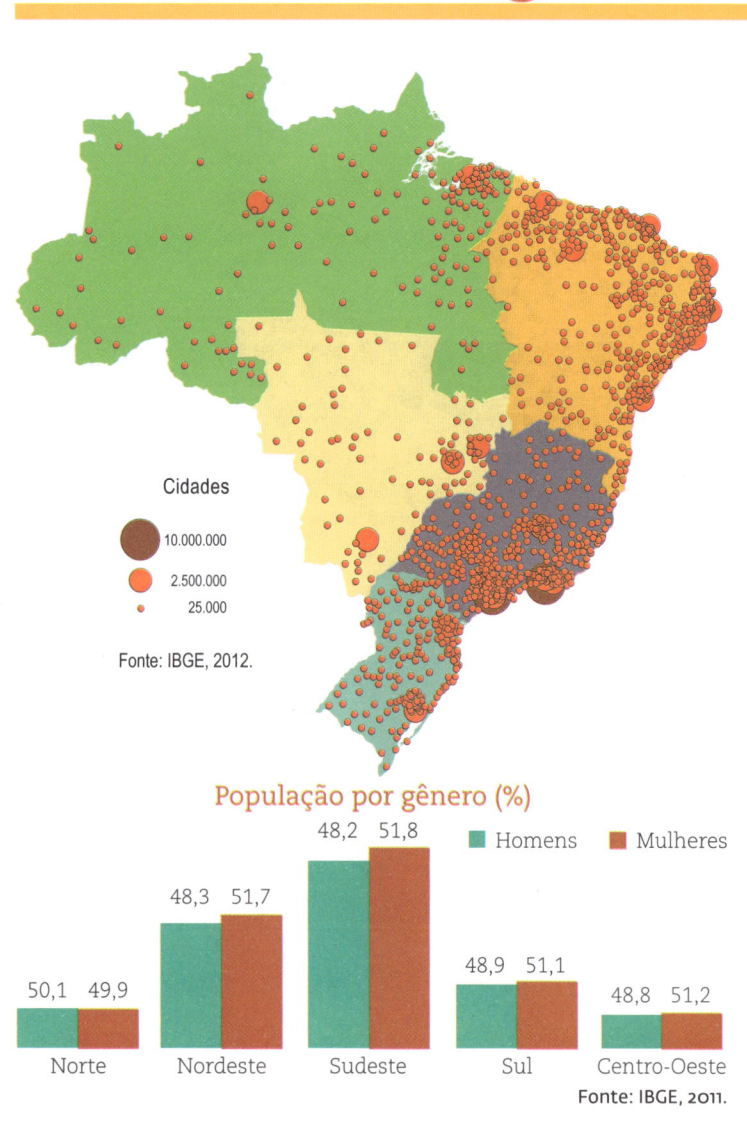

Centro-Oeste: 14.423.952
Norte: 16.318.163
Sul: 27.731.644
Nordeste: 53.907.144
Sudeste: 81.565.983

Cidades:
- 10.000.000
- 2.500.000
- 25.000

Fonte: IBGE, 2012.

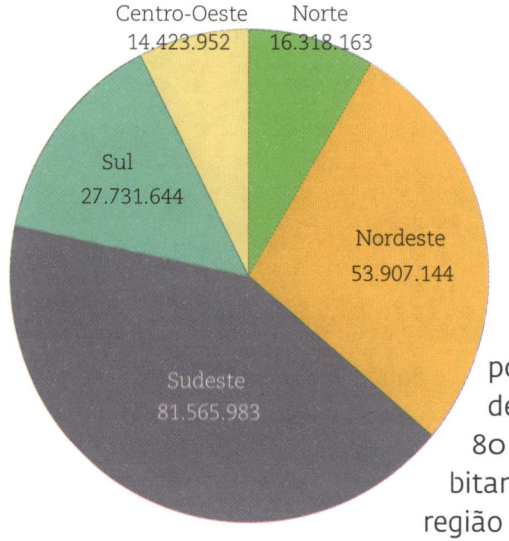

A região mais populosa é a Sudeste, com mais de 80 milhões de habitantes, seguida da região Nordeste, com mais de 50 milhões de habitantes. As regiões Norte e Centro-Oeste são as menos populosas, mas são as que apresentaram os maiores índices de crescimento populacional nos últimos dez anos.

População por gênero (%)

Região	Homens	Mulheres
Norte	50,1	49,9
Nordeste	48,3	51,7
Sudeste	48,2	51,8
Sul	48,9	51,1
Centro-Oeste	48,8	51,2

Fonte: IBGE, 2011.

Um dos aspectos importantes na distribuição da população é a concentração na faixa litorânea do país. Nessa porção do território, vive mais da metade da população. Algumas regiões são densamente povoadas, como as grandes regiões metropolitanas, onde há municípios com densidades populacionais que já ultrapassaram os 10 mil hab./km².

Evolução da população 1940-2010

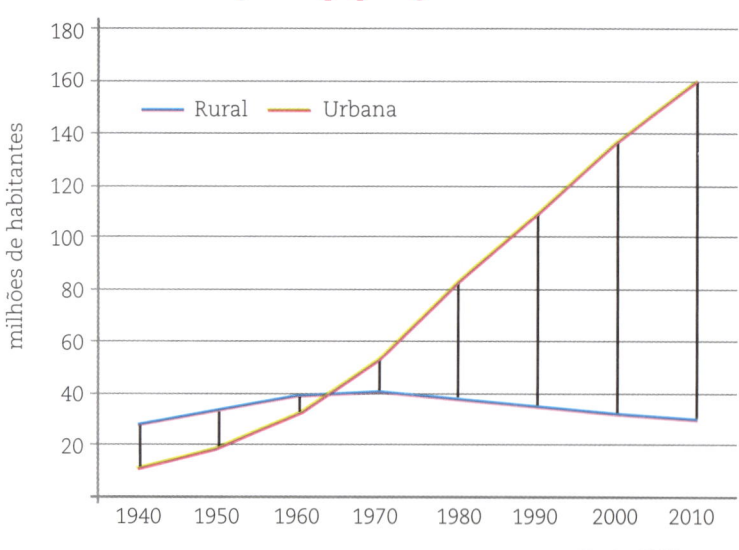

Rural — Urbana (milhões de habitantes, 1940-2010)

Fonte: IBGE, 2010.

Atlas Geográfico do Brasil

50 Densidade demográfica

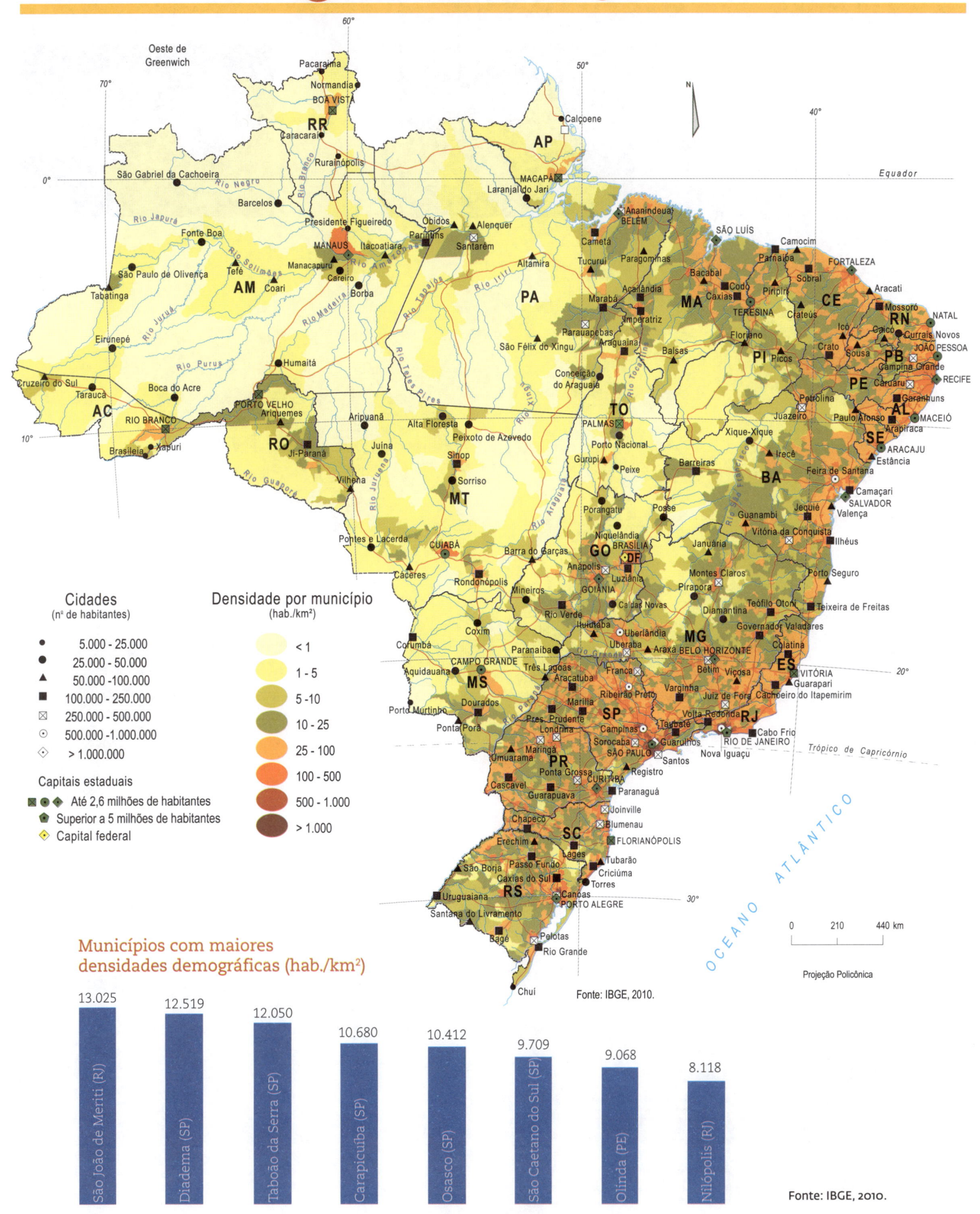

Cidades (nº de habitantes)
- • 5.000 - 25.000
- ● 25.000 - 50.000
- ▲ 50.000 - 100.000
- ■ 100.000 - 250.000
- ⊠ 250.000 - 500.000
- ⊙ 500.000 - 1.000.000
- ◇ > 1.000.000

Capitais estaduais
- Até 2,6 milhões de habitantes
- Superior a 5 milhões de habitantes
- Capital federal

Densidade por município (hab./km²)
- < 1
- 1 - 5
- 5 - 10
- 10 - 25
- 25 - 100
- 100 - 500
- 500 - 1.000
- > 1.000

Fonte: IBGE, 2010.

Projeção Policônica

Municípios com maiores densidades demográficas (hab./km²)

Município	Densidade
São João de Meriti (RJ)	13.025
Diadema (SP)	12.519
Taboão da Serra (SP)	12.050
Carapicuíba (SP)	10.680
Osasco (SP)	10.412
São Caetano do Sul (SP)	9.709
Olinda (PE)	9.068
Nilópolis (RJ)	8.118

Fonte: IBGE, 2010.

51 População mundial

Bilhões de habitantes

A população mundial distribui-se de forma desigual pelos continentes, países e regiões do planeta. Atualmente, o mundo tem cerca de 7 bilhões de habitantes, mas estimativas indicam que serão 10 bilhões em 2050.

Além da população da África e da América Latina, que continuam crescendo, a expansão da Ásia se destaca nessa projeção, com áreas que concentram grandes aglomerados humanos.

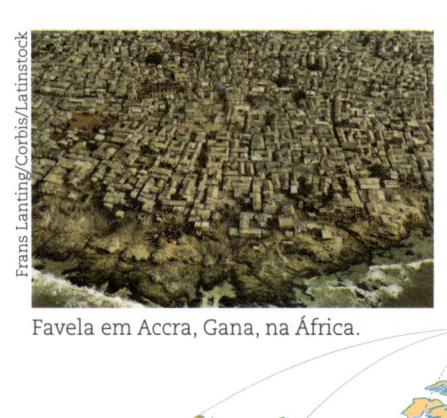

Favela em Accra, Gana, na África.

Estação Sé do metrô, Linha 3 – Vermelha, São Paulo (SP).

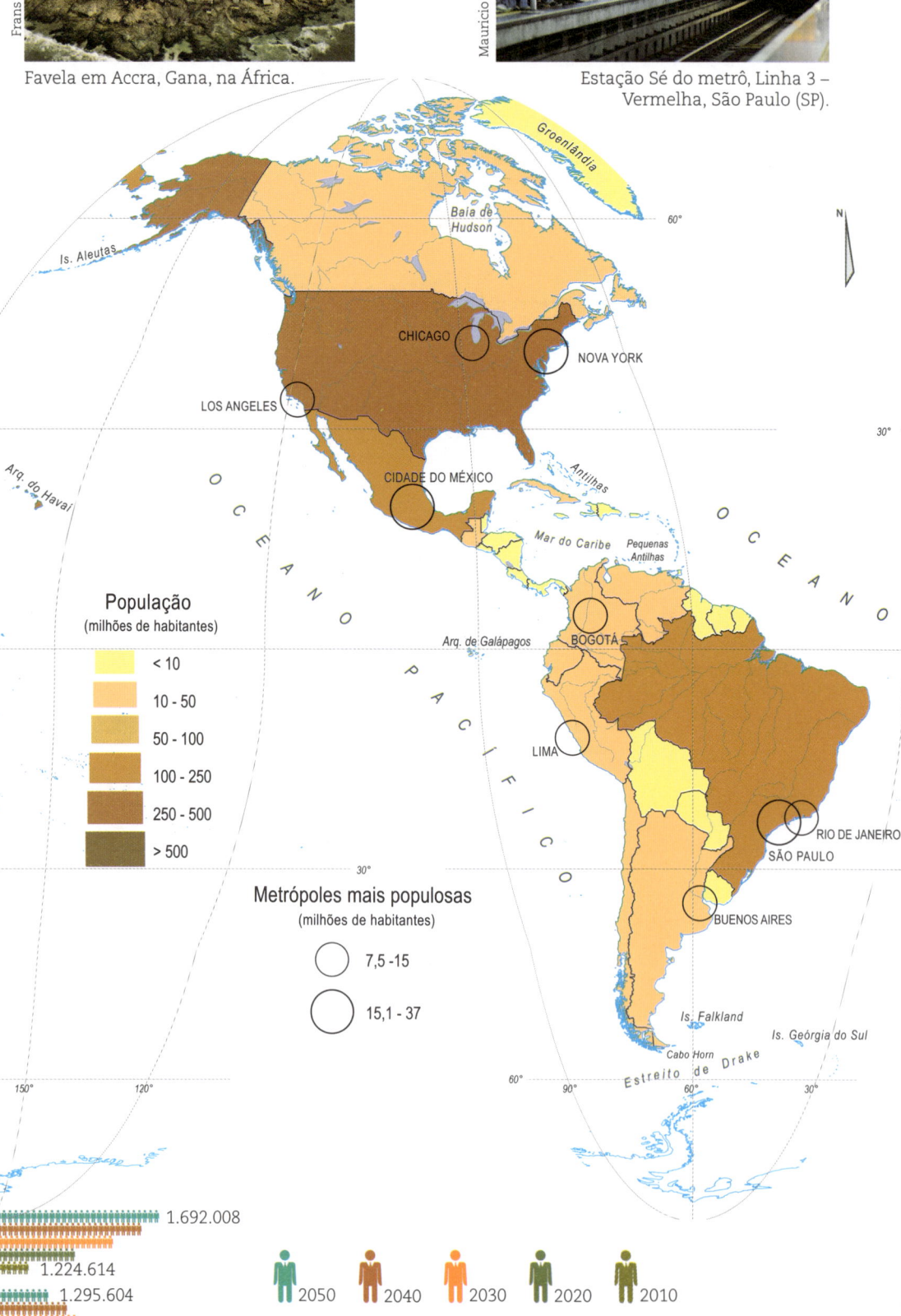

Países mais populosos
(população atual e projeções – em milhões de habitantes)

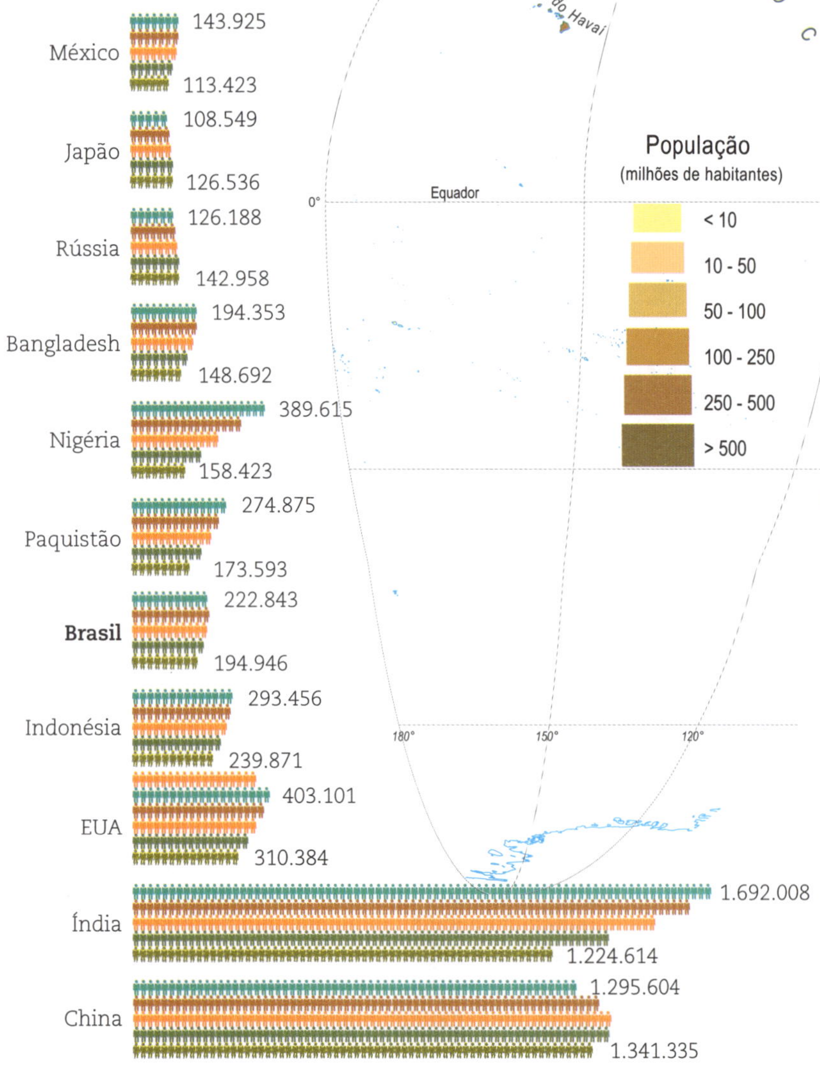

México
- 143.925
- 113.423

Japão
- 108.549
- 126.536

Rússia
- 126.188
- 142.958

Bangladesh
- 194.353
- 148.692

Nigéria
- 389.615
- 158.423

Paquistão
- 274.875
- 173.593

Brasil
- 222.843
- 194.946

Indonésia
- 293.456
- 239.871

EUA
- 403.101
- 310.384

Índia
- 1.692.008
- 1.224.614

China
- 1.295.604
- 1.341.335

Legenda: 2050 | 2040 | 2030 | 2020 | 2010

População (milhões de habitantes)
- < 10
- 10 - 50
- 50 - 100
- 100 - 250
- 250 - 500
- > 500

Metrópoles mais populosas (milhões de habitantes)
- 7,5 - 15
- 15,1 - 37

Fonte: ONU, 2012.

64

Trânsito caótico, Mumbai, na Índia.

Expansão da população mundial
(bilhões de habitantes)

Ano	1950	1960	1970	1980	1990	2000	2010	2020	2030	2040	2050
Bilhões	2,5	3,0	3,6	4,4	5,3	6,1	6,9	7,6	8,3	8,8	9,3

Fonte: ONU, 2012.

Projeção de Goode

Fonte: ONU, 2012.

Atlas Geográfico do Brasil

52 Crescimento populacional

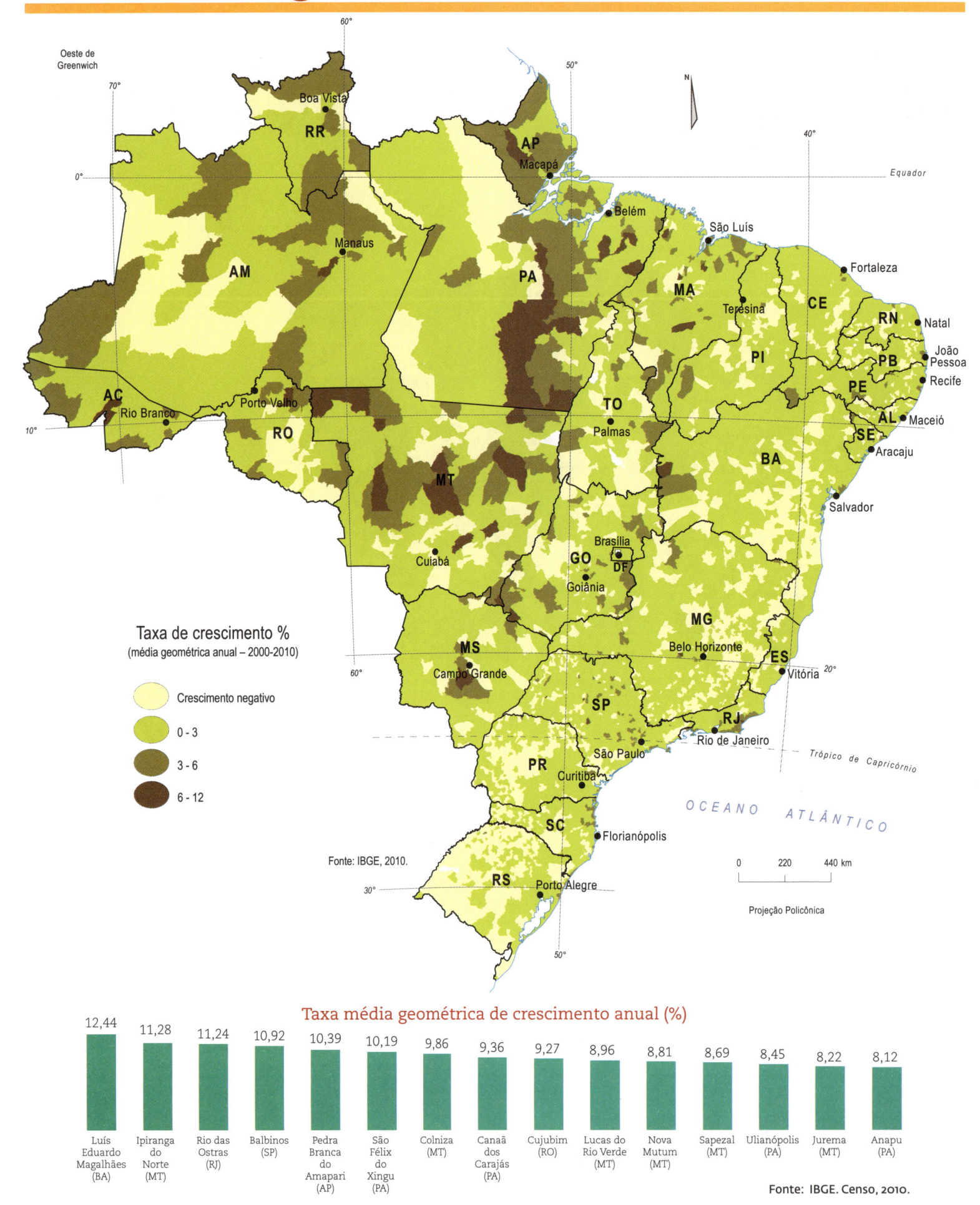

Taxa de crescimento %
(média geométrica anual – 2000-2010)

- Crescimento negativo
- 0 - 3
- 3 - 6
- 6 - 12

Fonte: IBGE, 2010.

Projeção Policônica

Taxa média geométrica de crescimento anual (%)

Município	Taxa
Luís Eduardo Magalhães (BA)	12,44
Ipiranga do Norte (MT)	11,28
Rio das Ostras (RJ)	11,24
Balbinos (SP)	10,92
Pedra Branca do Amapari (AP)	10,39
São Félix do Xingu (PA)	10,19
Colniza (MT)	9,86
Canaã dos Carajás (PA)	9,36
Cujubim (RO)	9,27
Lucas do Rio Verde (MT)	8,96
Nova Mutum (MT)	8,81
Sapezal (MT)	8,69
Ulianópolis (PA)	8,45
Jurema (MT)	8,22
Anapu (PA)	8,12

Fonte: IBGE. Censo, 2010.

53 Mortalidade

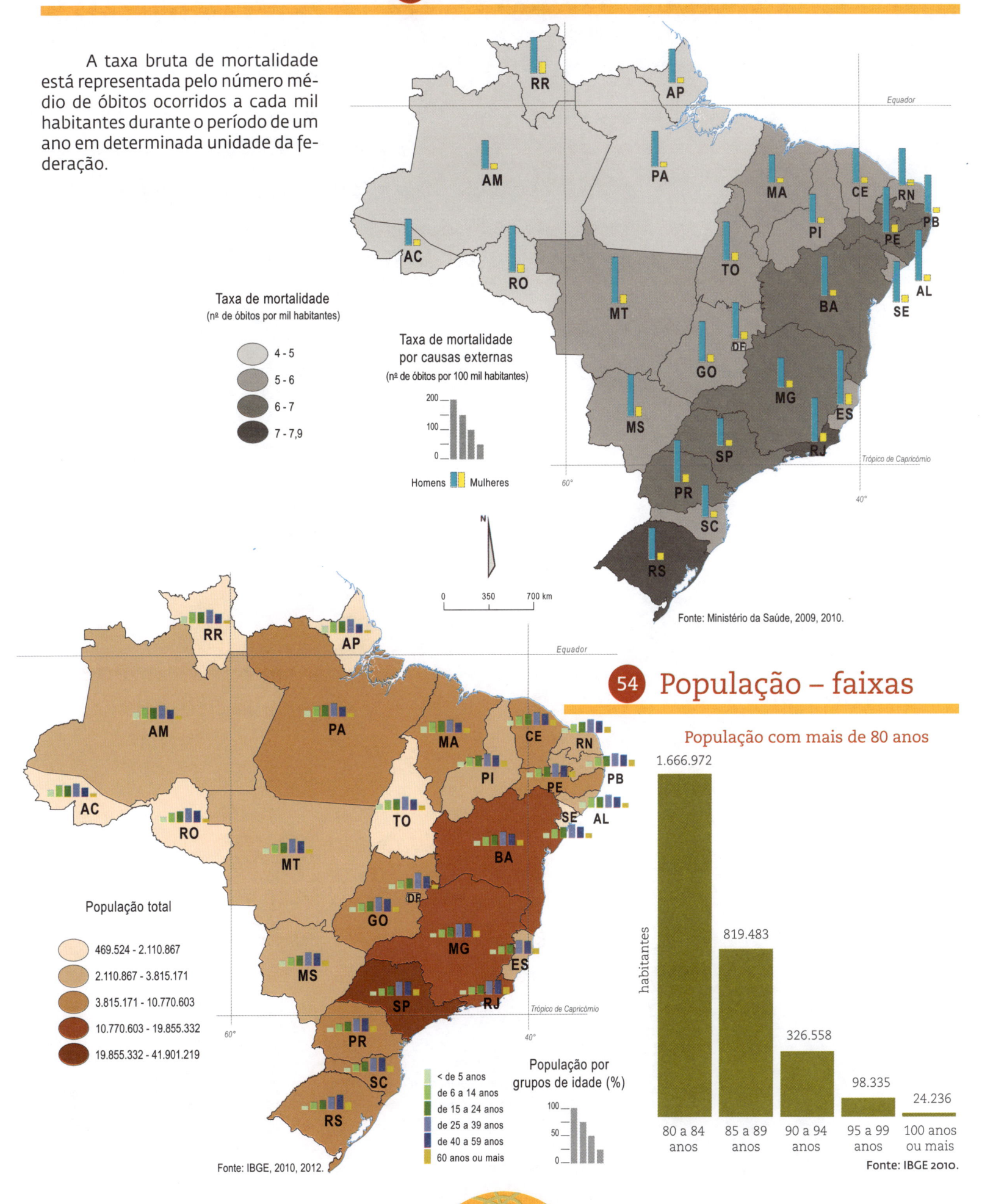

A taxa bruta de mortalidade está representada pelo número médio de óbitos ocorridos a cada mil habitantes durante o período de um ano em determinada unidade da federação.

Taxa de mortalidade
(nº de óbitos por mil habitantes)
- 4 - 5
- 5 - 6
- 6 - 7
- 7 - 7,9

Taxa de mortalidade por causas externas
(nº de óbitos por 100 mil habitantes)

Homens | Mulheres

Fonte: Ministério da Saúde, 2009, 2010.

54 População – faixas

População com mais de 80 anos

- 80 a 84 anos: 1.666.972
- 85 a 89 anos: 819.483
- 90 a 94 anos: 326.558
- 95 a 99 anos: 98.335
- 100 anos ou mais: 24.236

Fonte: IBGE 2010.

População total
- 469.524 - 2.110.867
- 2.110.867 - 3.815.171
- 3.815.171 - 10.770.603
- 10.770.603 - 19.855.332
- 19.855.332 - 41.901.219

População por grupos de idade (%)
- < de 5 anos
- de 6 a 14 anos
- de 15 a 24 anos
- de 25 a 39 anos
- de 40 a 59 anos
- 60 anos ou mais

Fonte: IBGE, 2010, 2012.

Atlas Geográfico do Brasil

55 Longevidade

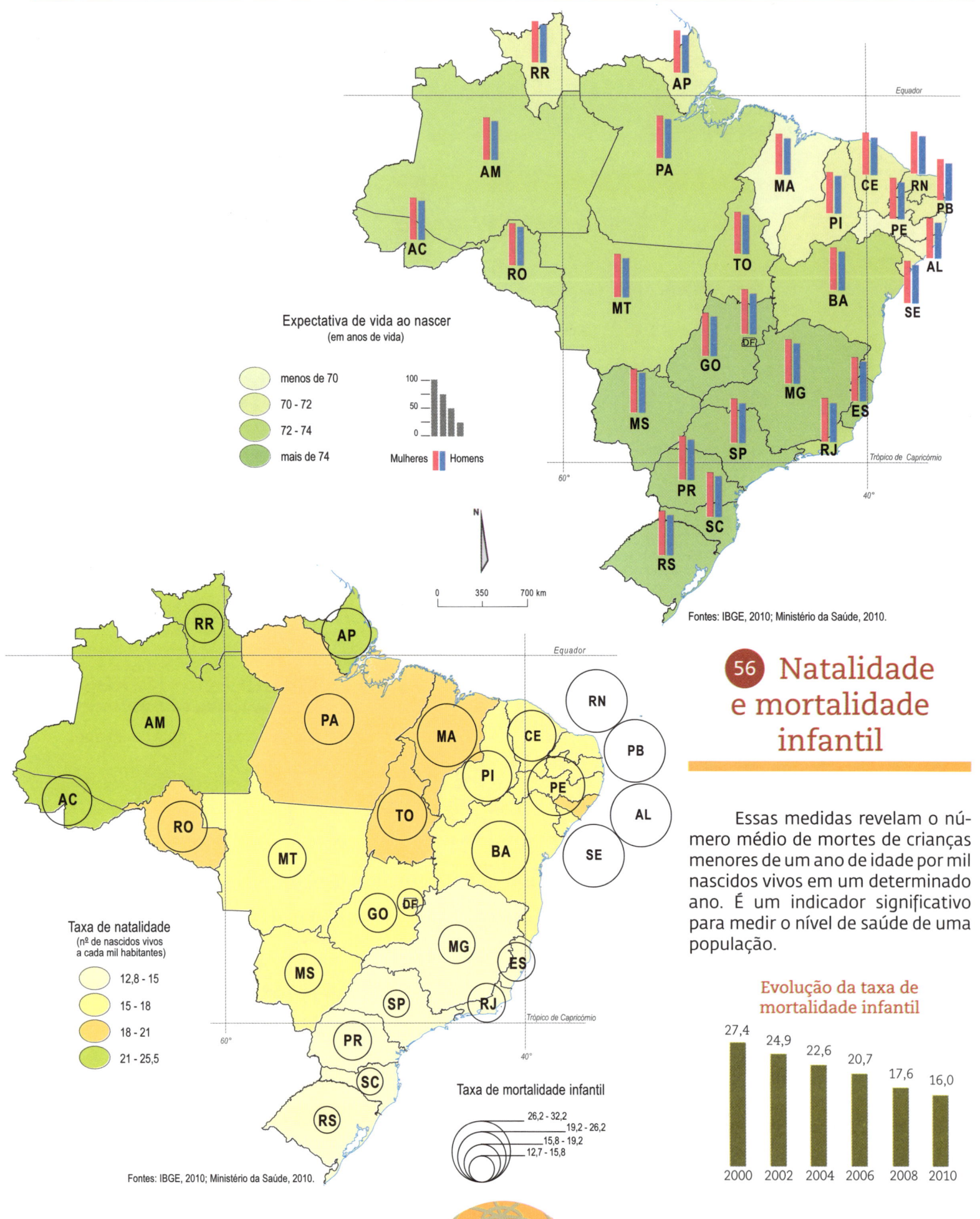

Expectativa de vida ao nascer
(em anos de vida)

- menos de 70
- 70 - 72
- 72 - 74
- mais de 74

Mulheres ■ Homens ■

Fontes: IBGE, 2010; Ministério da Saúde, 2010.

56 Natalidade e mortalidade infantil

Essas medidas revelam o número médio de mortes de crianças menores de um ano de idade por mil nascidos vivos em um determinado ano. É um indicador significativo para medir o nível de saúde de uma população.

Taxa de natalidade
(nº de nascidos vivos a cada mil habitantes)

- 12,8 - 15
- 15 - 18
- 18 - 21
- 21 - 25,5

Taxa de mortalidade infantil
- 26,2 - 32,2
- 19,2 - 26,2
- 15,8 - 19,2
- 12,7 - 15,8

Evolução da taxa de mortalidade infantil

2000	2002	2004	2006	2008	2010
27,4	24,9	22,6	20,7	17,6	16,0

Fontes: IBGE, 2010; Ministério da Saúde, 2010.

57 IDH por município

O Índice de Desenvolvimento Humano (IDH) é uma medida indicativa do nível de qualidade de vida com base em três dimensões básicas do desenvolvimento humano: *renda*, *educação* e *expectativa de vida*.

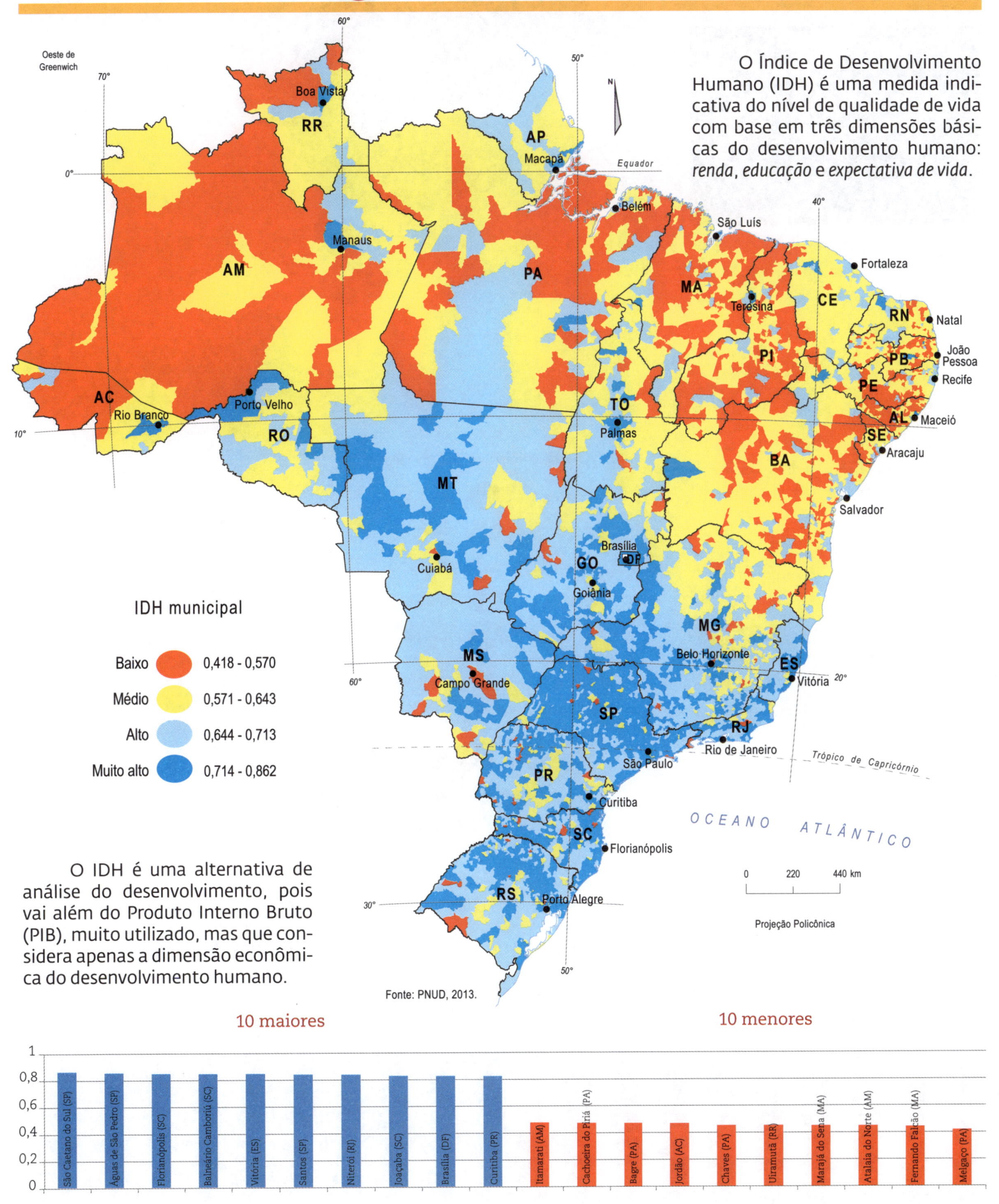

IDH municipal

- Baixo: 0,418 - 0,570
- Médio: 0,571 - 0,643
- Alto: 0,644 - 0,713
- Muito alto: 0,714 - 0,862

O IDH é uma alternativa de análise do desenvolvimento, pois vai além do Produto Interno Bruto (PIB), muito utilizado, mas que considera apenas a dimensão econômica do desenvolvimento humano.

Fonte: PNUD, 2013.

10 maiores: São Caetano do Sul (SP), Águas de São Pedro (SP), Florianópolis (SC), Balneário Camboriú (SC), Vitória (ES), Santos (SP), Niterói (RJ), Joaçaba (SC), Brasília (DF), Curitiba (PR).

10 menores: Itamarati (AM), Cachoeira do Piriá (PA), Bagre (PA), Jordão (AC), Chaves (PA), Uiramutã (RR), Marajá do Sena (MA), Atalaia do Norte (AM), Fernando Falcão (MA), Melgaço (PA).

Fonte: PNUD, 2013.

58 IDH mundial

Quebec, Canadá.

Índice de desenvolvimento humano

- 0,286 - 0,510 Baixo
- 0,522 - 0,698 Médio
- 0,698 - 0,783 Alto
- 0,793 - 0,943 Muito alto
- Sem dados

A distribuição dos países a partir do Índice de Desenvolvimento Humano (IDH) revela como a geografia do desenvolvimento é desigual na escala mundial. O centro desenvolvido, com alto IDH, está representado pela América do Norte (EUA e Canadá) e Europa Ocidental, além de Japão, Austrália e Nova Zelândia. Já o mundo subdesenvolvido, identificado com IDH baixo, concentra-se no continente africano, na Ásia e em alguns países da América Latina.

Ranking IDH – Países selecionados

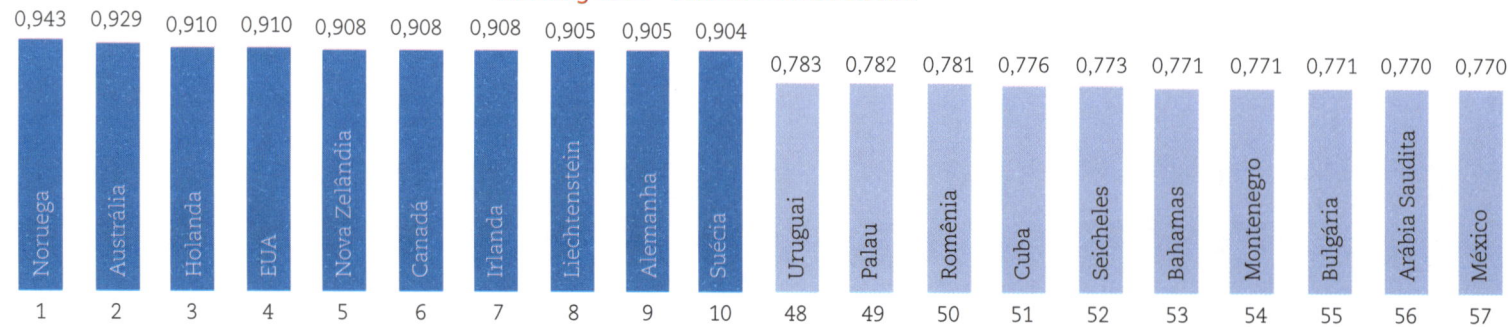

#	País	IDH
1	Noruega	0,943
2	Austrália	0,929
3	Holanda	0,910
4	EUA	0,910
5	Nova Zelândia	0,908
6	Canadá	0,908
7	Irlanda	0,908
8	Liechtenstein	0,905
9	Alemanha	0,905
10	Suécia	0,904
48	Uruguai	0,783
49	Palau	0,782
50	Romênia	0,781
51	Cuba	0,776
52	Seicheles	0,773
53	Bahamas	0,771
54	Montenegro	0,771
55	Bulgária	0,771
56	Arábia Saudita	0,770
57	México	0,770

Movimento de pessoas nas ruas de Porto Príncipe, no Haiti.

Fonte: ONU, 2011.

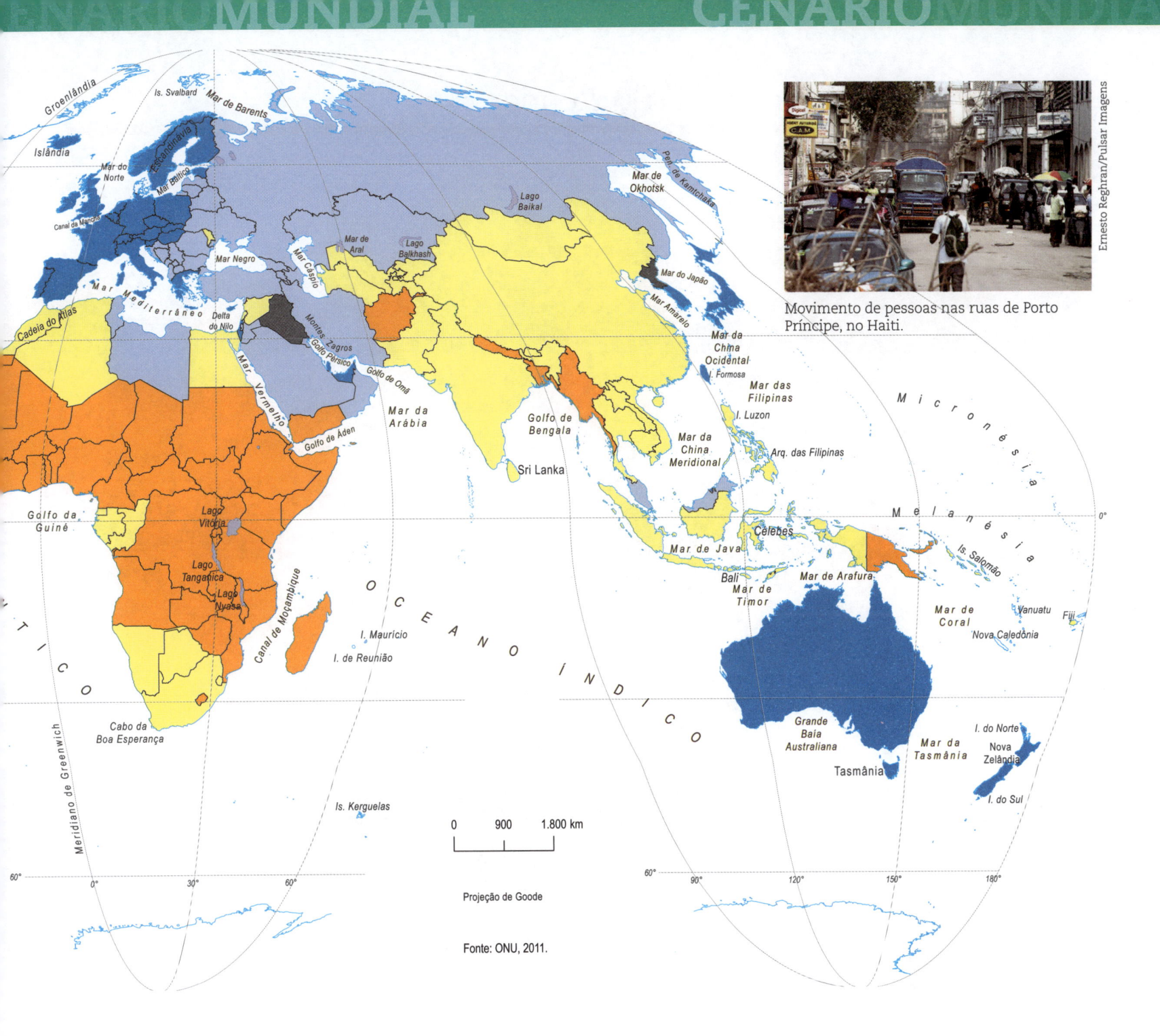

A elevação no IDH brasileiro está associada: a avanços na qualidade da educação, como redução da taxa de analfabetos, ampliação do acesso ao conhecimento e elevação do tempo médio de estudos; ao aumento da longevidade e da esperança de vida ao nascer; e aos avanços no aumento da renda média da população.

País	IDH	Posição
Brasil	0,718	84
Jordânia	0,698	95
Argélia	0,698	96
Sri Lanka	0,691	95
República Dominicana	0,689	96
Samoa	0,688	97
Fiji	0,688	98
China	0,687	99
Turcomenistão	0,686	100
Tailândia	0,682	101
Suriname	0,680	102
Guiné	0,682	103
Rep. Centro Africana	0,680	104
Serra Leoa	0,674	105
Burkina Fasso	0,331	181
Libéria	0,329	182
Chade	0,328	183
Moçambique	0,322	184
Burundi	0,316	185
Níger	0,295	186

Fonte: ONU, 2011.

Atlas Geográfico do Brasil

59 Renda

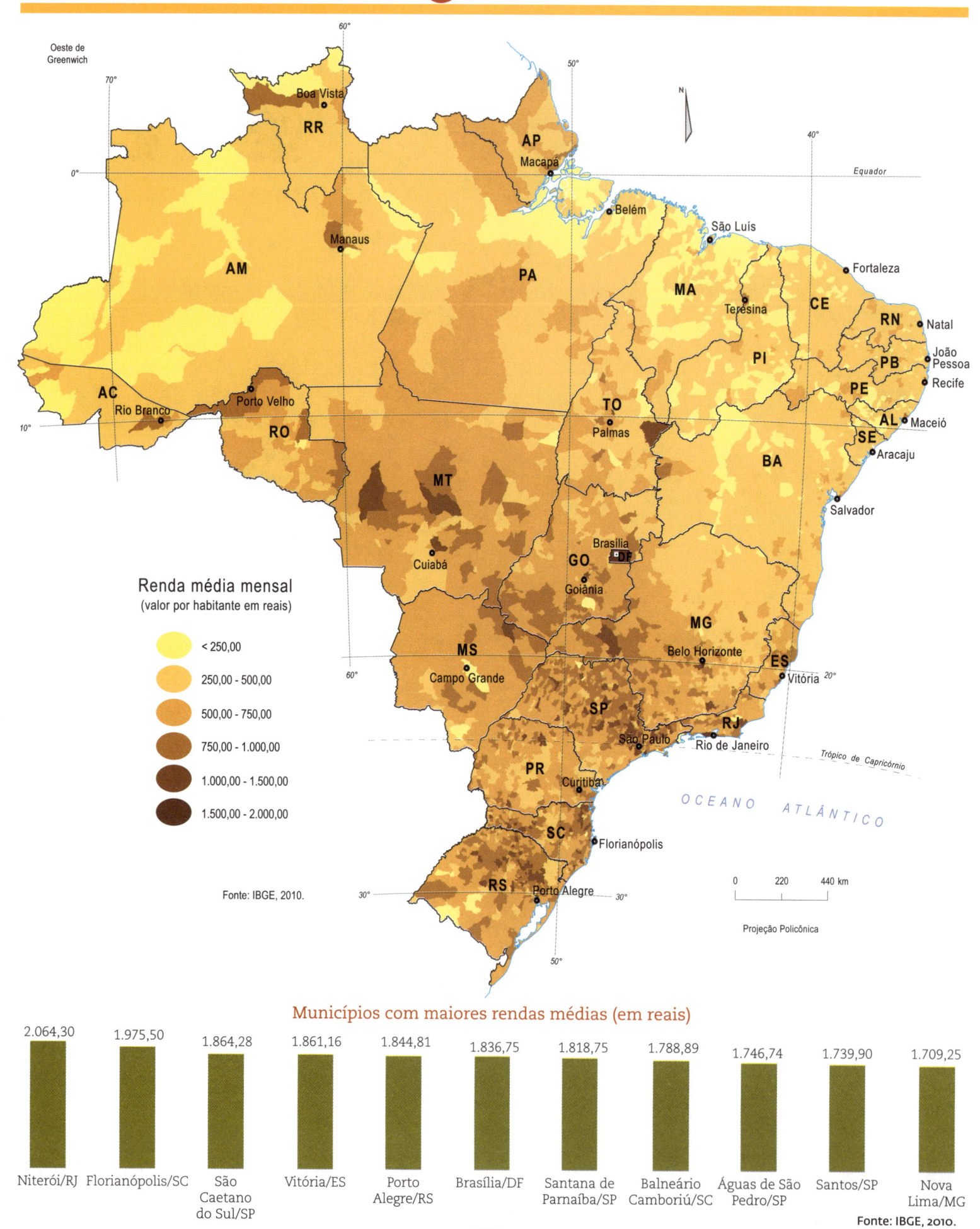

Renda média mensal
(valor por habitante em reais)

- < 250,00
- 250,00 - 500,00
- 500,00 - 750,00
- 750,00 - 1.000,00
- 1.000,00 - 1.500,00
- 1.500,00 - 2.000,00

Fonte: IBGE, 2010.

Projeção Policônica

Municípios com maiores rendas médias (em reais)

Município	Valor
Niterói/RJ	2.064,30
Florianópolis/SC	1.975,50
São Caetano do Sul/SP	1.864,28
Vitória/ES	1.861,16
Porto Alegre/RS	1.844,81
Brasília/DF	1.836,75
Santana de Parnaíba/SP	1.818,75
Balneário Camboriú/SC	1.788,89
Águas de São Pedro/SP	1.746,74
Santos/SP	1.739,90
Nova Lima/MG	1.709,25

Fonte: IBGE, 2010.

Atlas Geográfico do Brasil

60 Migrações internas

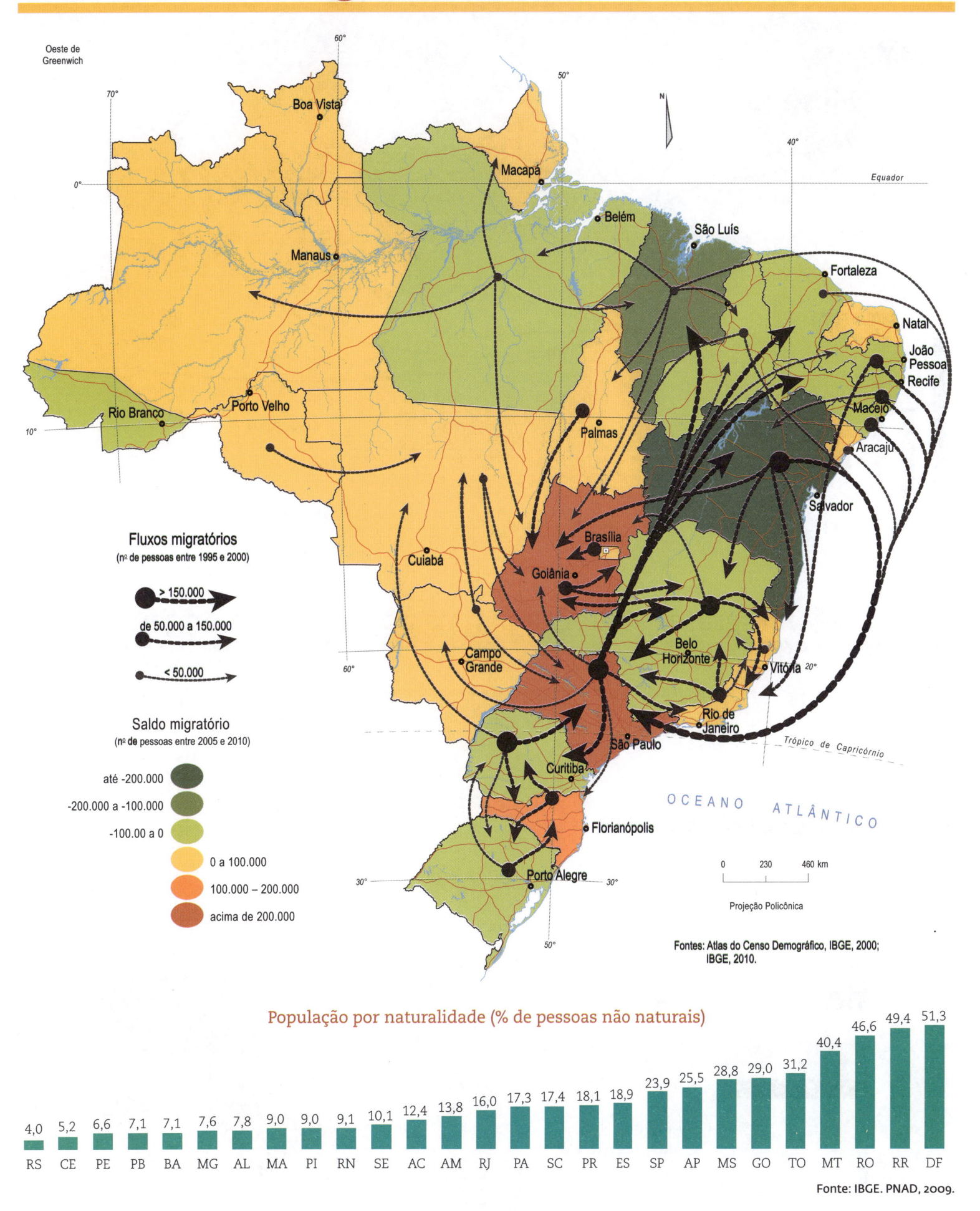

Fluxos migratórios
(nº de pessoas entre 1995 e 2000)

- > 150.000
- de 50.000 a 150.000
- < 50.000

Saldo migratório
(nº de pessoas entre 2005 e 2010)

- até -200.000
- -200.000 a -100.000
- -100.00 a 0
- 0 a 100.000
- 100.000 – 200.000
- acima de 200.000

Projeção Policônica

Fontes: Atlas do Censo Demográfico, IBGE, 2000; IBGE, 2010.

População por naturalidade (% de pessoas não naturais)

RS	CE	PE	PB	BA	MG	AL	MA	PI	RN	SE	AC	AM	RJ	PA	SC	PR	ES	SP	AP	MS	GO	TO	MT	RO	RR	DF
4,0	5,2	6,6	7,1	7,1	7,6	7,8	9,0	9,0	9,1	10,1	12,4	13,8	16,0	17,3	17,4	18,1	18,9	23,9	25,5	28,8	29,0	31,2	40,4	46,6	49,4	51,3

Fonte: IBGE. PNAD, 2009.

73

Atlas Geográfico do Brasil

61 Emigração por países de destino

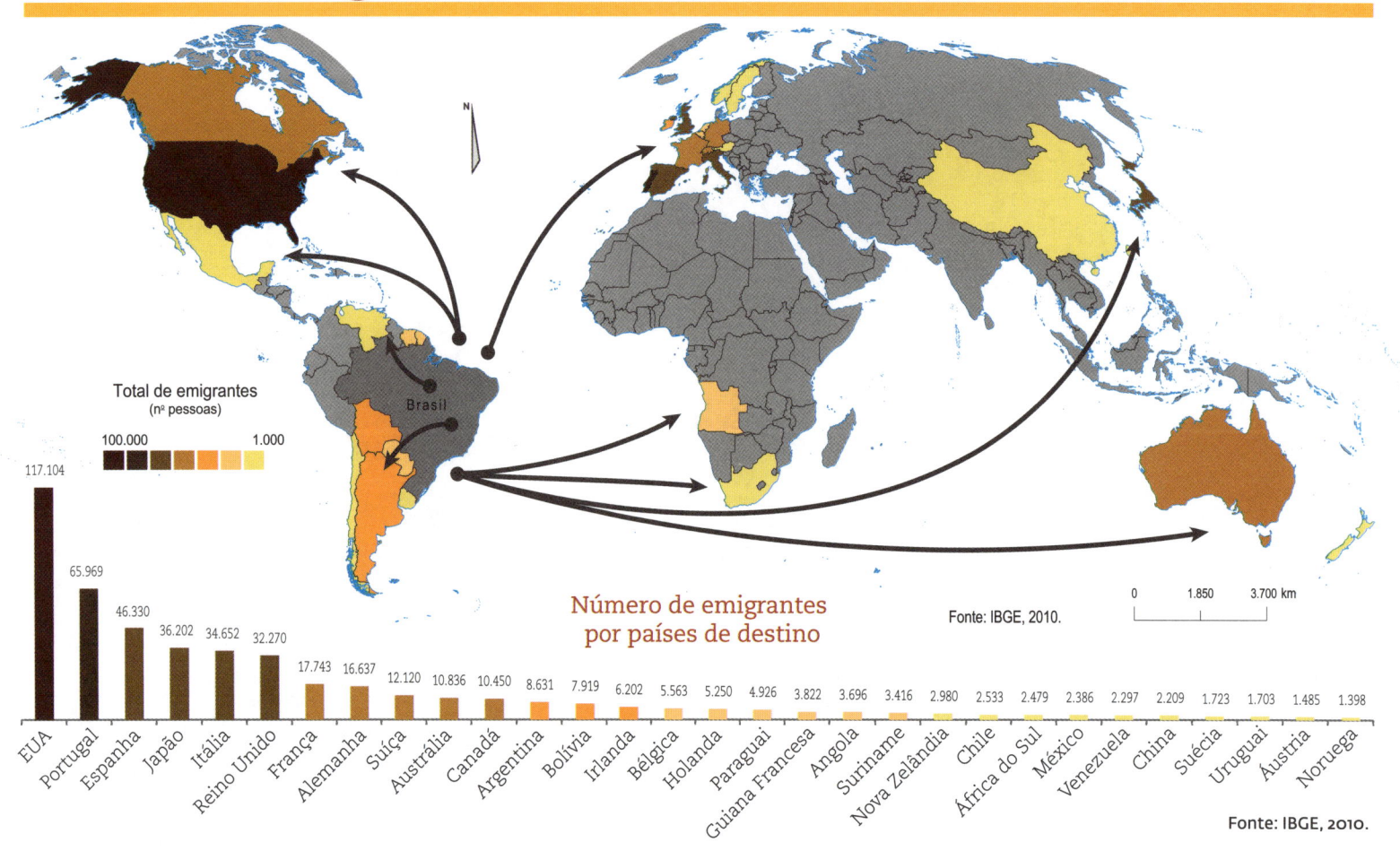

Total de emigrantes (nº pessoas): 100.000 — 1.000

Número de emigrantes por países de destino

Fonte: IBGE, 2010.

EUA	117.104
Portugal	65.969
Espanha	46.330
Japão	36.202
Itália	34.652
Reino Unido	32.270
França	17.743
Alemanha	16.637
Suíça	12.120
Austrália	10.836
Canadá	10.450
Argentina	8.631
Bolívia	7.919
Irlanda	6.202
Bélgica	5.563
Holanda	5.250
Paraguai	4.926
Guiana Francesa	3.822
Angola	3.696
Suriname	3.416
Nova Zelândia	2.980
Chile	2.533
África do Sul	2.479
México	2.386
Venezuela	2.297
China	2.209
Suécia	1.723
Uruguai	1.703
Áustria	1.485
Noruega	1.398

Fonte: IBGE, 2010.

62 Emigrantes internacionais por região de origem

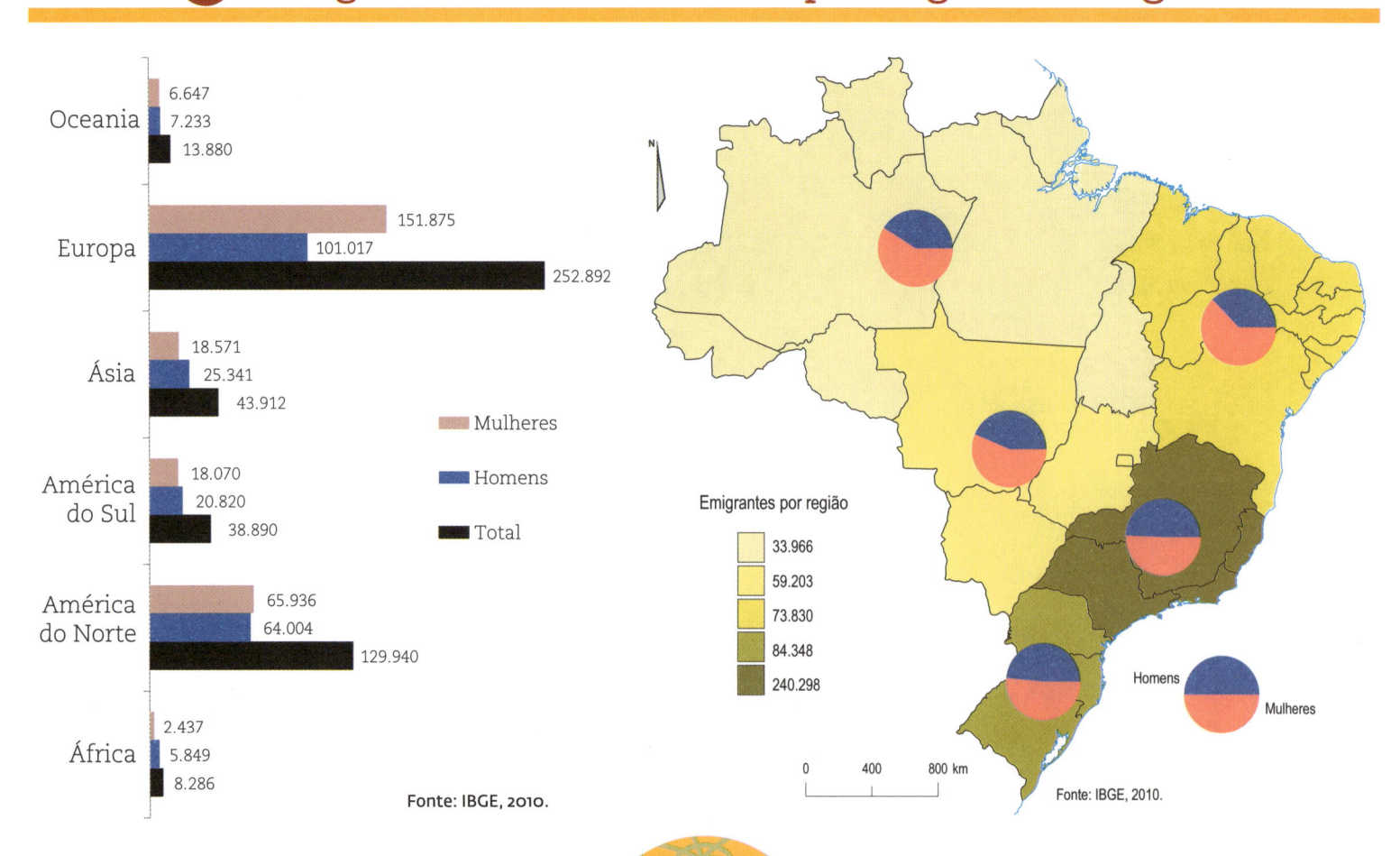

Região	Mulheres	Homens	Total
Oceania	6.647	7.233	13.880
Europa	151.875	101.017	252.892
Ásia	18.571	25.341	43.912
América do Sul	18.070	20.820	38.890
América do Norte	65.936	64.004	129.940
África	2.437	5.849	8.286

Fonte: IBGE, 2010.

Emigrantes por região: 33.966 | 59.203 | 73.830 | 84.348 | 240.298

Fonte: IBGE, 2010.

74

63 Imigração por região de destino

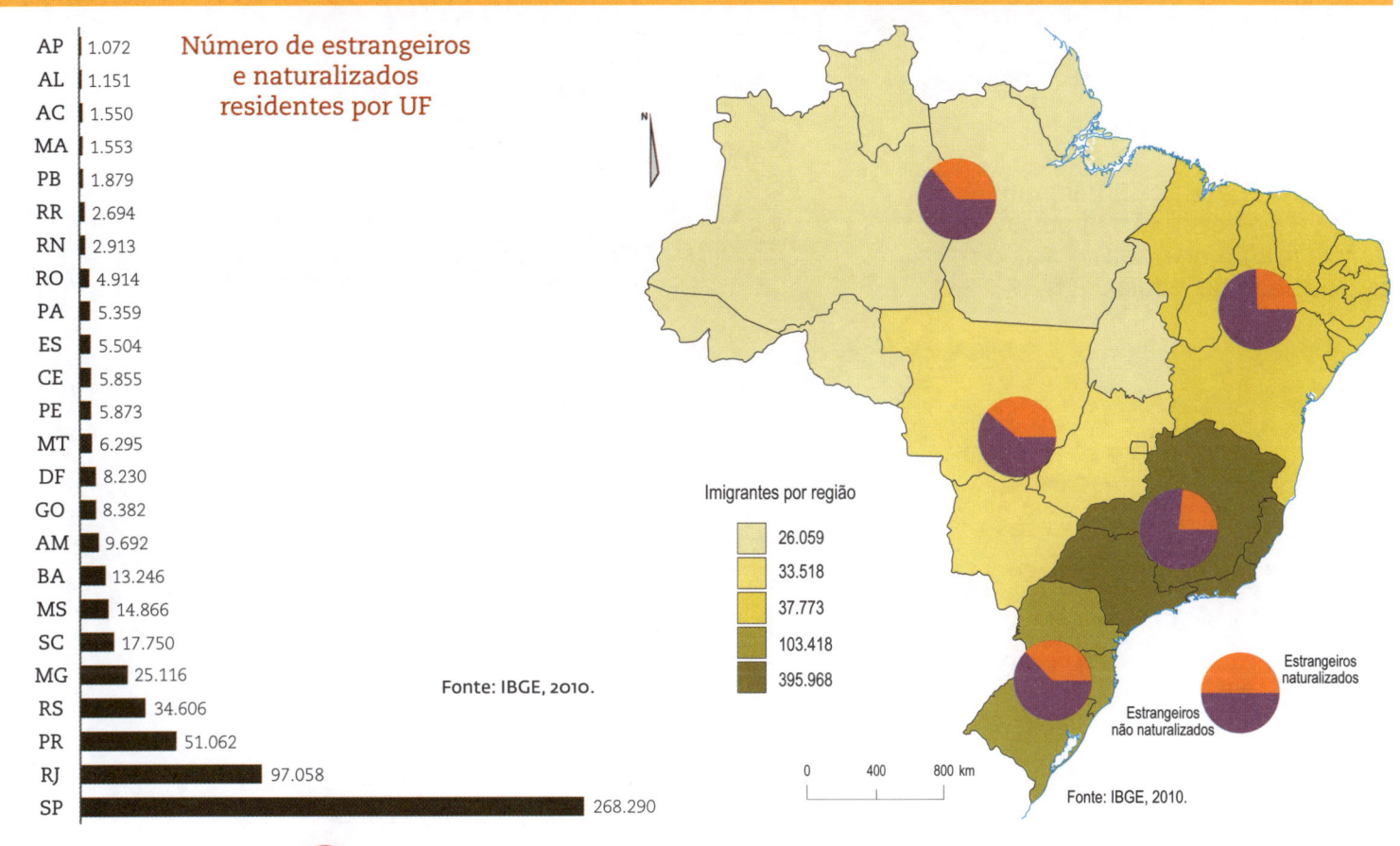

Número de estrangeiros e naturalizados residentes por UF

UF	Número
AP	1.072
AL	1.151
AC	1.550
MA	1.553
PB	1.879
RR	2.694
RN	2.913
RO	4.914
PA	5.359
ES	5.504
CE	5.855
PE	5.873
MT	6.295
DF	8.230
GO	8.382
AM	9.692
BA	13.246
MS	14.866
SC	17.750
MG	25.116
RS	34.606
PR	51.062
RJ	97.058
SP	268.290

Fonte: IBGE, 2010.

Imigrantes por região
- 26.059
- 33.518
- 37.773
- 103.418
- 395.968

Estrangeiros naturalizados
Estrangeiros não naturalizados

Fonte: IBGE, 2010.

64 Imigrantes por países de origem

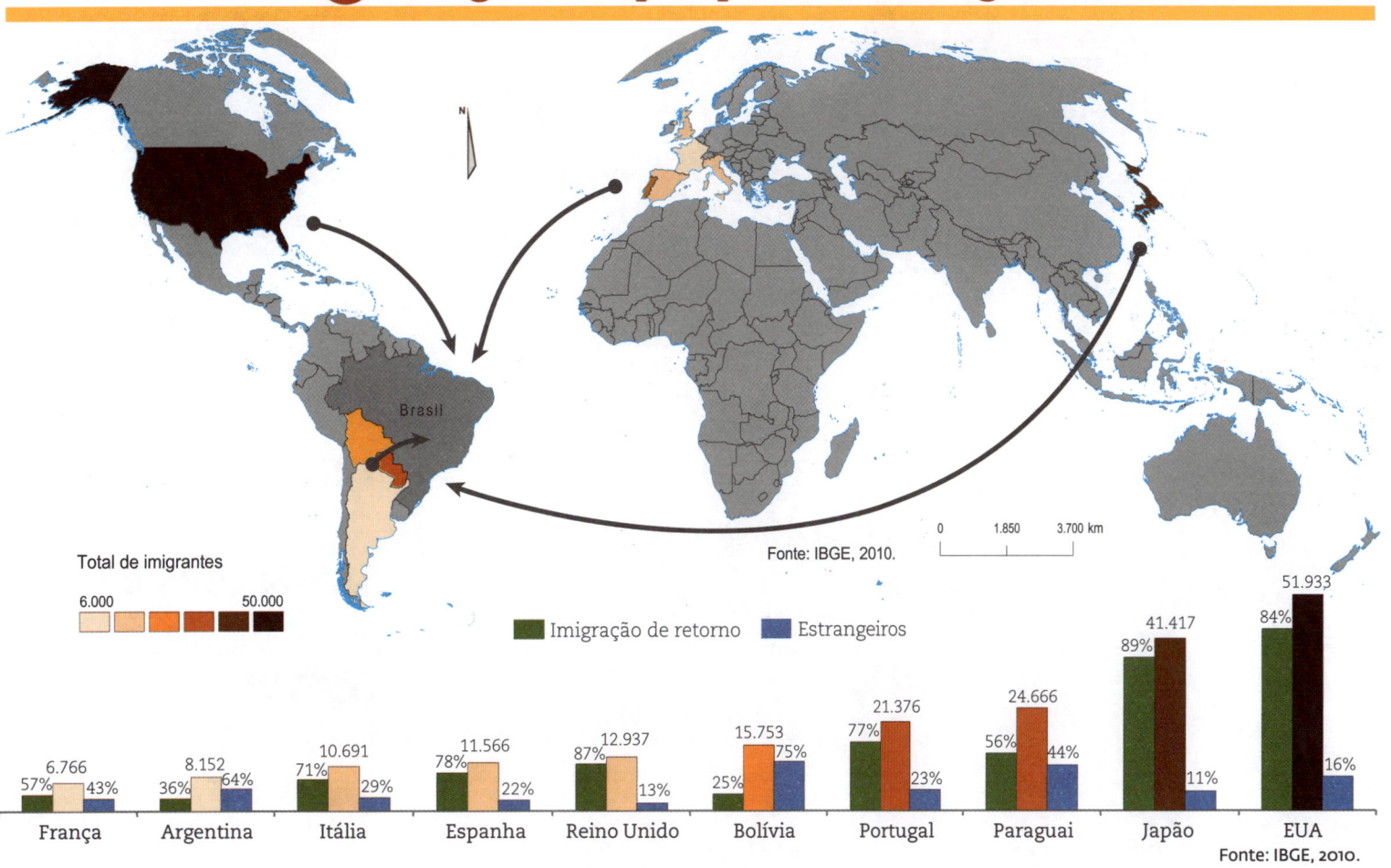

Total de imigrantes: 6.000 — 50.000

Fonte: IBGE, 2010.

■ Imigração de retorno ■ Estrangeiros

País	Imigração de retorno	Estrangeiros
França	6.766 (57%)	43%
Argentina	8.152 (36%)	64%
Itália	10.691 (71%)	29%
Espanha	11.566 (78%)	22%
Reino Unido	12.937 (87%)	13%
Bolívia	15.753 (25%)	75%
Portugal	21.376 (77%)	23%
Paraguai	24.666 (56%)	44%
Japão	41.417 (89%)	11%
EUA	51.933 (84%)	16%

Fonte: IBGE, 2010.

Atlas Geográfico do Brasil

65 Trabalho precário

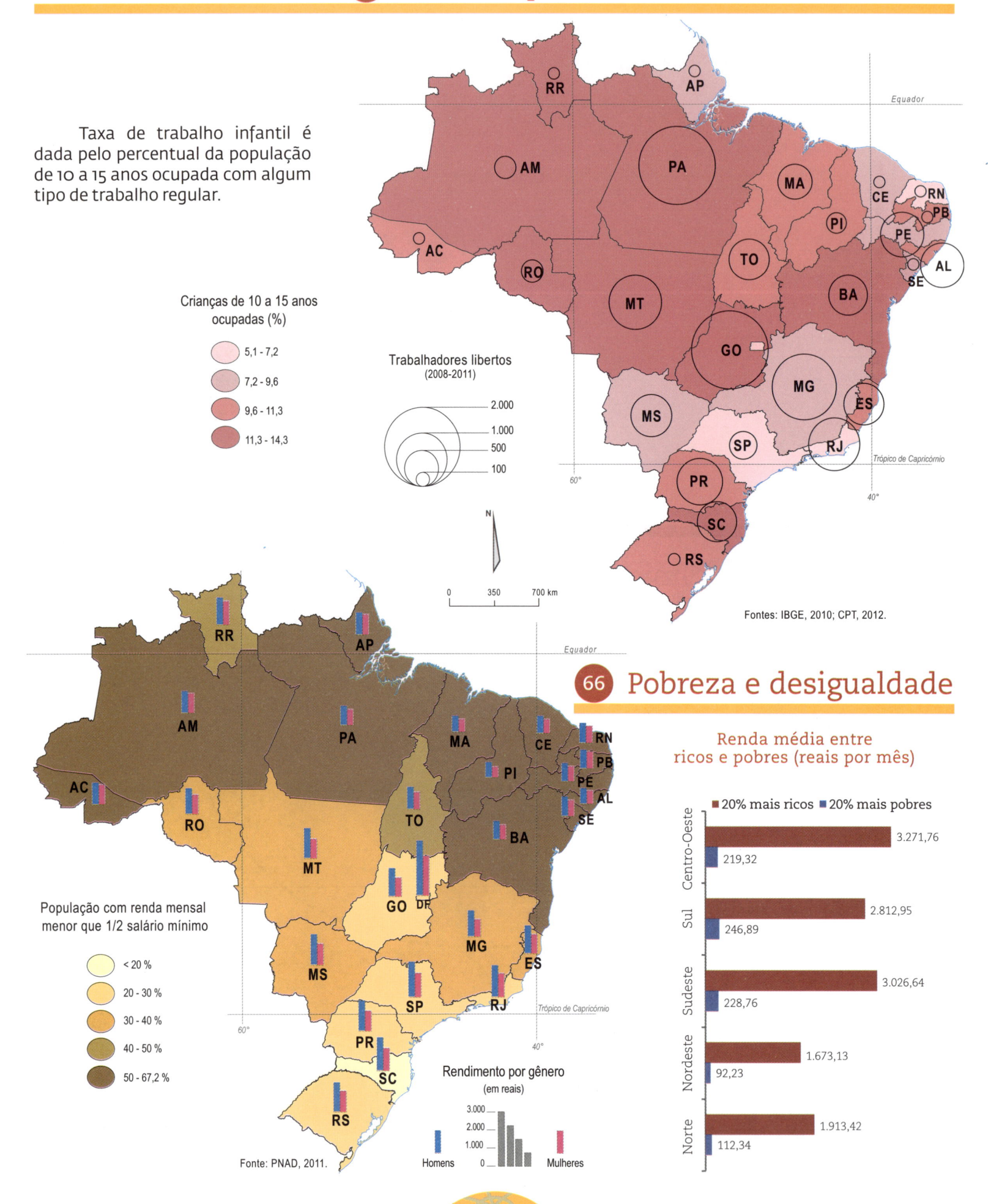

Taxa de trabalho infantil é dada pelo percentual da população de 10 a 15 anos ocupada com algum tipo de trabalho regular.

Crianças de 10 a 15 anos ocupadas (%)
- 5,1 - 7,2
- 7,2 - 9,6
- 9,6 - 11,3
- 11,3 - 14,3

Trabalhadores libertos (2008-2011)
- 2.000
- 1.000
- 500
- 100

Fontes: IBGE, 2010; CPT, 2012.

66 Pobreza e desigualdade

População com renda mensal menor que 1/2 salário mínimo
- < 20 %
- 20 - 30 %
- 30 - 40 %
- 40 - 50 %
- 50 - 67,2 %

Fonte: PNAD, 2011.

Rendimento por gênero (em reais)
- Homens
- Mulheres

Renda média entre ricos e pobres (reais por mês)

■ 20% mais ricos ■ 20% mais pobres

Região	20% mais ricos	20% mais pobres
Centro-Oeste	3.271,76	219,32
Sul	2.812,95	246,89
Sudeste	3.026,64	228,76
Nordeste	1.673,13	92,23
Norte	1.913,42	112,34

76

Atlas Geográfico do Brasil

67 População economicamente ativa (PEA)

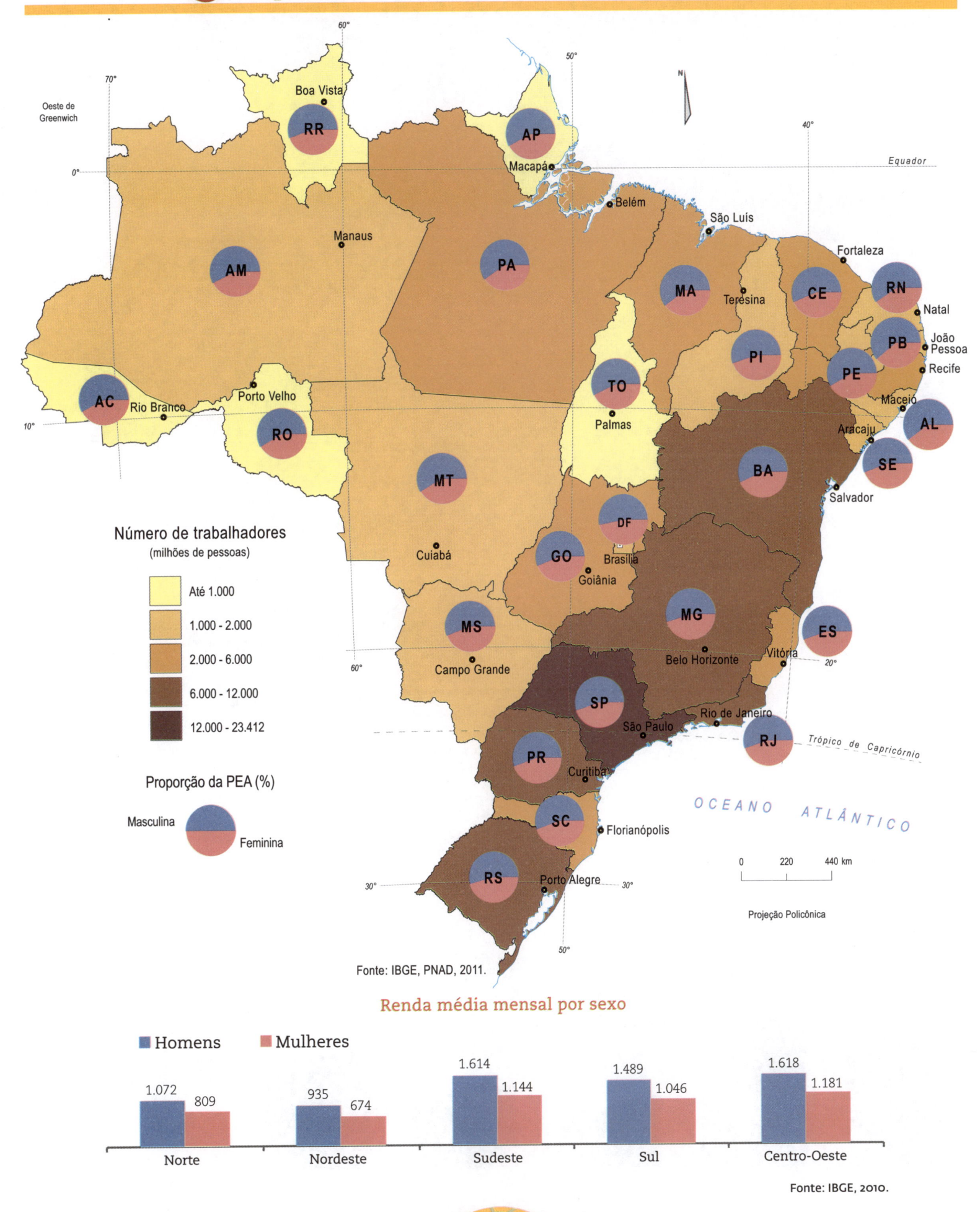

Número de trabalhadores
(milhões de pessoas)

- Até 1.000
- 1.000 - 2.000
- 2.000 - 6.000
- 6.000 - 12.000
- 12.000 - 23.412

Proporção da PEA (%)
- Masculina
- Feminina

Fonte: IBGE, PNAD, 2011.

Projeção Policônica

Renda média mensal por sexo

■ Homens   ■ Mulheres

Região	Homens	Mulheres
Norte	1.072	809
Nordeste	935	674
Sudeste	1.614	1.144
Sul	1.489	1.046
Centro-Oeste	1.618	1.181

Fonte: IBGE, 2010.

Atlas Geográfico do Brasil

68 Desempenho escolar

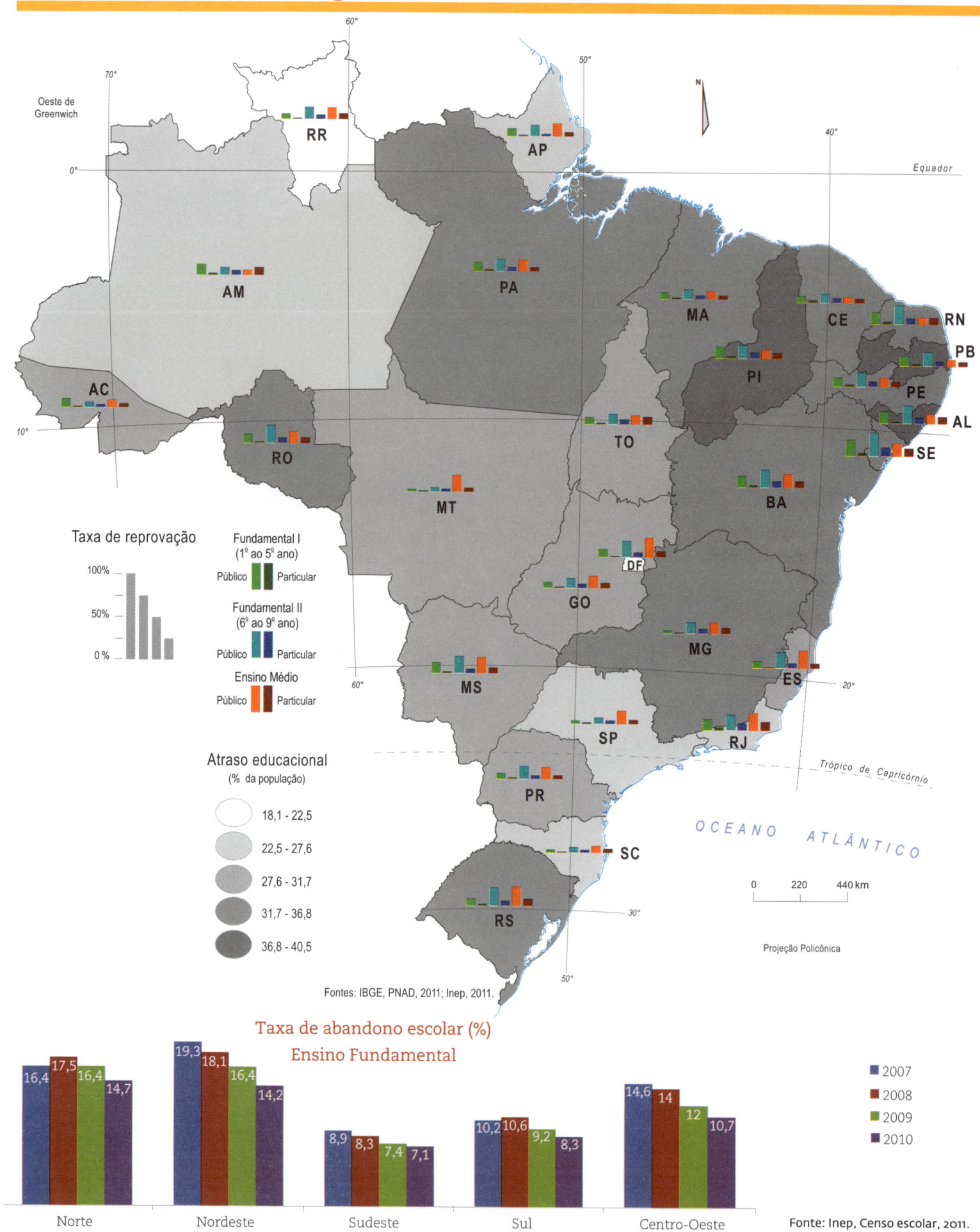

Taxa de reprovação

Fundamental I (1º ao 5º ano)
- Público (verde) / Particular (verde escuro)

Fundamental II (6º ao 9º ano)
- Público (azul claro) / Particular (azul escuro)

Ensino Médio
- Público (laranja) / Particular (marrom)

Atraso educacional (% da população)
- 18,1 - 22,5
- 22,5 - 27,6
- 27,6 - 31,7
- 31,7 - 36,8
- 36,8 - 40,5

Fontes: IBGE, PNAD, 2011; Inep, 2011.

Projeção Policônica

Taxa de abandono escolar (%)
Ensino Fundamental

Região	2007	2008	2009	2010
Norte	16,4	17,5	16,4	14,7
Nordeste	19,3	18,1	16,4	14,2
Sudeste	8,9	8,3	7,4	7,1
Sul	10,2	10,6	9,2	8,3
Centro-Oeste	14,6	14	12	10,7

Fonte: Inep, Censo escolar, 2011.

Atlas Geográfico do Brasil

69 Analfabetismo

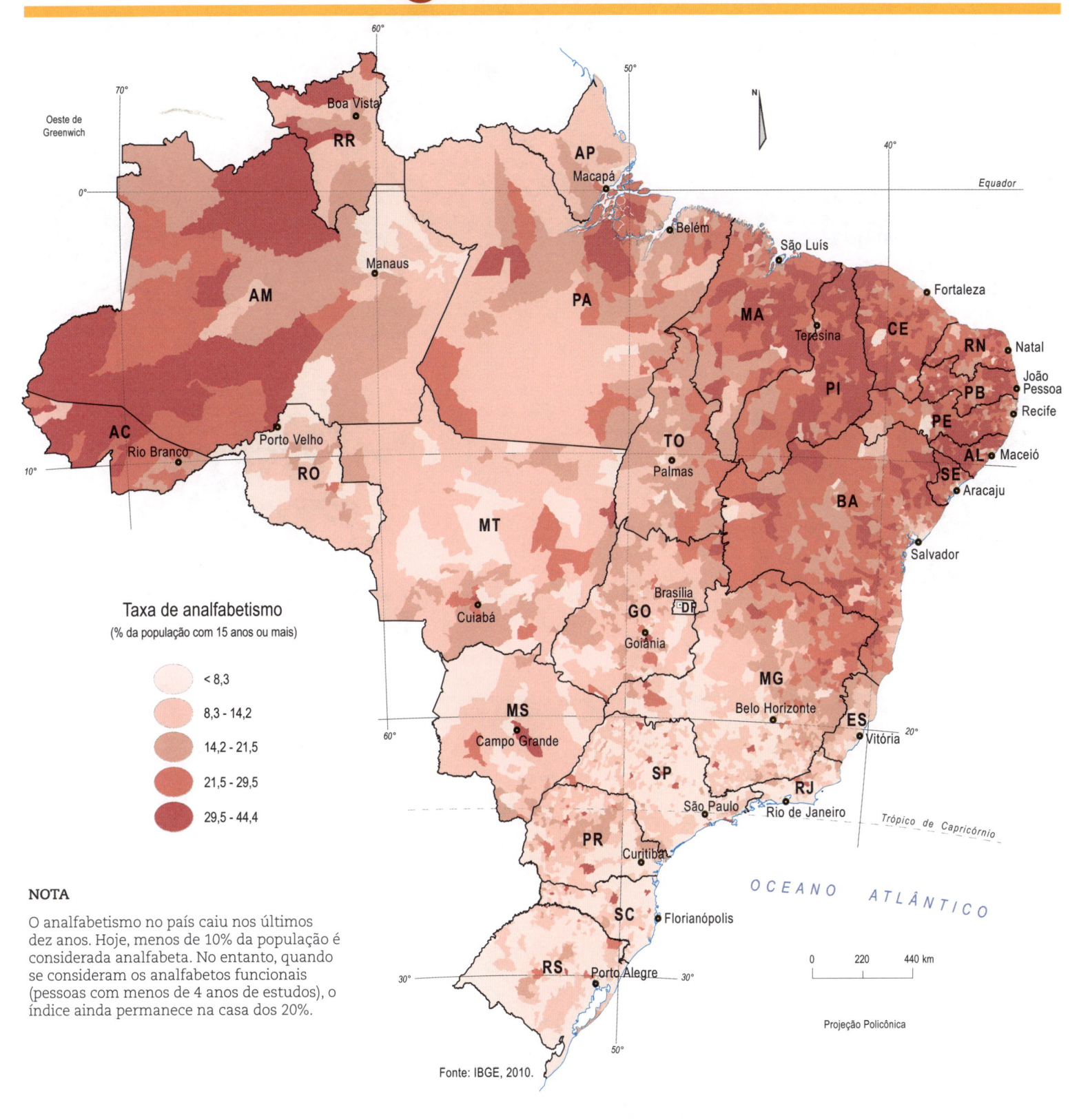

Taxa de analfabetismo
(% da população com 15 anos ou mais)

- < 8,3
- 8,3 - 14,2
- 14,2 - 21,5
- 21,5 - 29,5
- 29,5 - 44,4

NOTA

O analfabetismo no país caiu nos últimos dez anos. Hoje, menos de 10% da população é considerada analfabeta. No entanto, quando se consideram os analfabetos funcionais (pessoas com menos de 4 anos de estudos), o índice ainda permanece na casa dos 20%.

Fonte: IBGE, 2010.

Projeção Policônica

Taxa de abandono escolar (%) Ensino Médio

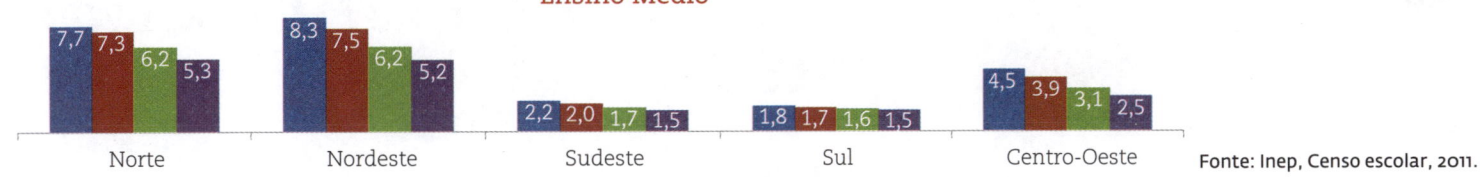

Região				
Norte	7,7	7,3	6,2	5,3
Nordeste	8,3	7,5	6,2	5,2
Sudeste	2,2	2,0	1,7	1,5
Sul	1,8	1,7	1,6	1,5
Centro-Oeste	4,5	3,9	3,1	2,5

Fonte: Inep, Censo escolar, 2011.

Educação superior

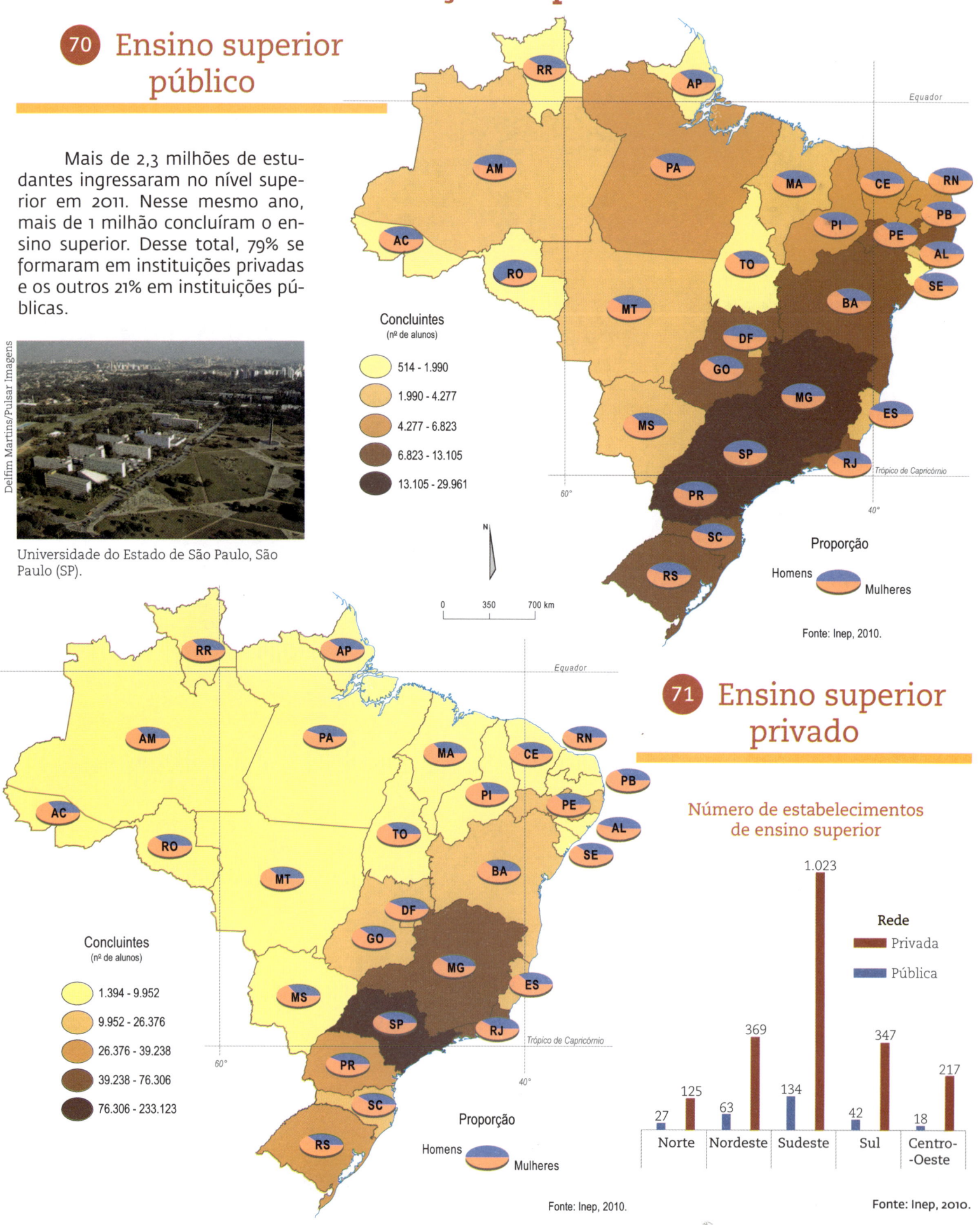

70 Ensino superior público

Mais de 2,3 milhões de estudantes ingressaram no nível superior em 2011. Nesse mesmo ano, mais de 1 milhão concluíram o ensino superior. Desse total, 79% se formaram em instituições privadas e os outros 21% em instituições públicas.

Universidade do Estado de São Paulo, São Paulo (SP).

Concluintes (nº de alunos)
- 514 - 1.990
- 1.990 - 4.277
- 4.277 - 6.823
- 6.823 - 13.105
- 13.105 - 29.961

Proporção: Homens / Mulheres

Fonte: Inep, 2010.

71 Ensino superior privado

Concluintes (nº de alunos)
- 1.394 - 9.952
- 9.952 - 26.376
- 26.376 - 39.238
- 39.238 - 76.306
- 76.306 - 233.123

Proporção: Homens / Mulheres

Fonte: Inep, 2010.

Número de estabelecimentos de ensino superior

Rede: Privada / Pública

Região	Pública	Privada
Norte	27	125
Nordeste	63	369
Sudeste	134	1.023
Sul	42	347
Centro-Oeste	18	217

Fonte: Inep, 2010.

Atlas Geográfico do Brasil

72 Rede de ensino

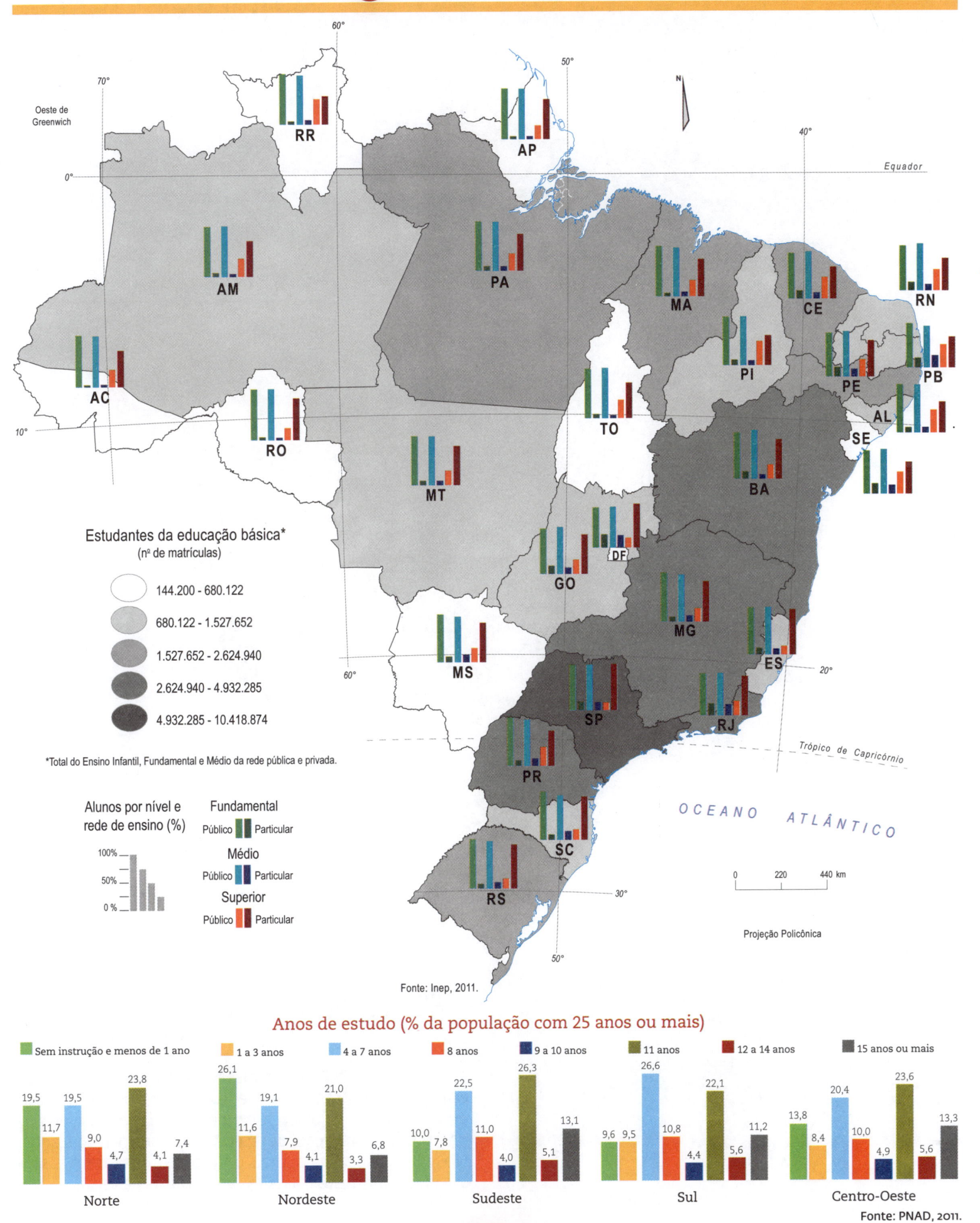

Estudantes da educação básica*
(nº de matrículas)

- 144.200 - 680.122
- 680.122 - 1.527.652
- 1.527.652 - 2.624.940
- 2.624.940 - 4.932.285
- 4.932.285 - 10.418.874

*Total do Ensino Infantil, Fundamental e Médio da rede pública e privada.

Alunos por nível e rede de ensino (%)

Fundamental: Público / Particular
Médio: Público / Particular
Superior: Público / Particular

Fonte: Inep, 2011.

Projeção Policônica

Anos de estudo (% da população com 25 anos ou mais)

Legenda: Sem instrução e menos de 1 ano | 1 a 3 anos | 4 a 7 anos | 8 anos | 9 a 10 anos | 11 anos | 12 a 14 anos | 15 ou mais

Norte: 19,5 | 11,7 | 19,5 | 9,0 | 4,7 | 23,8 | 4,1 | 7,4

Nordeste: 26,1 | 11,6 | 19,1 | 7,9 | 4,1 | 21,0 | 3,3 | 6,8

Sudeste: 10,0 | 7,8 | 22,5 | 11,0 | 4,0 | 26,3 | 5,1 | 13,1

Sul: 9,6 | 9,5 | 26,6 | 10,8 | 4,4 | 22,1 | 5,6 | 11,2

Centro-Oeste: 13,8 | 8,4 | 20,4 | 10,0 | 4,9 | 23,6 | 5,6 | 13,3

Fonte: PNAD, 2011.

Atlas Geográfico do Brasil

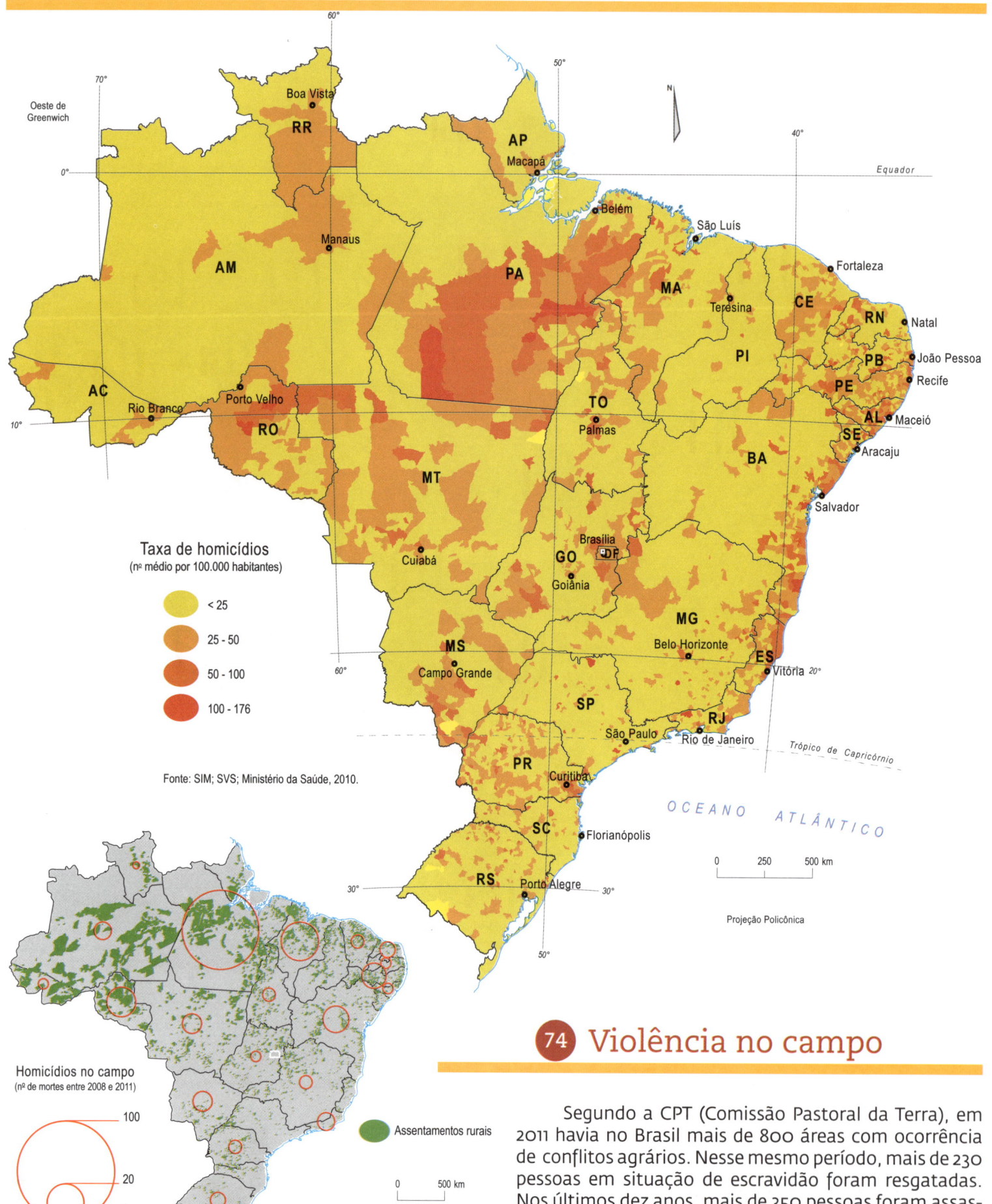

73 Violência

Taxa de homicídios
(nº médio por 100.000 habitantes)

- < 25
- 25 - 50
- 50 - 100
- 100 - 176

Fonte: SIM; SVS; Ministério da Saúde, 2010.

Homicídios no campo
(nº de mortes entre 2008 e 2011)

- 100
- 20
- 1

Assentamentos rurais

Fontes: CPT, 2011; Incra, 2012.

74 Violência no campo

Segundo a CPT (Comissão Pastoral da Terra), em 2011 havia no Brasil mais de 800 áreas com ocorrência de conflitos agrários. Nesse mesmo período, mais de 230 pessoas em situação de escravidão foram resgatadas. Nos últimos dez anos, mais de 350 pessoas foram assassinadas por questões ligadas às disputas de terra.

75 Indígenas e quilombolas

Terras indígenas

▲ Aldeamentos

● Comunidades quilombolas (nº de famílias): 3.000 / 1.000 / 100

População indígena (nº de habitantes):
- até 25.000
- 25.000 - 50.000
- 50.000 - 100.000
- 100.000 - 170.000

Fontes: IBGE, 2010; Incra, 2012.

Projeção Policônica

Grupo Jongo de Piquete, dança de roda de origem africana, Piquete (SP). (Marco Antônio Sá/Pulsar Imagens)

Das mais de 3.750 comunidades remanescentes de quilombos existentes no Brasil, apenas 1.948 são reconhecidas oficialmente, e os estados do Maranhão, Bahia e Minas Gerais reúnem a maioria desses grupos. São mais de 214 mil famílias em todo o país, com cerca de 1,17 milhão de pessoas.

76 Brasil cultura popular

Círio de Nossa Senhora de Nazaré, Belém (PA).

Grupo de maracatu Cambinda Nova da Mata, na festa folclórica Maracatu Rural, Nazaré da Mata (PE).

A dança do Siriri, praticada no estado de Mato Grosso.

A dança do Frevo, praticada no estado de Pernambuco.

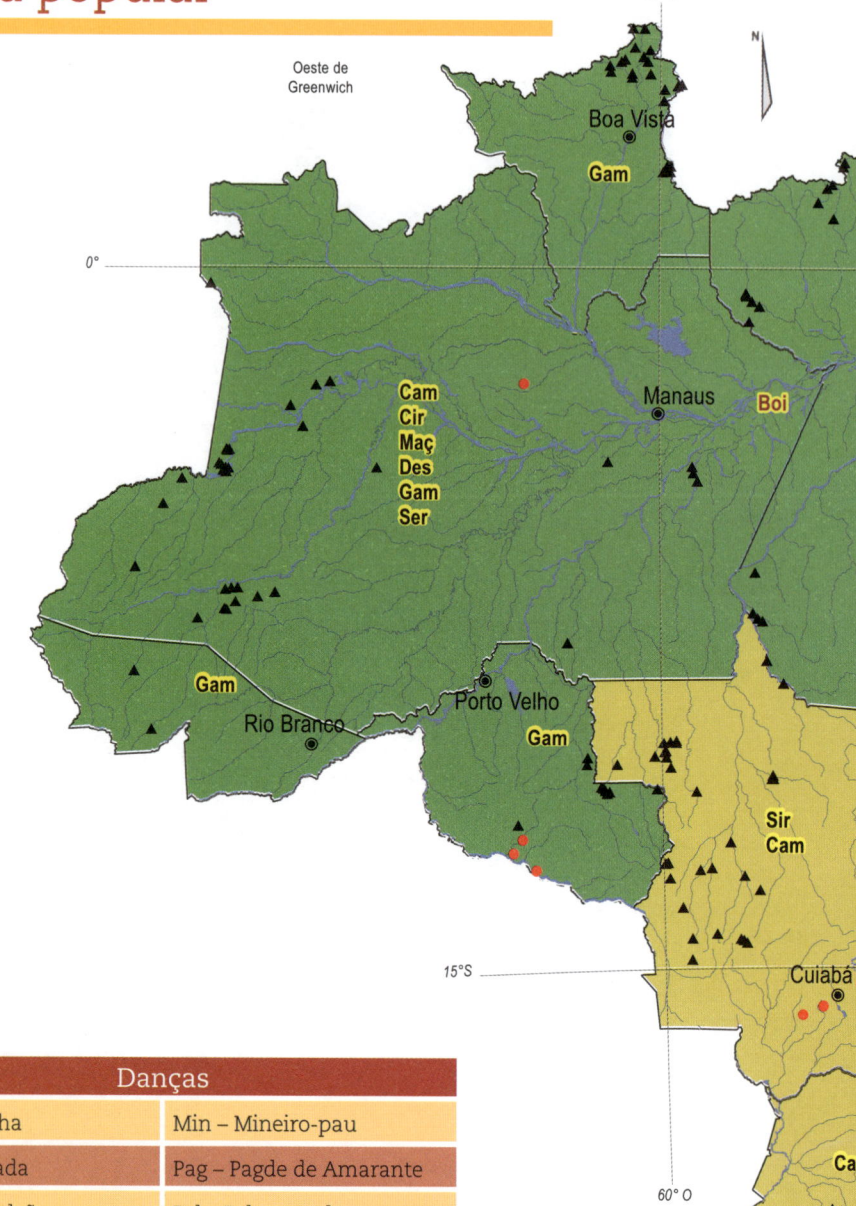

Danças	
Bal – Balainha	Min – Mineiro-pau
Bat – Batucada	Pag – Pagde de Amarante
Cam – Camaleão	Pel – Pela ou pela-porco
Car – Carimbó	Pfi – Pau de fitas
Cat – Catira ou cateretê	Qua – Quadrilha
Cax – Caxambu	Ser – Serafina
Cir – Ciranda	SGo – Dança de São Gonçalo
Coc – Coco	Sir – Siriri
CPi – Cavalo piancó	Tam – Tambor
Des – Desfeiteira	TCr – Tambor de crioula
Esp – Espontão	Tip – Tipiti
Fan – Fandango	Tor – Torém
Fre – Frevo	Tra – Trama, trança, rede de pescador
Gam – Gambá	Trd – Tramadinho
Jon – Jongo	Vil – Vilão
Mac – Maculelê	Zam – Zambelô, coco de zambê e bandelô
Maç – Maçarico	

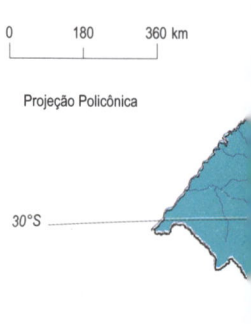

Fontes: IPHAN; Unicamp

Projeção Policônica

Cavalhada. Festa de São Benedito, Poconé (MT).

A congada ocorre em várias partes do país.

Folguedos	
Bar – Barca	Gue – Guerreiro
Boi – Boi de mamão	Mar – Maracatu
Bum – Bumba meu boi	Moç – Moçambique
Cab – Caboclinhos	Pas – Pastorinhas
Cac – Cacumbi	Rei – Reisado
Cav – Cavalhada	Sur – Surubi
Che – Chegança	Tai – Taieira
Con – Congada	Ter – Terno de reis
Fol – Folia de reis	Tic – Ticumbi

Boi Caprichoso. Festival folclórico de Parintins (AM).

▲ Comunidades indígenas
● Comunidades quilombolas

Atlas Geográfico do Brasil

77 Acesso à internet

Acesso à internet
(% dos domicílios)

- < 10
- 10 - 25
- 25 - 50
- 50 - 75

Fonte: IBGE, 2010.

Projeção Policônica

Estimativas apontam que, atualmente, cerca de 70 milhões de brasileiros têm acesso à internet em seus domicílios. Mas a representação no mapa acima demonstra que há maior concentração na oferta desse serviço no centro-sul do país. Esse desequilíbrio revela um pouco mais da desigualdade socioeconômica e regional em relação às regiões Norte e Nordeste.

O acesso à internet é também facilitado pelo maior número de anos de estudo. Isto é, o acesso à educação é fundamental para a ampliação da inclusão digital e social.

Telecentro, programa de inclusão digital da prefeitura, Vila Brasilândia, zona norte de São Paulo (SP).

Atlas Geográfico do Brasil

78 Padrão de vida

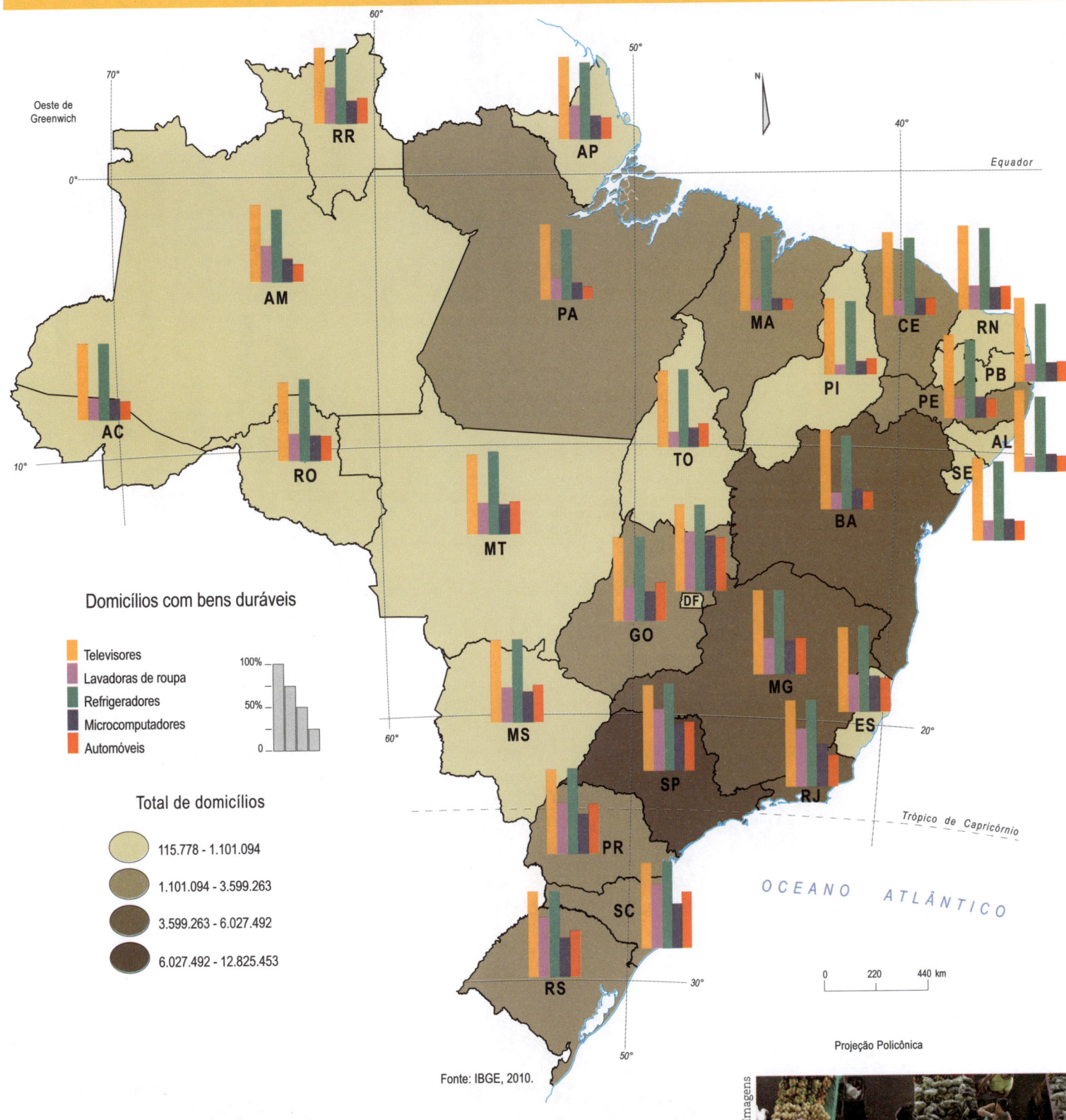

Domicílios com bens duráveis
- Televisores
- Lavadoras de roupa
- Refrigeradores
- Microcomputadores
- Automóveis

Total de domicílios
- 115.778 – 1.101.094
- 1.101.094 – 3.599.263
- 3.599.263 – 6.027.492
- 6.027.492 – 12.825.453

Fonte: IBGE, 2010.

Projeção Policônica

A elevação do nível de vida

Nos últimos dez anos, o Brasil vem experimentando uma significativa elevação das condições de vida. No entanto, essa nova realidade ocorre simultaneamente com as profundas desigualdades socioeconômicas existentes no país.

A melhora no padrão de vida do brasileiro pode ser verificada também pela diversificação de alimentos consumidos, que antes eram inacessíveis para a maioria das pessoas.

Comércio de hortaliças no Espaço Popular Mário Bezerra Cavalcante, Palmas (TO).

Atlas Geográfico do Brasil

79 Acesso à saúde

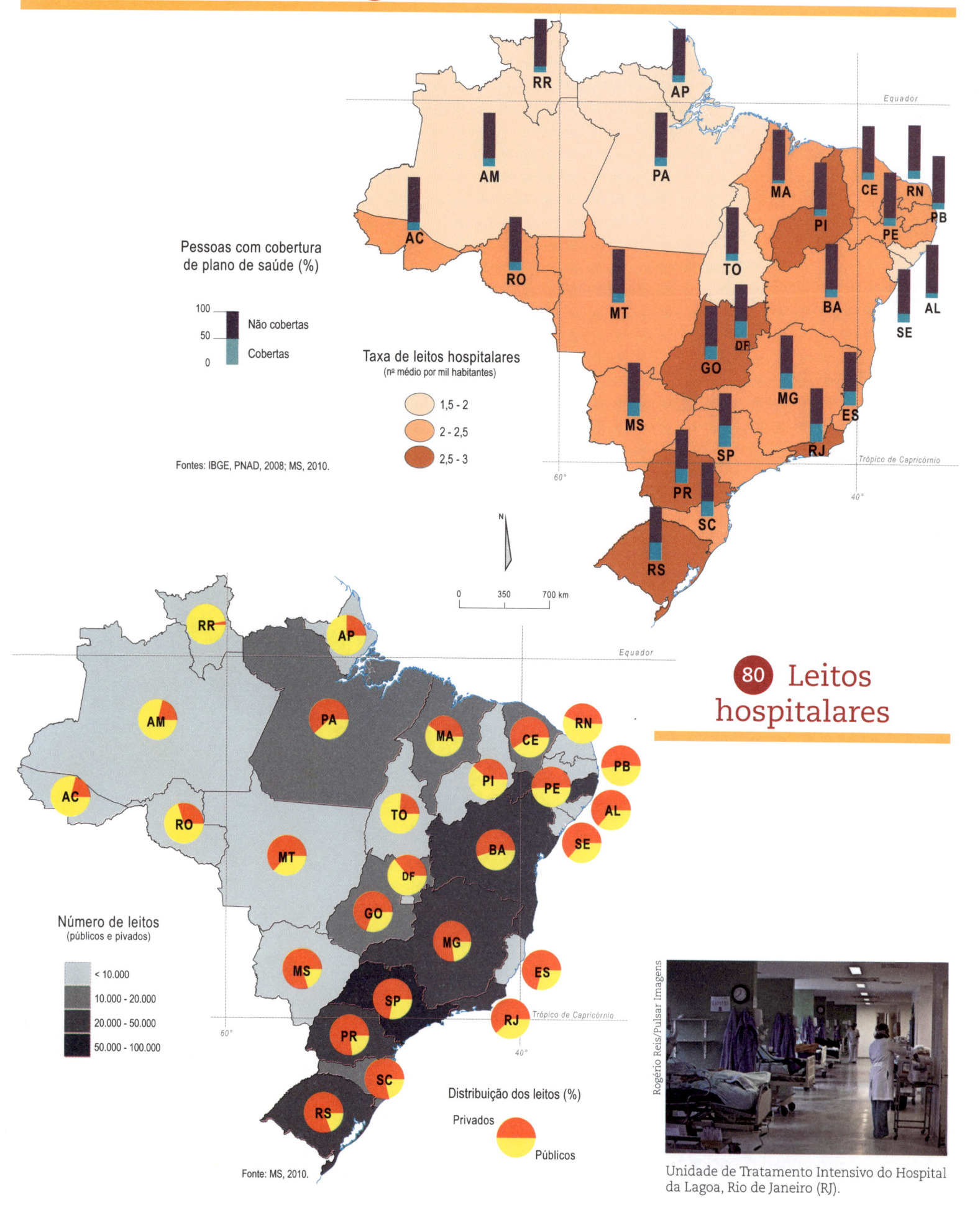

Pessoas com cobertura de plano de saúde (%)
- 100 — Não cobertas
- 50
- 0 — Cobertas

Taxa de leitos hospitalares (nº médio por mil habitantes)
- 1,5 - 2
- 2 - 2,5
- 2,5 - 3

Fontes: IBGE, PNAD, 2008; MS, 2010.

80 Leitos hospitalares

Número de leitos (públicos e privados)
- < 10.000
- 10.000 - 20.000
- 20.000 - 50.000
- 50.000 - 100.000

Distribuição dos leitos (%)
- Privados
- Públicos

Fonte: MS, 2010.

Unidade de Tratamento Intensivo do Hospital da Lagoa, Rio de Janeiro (RJ).

88

Atlas Geográfico do Brasil

81 Estrutura hospitalar

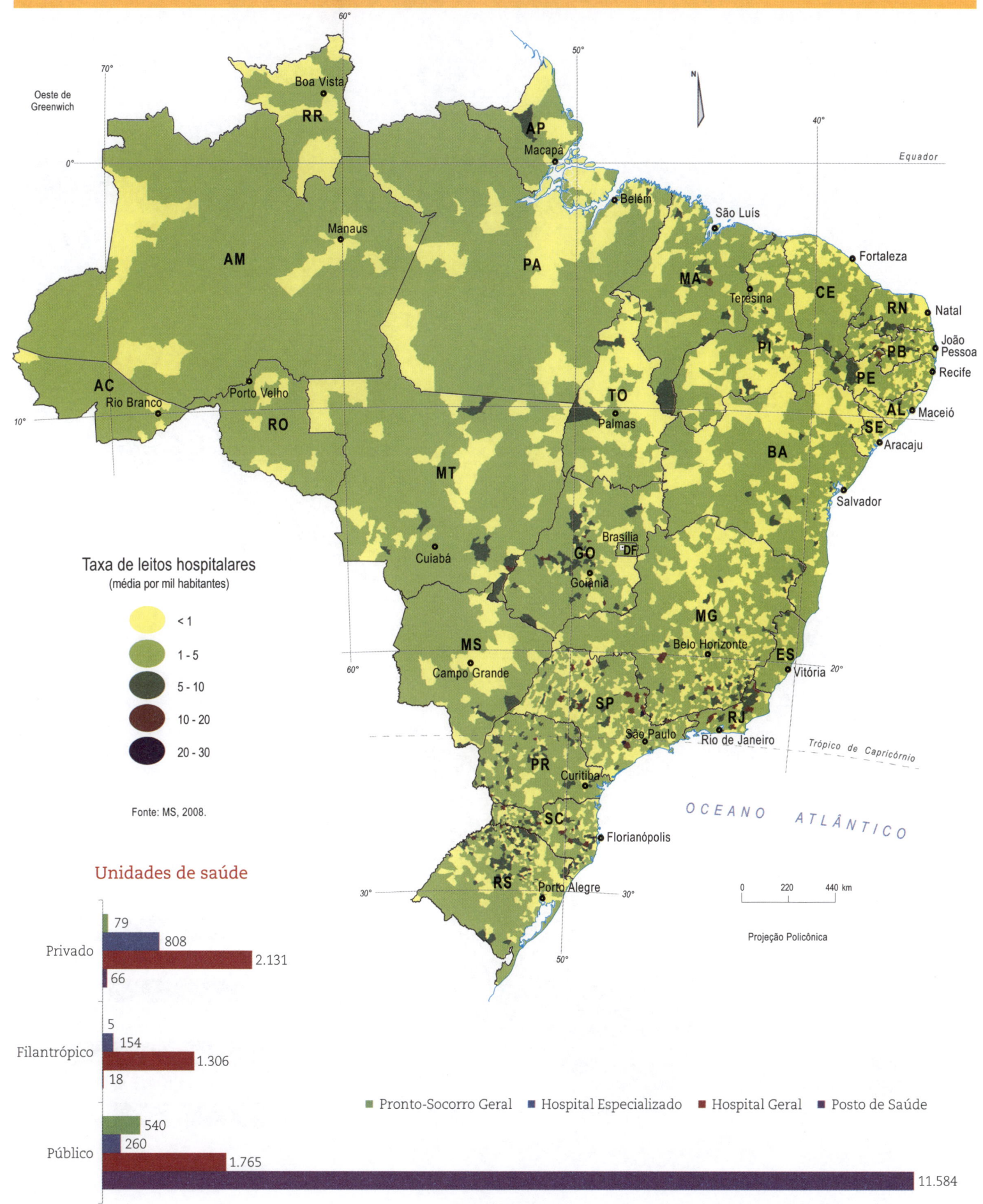

Taxa de leitos hospitalares
(média por mil habitantes)

- < 1
- 1 - 5
- 5 - 10
- 10 - 20
- 20 - 30

Fonte: MS, 2008.

Unidades de saúde

Privado
- 79
- 808
- 2.131
- 66

Filantrópico
- 5
- 154
- 1.306
- 18

Público
- 540
- 260
- 1.765
- 11.584

■ Pronto-Socorro Geral ■ Hospital Especializado ■ Hospital Geral ■ Posto de Saúde

Fonte: Ministério da Saúde. CNES (Cadastro Nacional de Estabelecimentos de Saúde), 2010.

Atlas Geográfico do Brasil

82 Rede de água canalizada

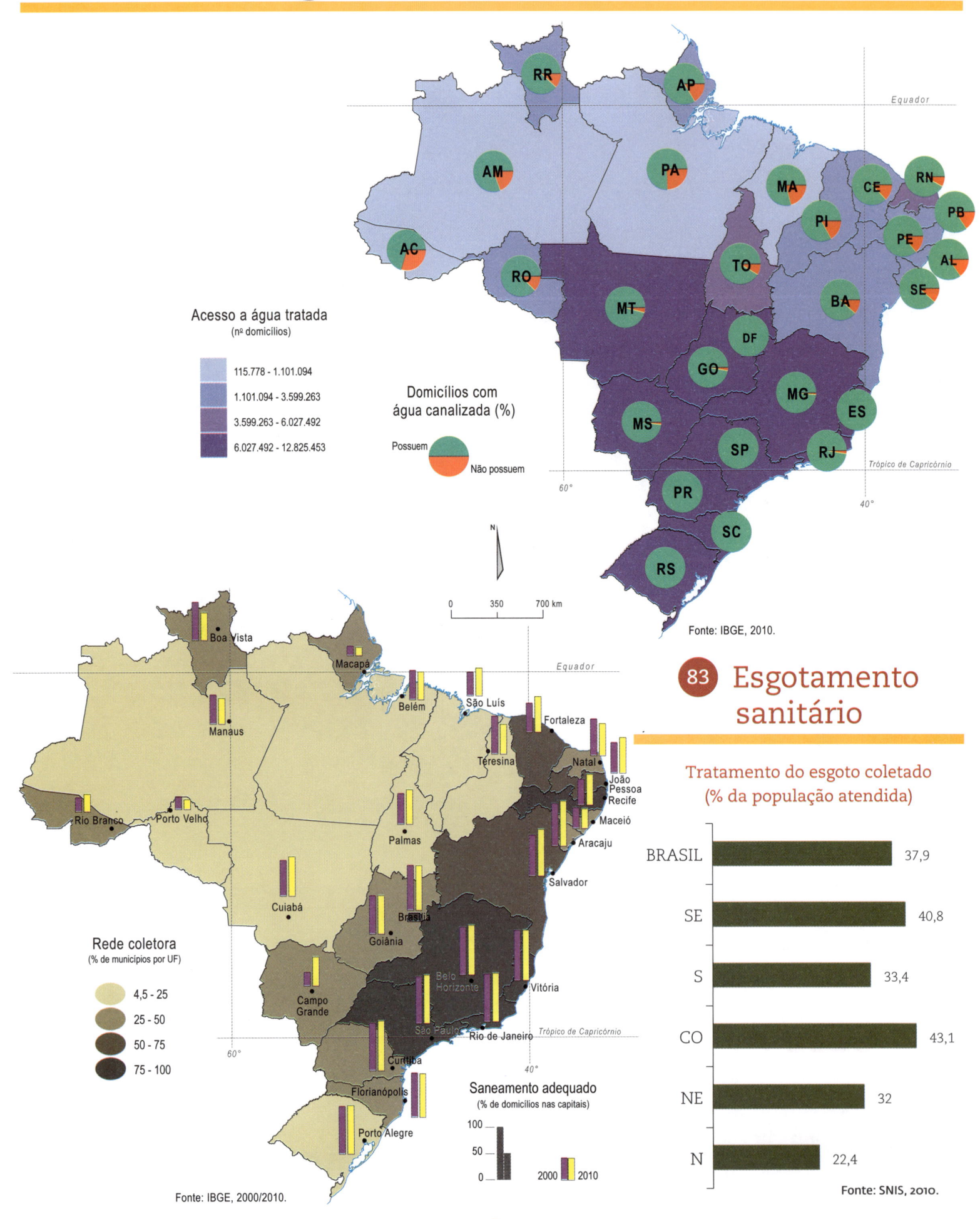

Acesso a água tratada
(nº domicílios)

- 115.778 - 1.101.094
- 1.101.094 - 3.599.263
- 3.599.263 - 6.027.492
- 6.027.492 - 12.825.453

Domicílios com água canalizada (%)
- Possuem
- Não possuem

Fonte: IBGE, 2010.

83 Esgotamento sanitário

Tratamento do esgoto coletado
(% da população atendida)

Região	%
BRASIL	37,9
SE	40,8
S	33,4
CO	43,1
NE	32
N	22,4

Fonte: SNIS, 2010.

Rede coletora
(% de municípios por UF)

- 4,5 - 25
- 25 - 50
- 50 - 75
- 75 - 100

Saneamento adequado
(% de domicílios nas capitais)

2000 | 2010

Fonte: IBGE, 2000/2010.

84 Saneamento

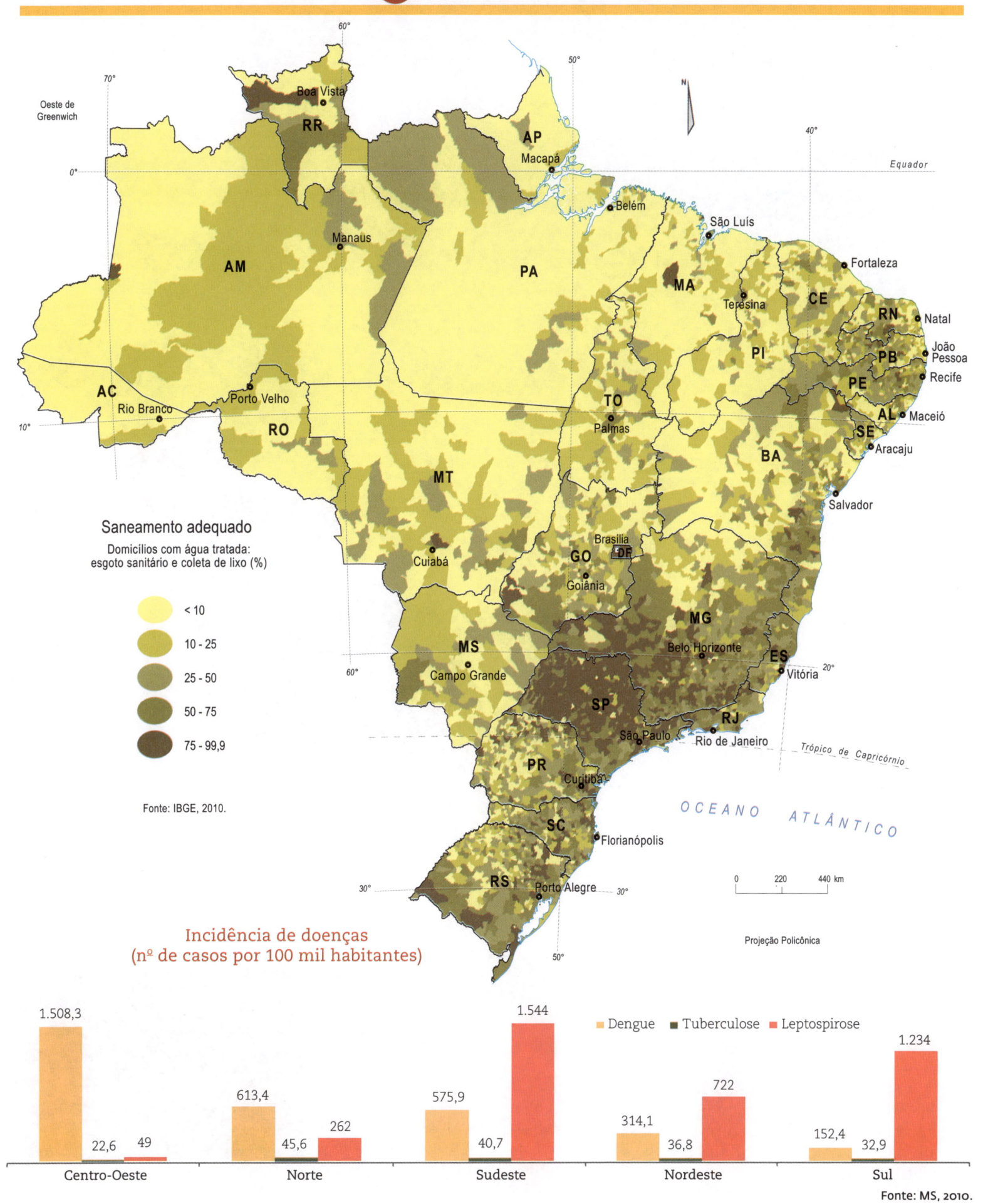

Saneamento adequado
Domicílios com água tratada: esgoto sanitário e coleta de lixo (%)

- < 10
- 10 - 25
- 25 - 50
- 50 - 75
- 75 - 99,9

Fonte: IBGE, 2010.

Projeção Policônica

Incidência de doenças
(nº de casos por 100 mil habitantes)

Legenda: Dengue | Tuberculose | Leptospirose

Região	Dengue	Tuberculose	Leptospirose
Centro-Oeste	1.508,3	22,6	49
Norte	613,4	45,6	262
Sudeste	575,9	40,7	1.544
Nordeste	314,1	36,8	722
Sul	152,4	32,9	1.234

Fonte: MS, 2010.

85 Habitações precárias

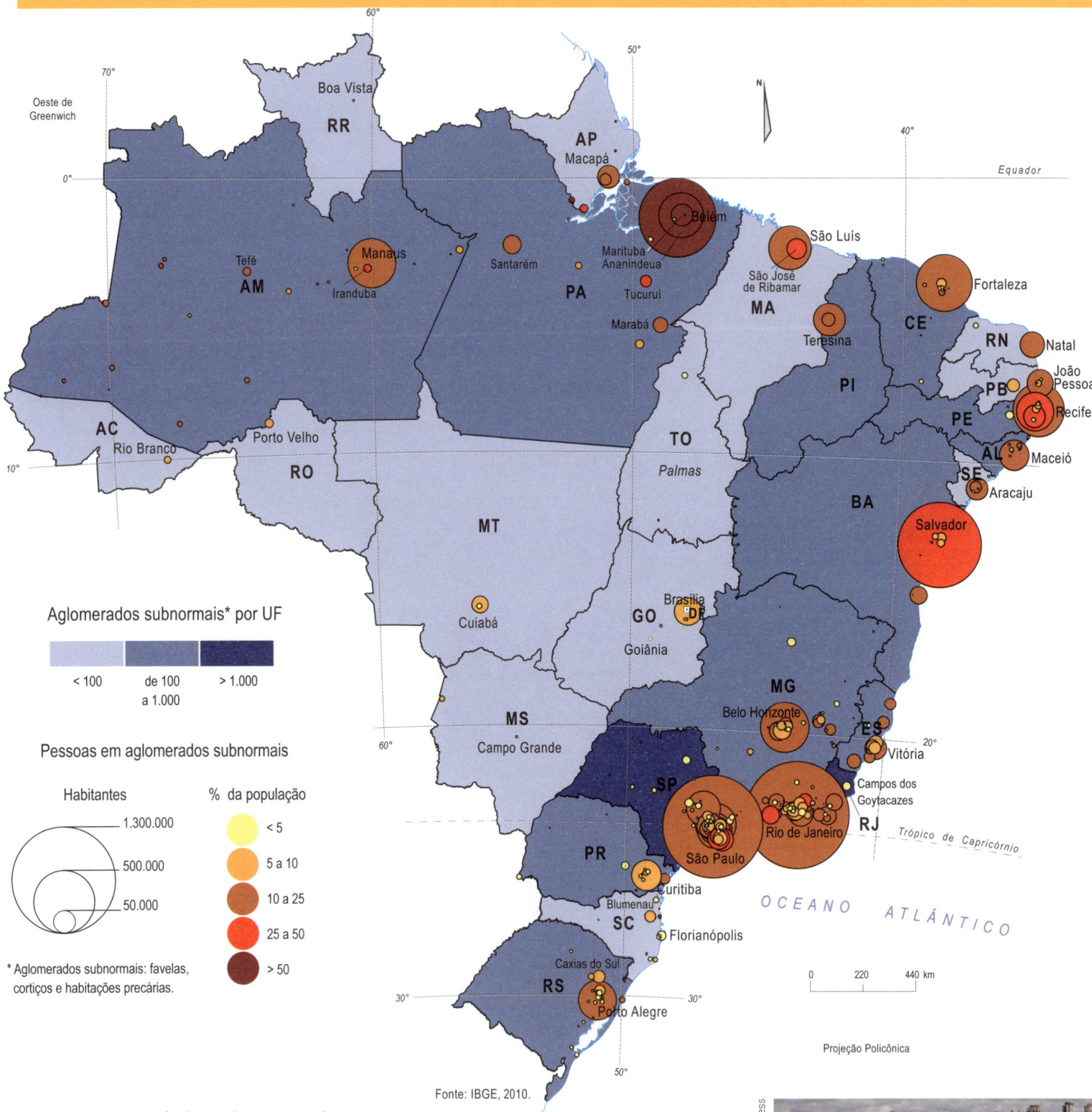

Aglomerados subnormais* por UF
- < 100
- de 100 a 1.000
- > 1.000

Pessoas em aglomerados subnormais

Habitantes: 1.300.000 / 500.000 / 50.000

% da população:
- < 5
- 5 a 10
- 10 a 25
- 25 a 50
- > 50

*Aglomerados subnormais: favelas, cortiços e habitações precárias.

Fonte: IBGE, 2010.

Projeção Policônica

Nas periferias dos grandes centros urbanos, ainda existe um elevado contingente populacional que vive em condições precárias, em favelas e cortiços.

O fim da escravidão no século XIX, sem a implantação de uma política de distribuição de terras e de geração de empregos, e o fim de conflitos, como a Guerra do Paraguai e a Guerra de Canudos, criaram demandas por moradias na então capital federal, Rio de Janeiro, dando início ao surgimento de habitações precárias nos morros denominadas favelas.

Favela de Paraisópolis, no Morumbi, zona sul de São Paulo (SP).

86 Grandes centros

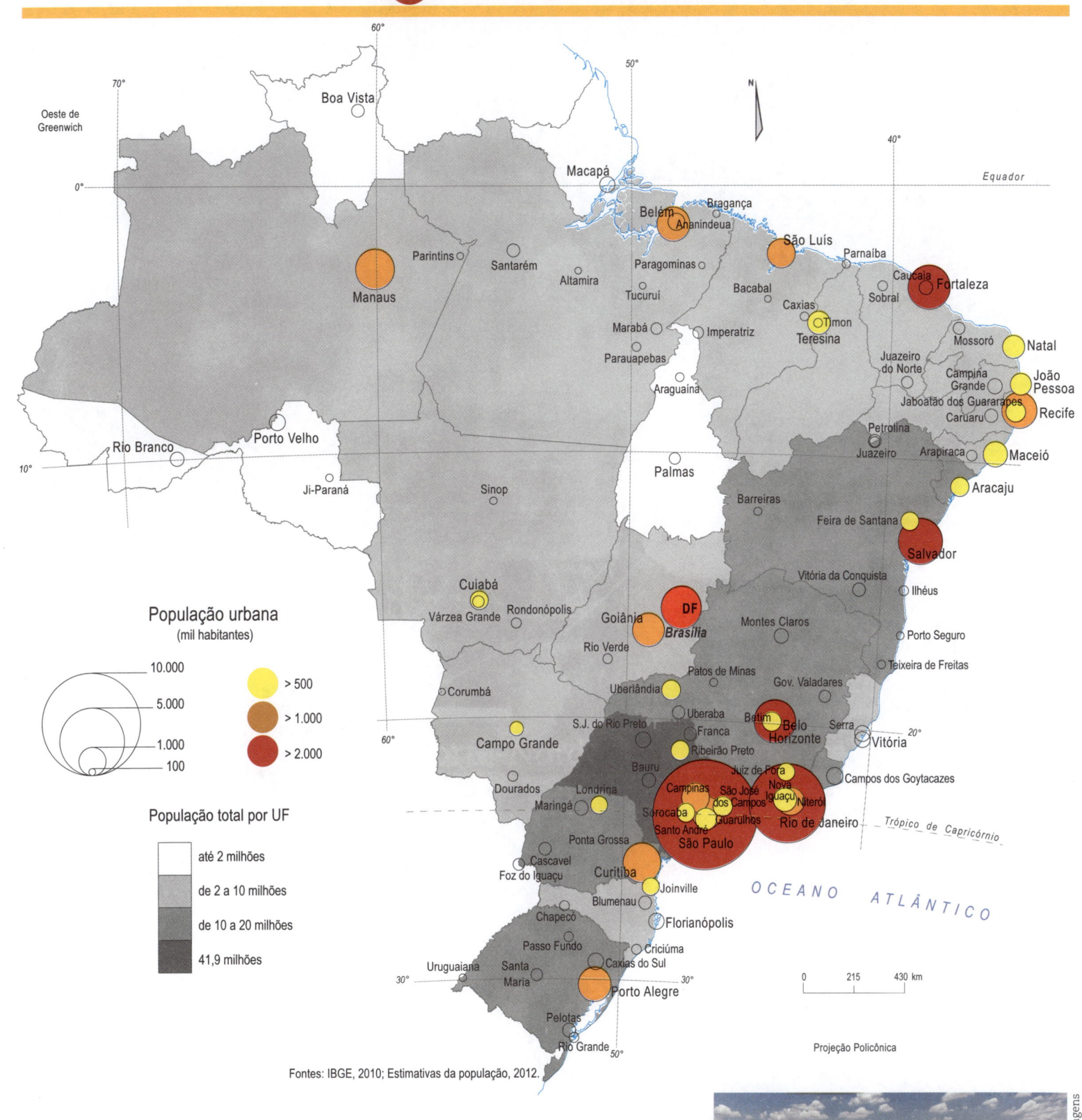

População urbana (mil habitantes)
- 10.000
- 5.000
- 1.000
- 100
- > 500
- > 1.000
- > 2.000

População total por UF
- até 2 milhões
- de 2 a 10 milhões
- de 10 a 20 milhões
- 41,9 milhões

Fontes: IBGE, 2010; Estimativas da população, 2012.
Projeção Policônica

Região central da cidade de São Paulo (SP).

Atualmente, as cidades são o centro do desenvolvimento das atividades econômicas e da vida social e possuem, de forma geral, áreas mais e menos valorizadas em função da oferta de serviços e de infraestrutura. Essa divisão socioespacial força muitas pessoas a morarem em condições precárias e acentua o fenômeno da periferização e da segregação espacial.

Atlas Geográfico do Brasil

87 Hierarquia urbana

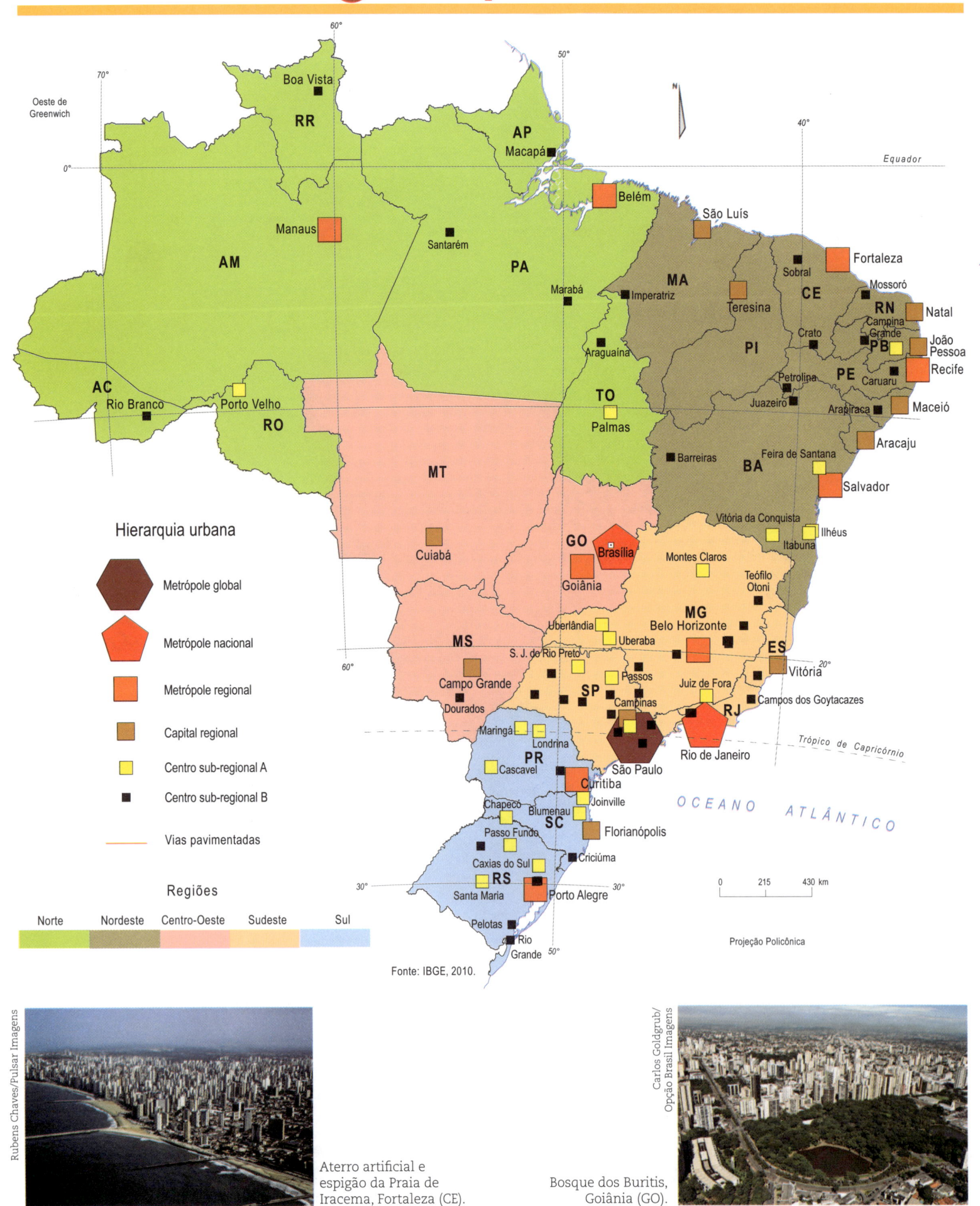

Hierarquia urbana

- ⬢ Metrópole global
- ⬟ Metrópole nacional
- ◼ (laranja) Metrópole regional
- ◼ (marrom) Capital regional
- ◼ (amarelo) Centro sub-regional A
- ◼ (preto) Centro sub-regional B
- — Vias pavimentadas

Regiões: Norte | Nordeste | Centro-Oeste | Sudeste | Sul

Fonte: IBGE, 2010.

Projeção Policônica

Aterro artificial e espigão da Praia de Iracema, Fortaleza (CE).

Bosque dos Buritis, Goiânia (GO).

88 Urbanização

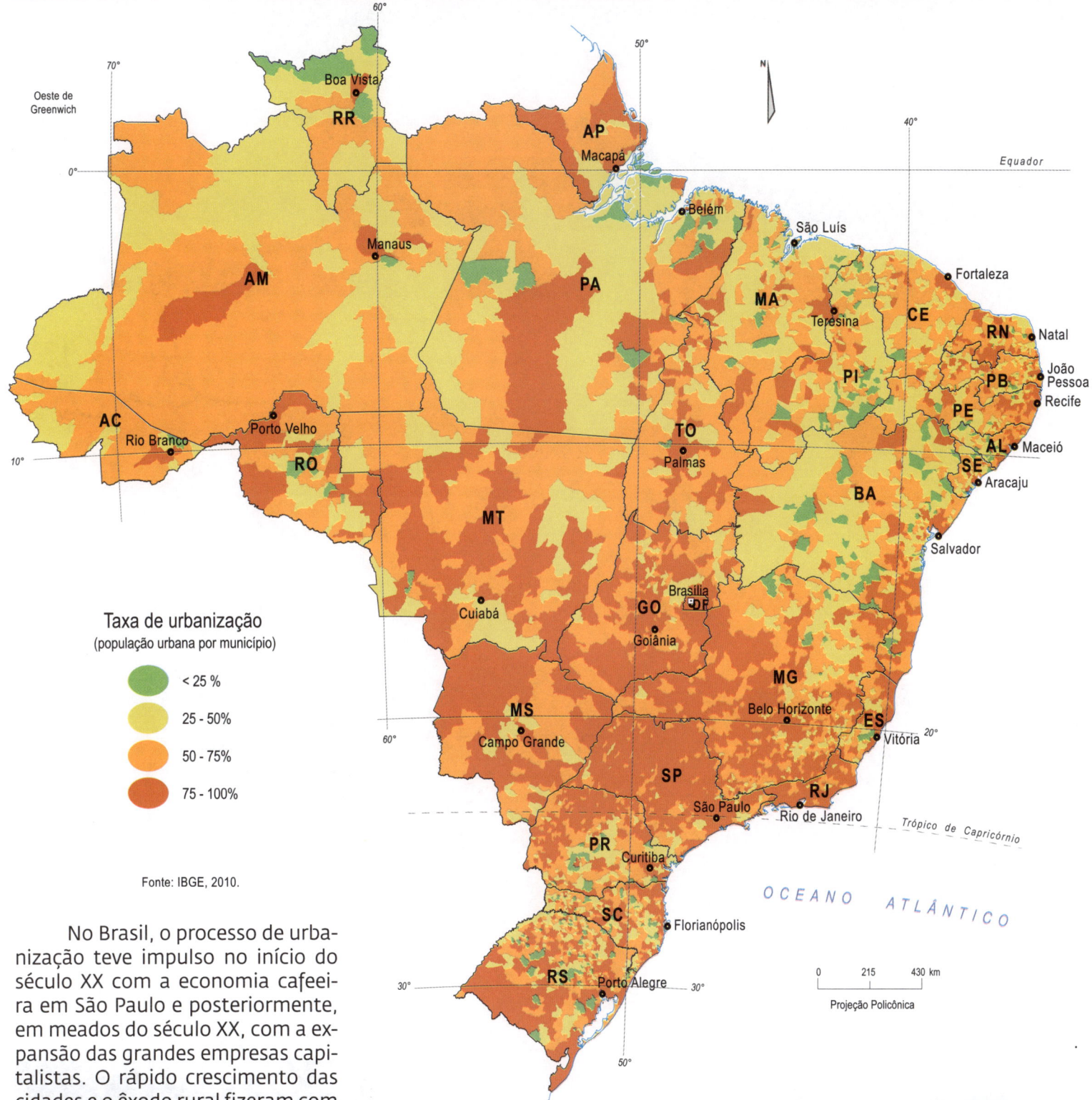

Taxa de urbanização
(população urbana por município)

- < 25 %
- 25 – 50%
- 50 – 75%
- 75 – 100%

Fonte: IBGE, 2010.

No Brasil, o processo de urbanização teve impulso no início do século XX com a economia cafeeira em São Paulo e posteriormente, em meados do século XX, com a expansão das grandes empresas capitalistas. O rápido crescimento das cidades e o êxodo rural fizeram com que, em poucas décadas, a população urbana superasse a população rural. Hoje, o Brasil é um país urbanizado, com mais de 80% das pessoas vivendo nas cidades.

No entanto, o crescimento desordenado das cidades, a ausência de planejamento e o desequilíbrio entre demanda e oferta de infraestrutura e serviços urbanos acentuaram problemas ambientais, estruturais e sociais, como acesso a moradia, trabalho e serviços básicos de saneamento, transporte, saúde e educação de qualidade.

Rio de Janeiro (RJ).

Atlas Geográfico do Brasil

89 Transporte ferroviário

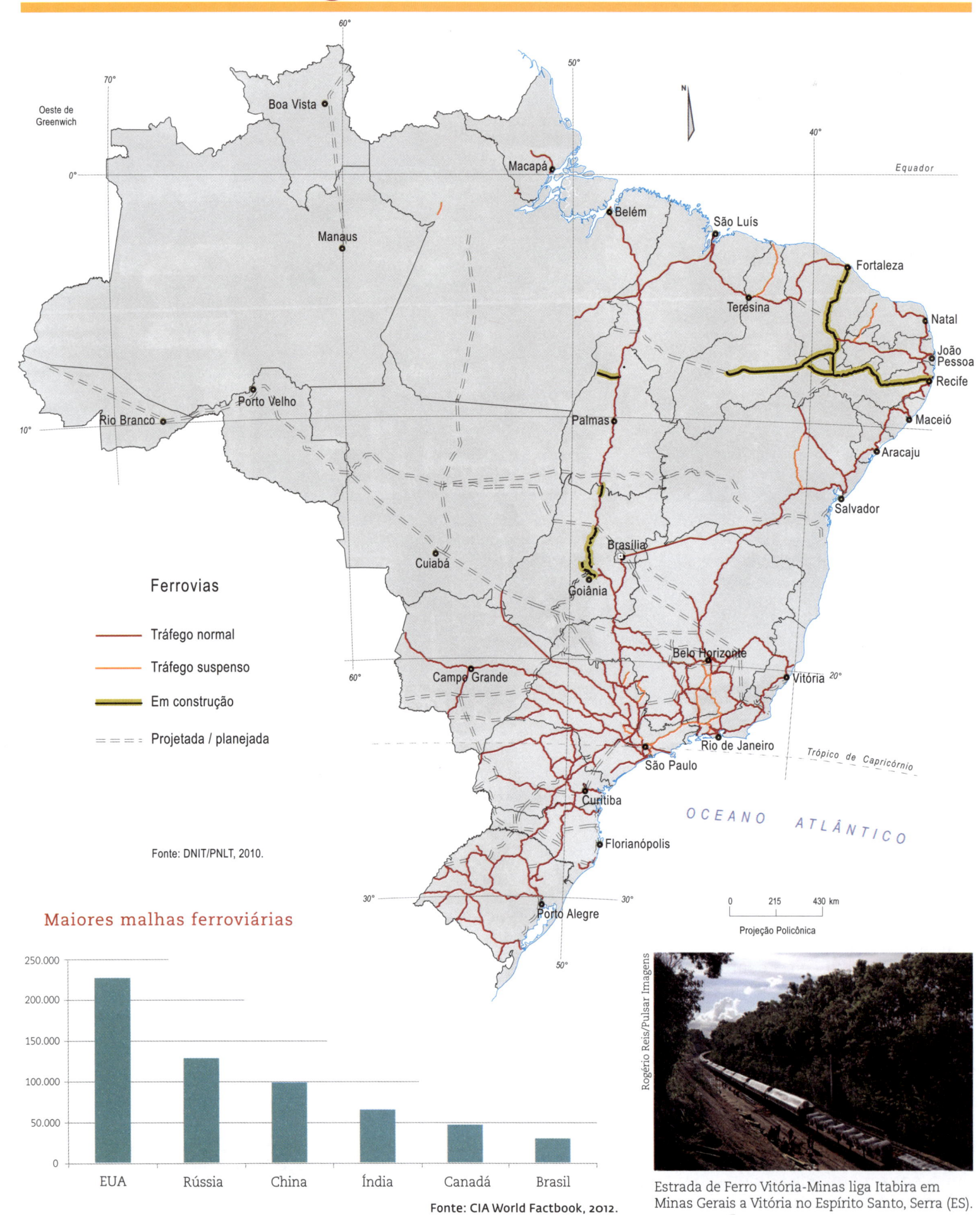

Ferrovias

— Tráfego normal
— Tráfego suspenso
— Em construção
= = = Projetada / planejada

Fonte: DNIT/PNLT, 2010.

Projeção Policônica

Maiores malhas ferroviárias

Fonte: CIA World Factbook, 2012.

Estrada de Ferro Vitória-Minas liga Itabira em Minas Gerais a Vitória no Espírito Santo, Serra (ES).

90 Transporte rodoviário

Estradas
- Pavimentadas
- Sem pavimentação
- Planejadas

Fonte: MT, 2010.

Projeção Policônica

As estradas e rodovias são as principais vias para o deslocamento de pessoas e cargas no país. O sistema rodoviário é responsável por mais de 90% do transporte de passageiros e mais de 60% do transporte de cargas. Atualmente, o país se caracteriza por contrastes entre rodovias modernas e estradas sem manutenção, muitas delas em condições muito precárias e por vezes intransitáveis.

Rodovia dos Bandeirantes, SP-348, Sumaré (SP).

Rodovia BR-317 em mau estado de conservação, Xapuri (AC).

91 Aeroportos

Rede de aeroportos

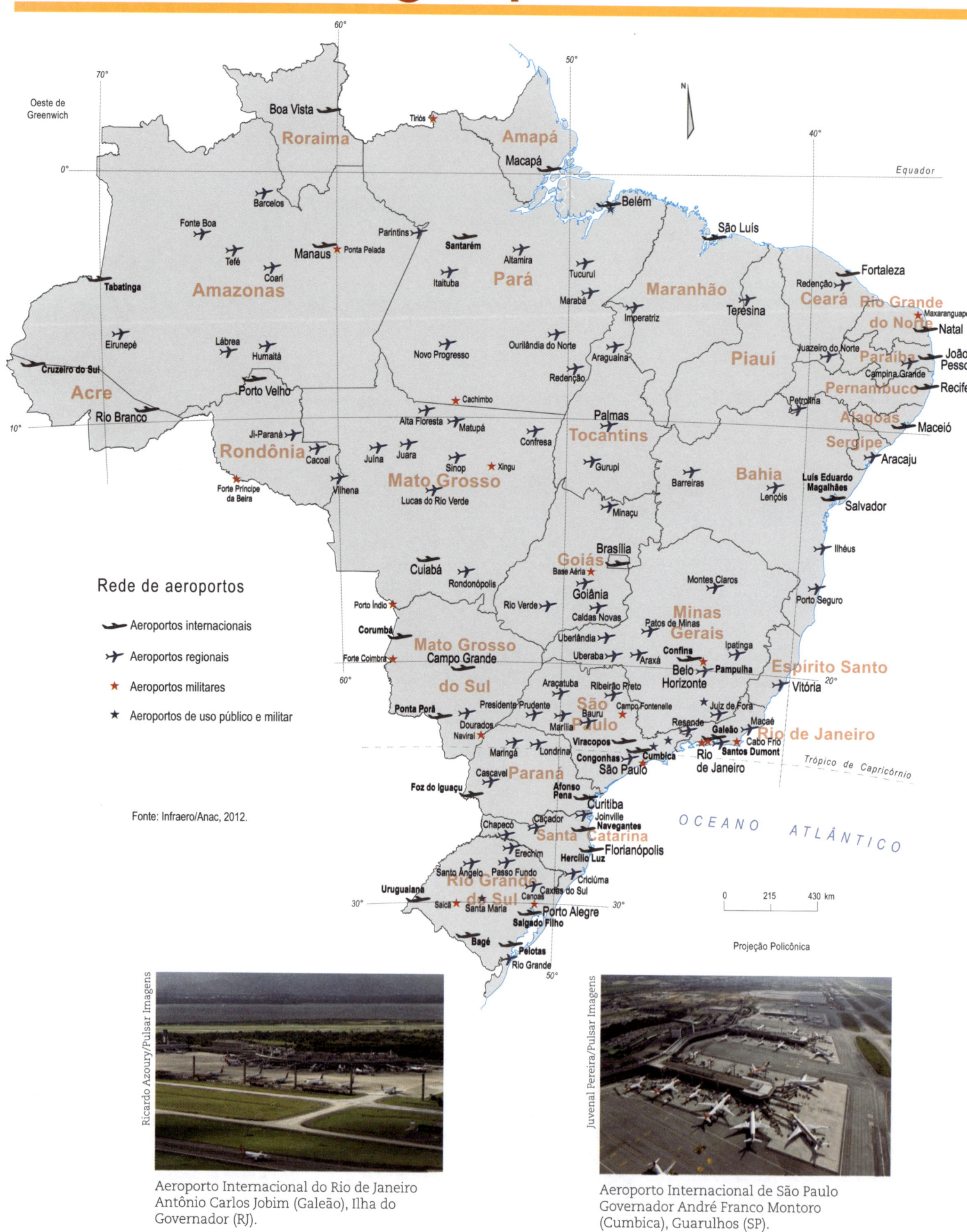

- ✈ Aeroportos internacionais
- ✈ Aeroportos regionais
- ★ Aeroportos militares
- ★ Aeroportos de uso público e militar

Fonte: Infraero/Anac, 2012.

Projeção Policônica

Aeroporto Internacional do Rio de Janeiro Antônio Carlos Jobim (Galeão), Ilha do Governador (RJ).

Aeroporto Internacional de São Paulo Governador André Franco Montoro (Cumbica), Guarulhos (SP).

Atlas Geográfico do Brasil

92 Movimento de passageiros nos principais aeroportos

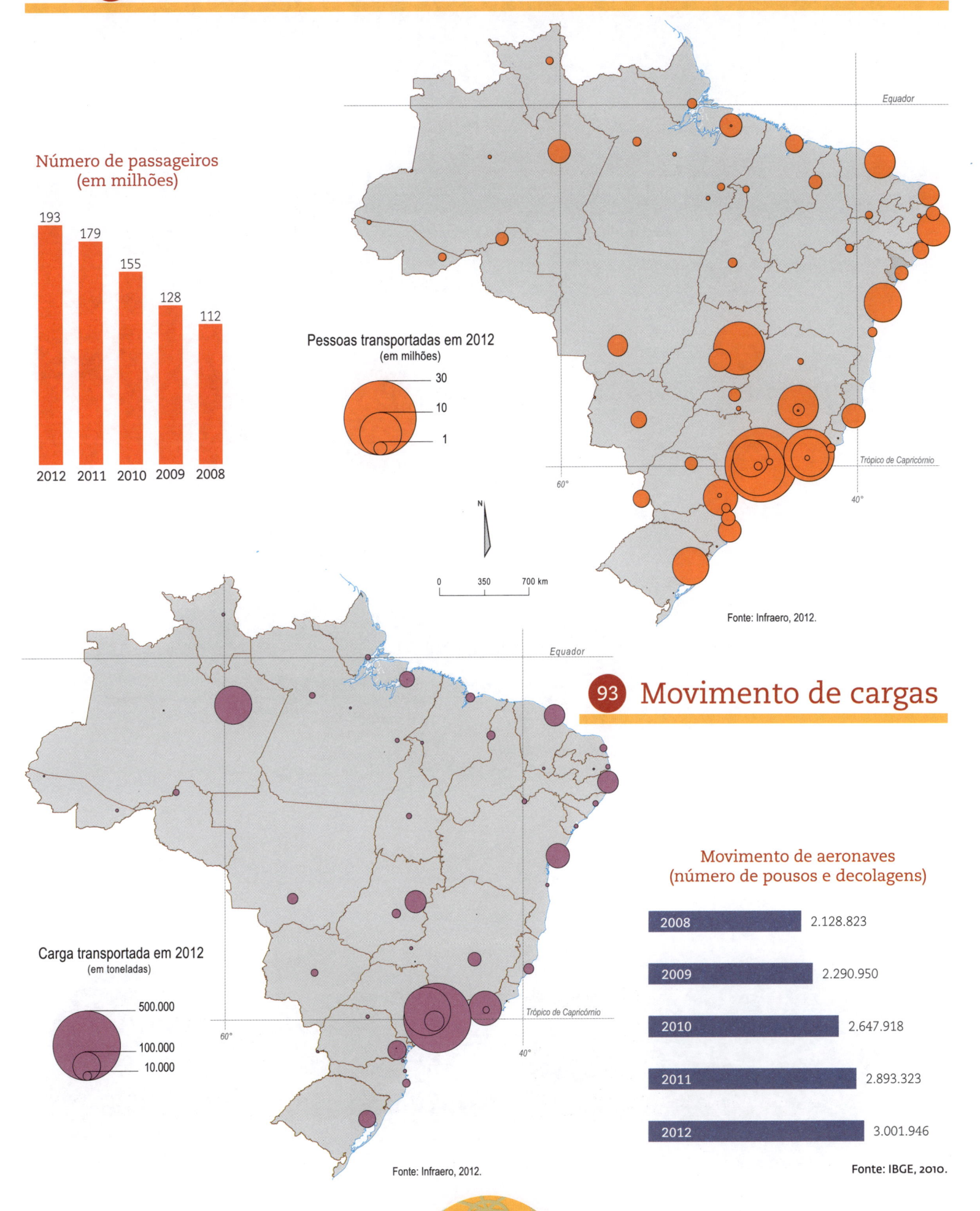

Número de passageiros (em milhões)

- 2012: 193
- 2011: 179
- 2010: 155
- 2009: 128
- 2008: 112

Pessoas transportadas em 2012 (em milhões): 30 / 10 / 1

Fonte: Infraero, 2012.

93 Movimento de cargas

Carga transportada em 2012 (em toneladas): 500.000 / 100.000 / 10.000

Movimento de aeronaves (número de pousos e decolagens)

- 2008: 2.128.823
- 2009: 2.290.950
- 2010: 2.647.918
- 2011: 2.893.323
- 2012: 3.001.946

Fonte: Infraero, 2012.

Fonte: IBGE, 2010.

Atlas Geográfico do Brasil

94 Hidrovias

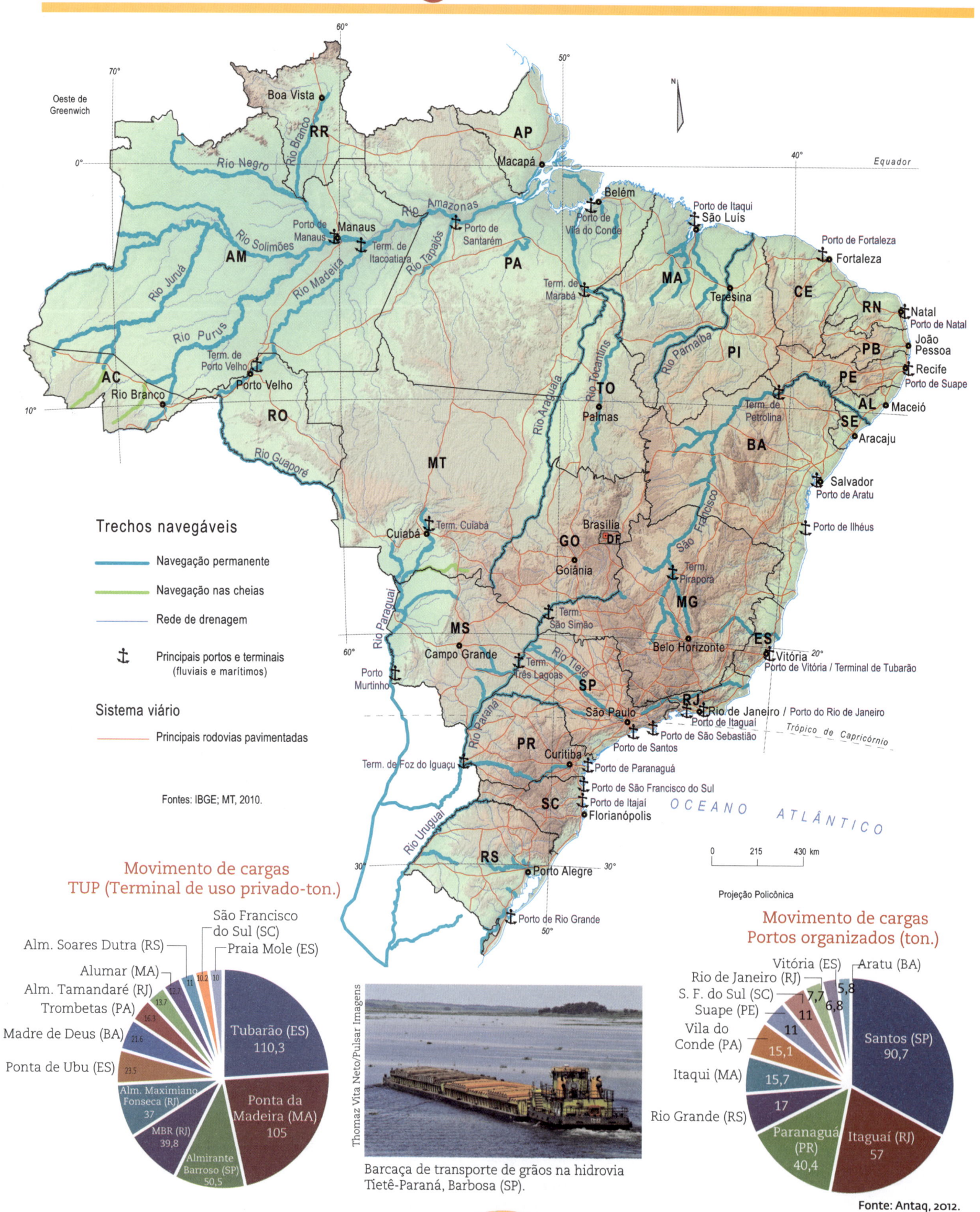

Trechos navegáveis
- Navegação permanente
- Navegação nas cheias
- Rede de drenagem
- ⚓ Principais portos e terminais (fluviais e marítimos)

Sistema viário
- Principais rodovias pavimentadas

Fontes: IBGE; MT, 2010.

Projeção Policônica

Movimento de cargas TUP (Terminal de uso privado-ton.)

- Tubarão (ES) 110,3
- Ponta da Madeira (MA) 105
- Almirante Barroso (SP) 50,5
- MBR (RJ) 39,8
- Alm. Maximiano Fonseca (RJ) 37
- Ponta de Ubu (ES) 23,5
- Madre de Deus (BA) 21,6
- Trombetas (PA) 16,3
- Alm. Tamandaré (RJ) 13,7
- Alumar (MA) 12,1
- Alm. Soares Dutra (RS) 11
- São Francisco do Sul (SC) 10,2
- Praia Mole (ES) 10

Movimento de cargas Portos organizados (ton.)

- Santos (SP) 90,7
- Itaguaí (RJ) 57
- Paranaguá (PR) 40,4
- Rio Grande (RS) 17
- Itaqui (MA) 15,7
- Vila do Conde (PA) 15,1
- Suape (PE) 11
- S. F. do Sul (SC) 11
- Rio de Janeiro (RJ) 7,7
- Vitória (ES) 6,8
- Aratu (BA) 5,8

Barcaça de transporte de grãos na hidrovia Tietê-Paraná, Barbosa (SP). *Thomaz Vita Neto/Pulsar Imagens*

Fonte: Antaq, 2012.

95 Hidrelétricas

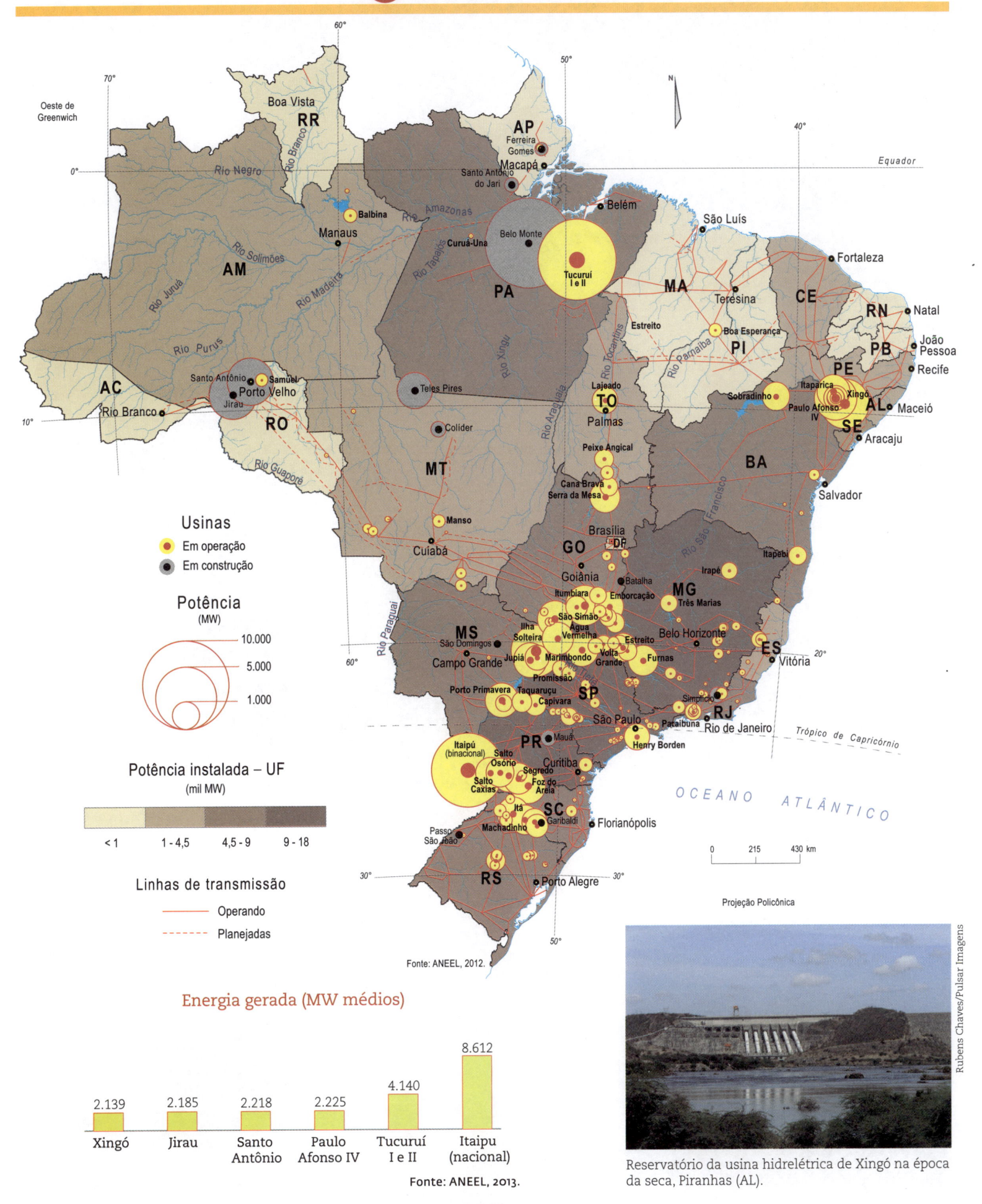

Usinas
- ● Em operação
- ● Em construção

Potência (MW)
- 10.000
- 5.000
- 1.000

Potência instalada – UF (mil MW)
- < 1
- 1 – 4,5
- 4,5 – 9
- 9 – 18

Linhas de transmissão
- Operando
- ----- Planejadas

Fonte: ANEEL, 2012.

Projeção Policônica

Energia gerada (MW médios)

Usina	MW médios
Xingó	2.139
Jirau	2.185
Santo Antônio	2.218
Paulo Afonso IV	2.225
Tucuruí I e II	4.140
Itaipu (nacional)	8.612

Fonte: ANEEL, 2013.

Reservatório da usina hidrelétrica de Xingó na época da seca, Piranhas (AL).

101

Atlas Geográfico do Brasil

96 Termelétricas

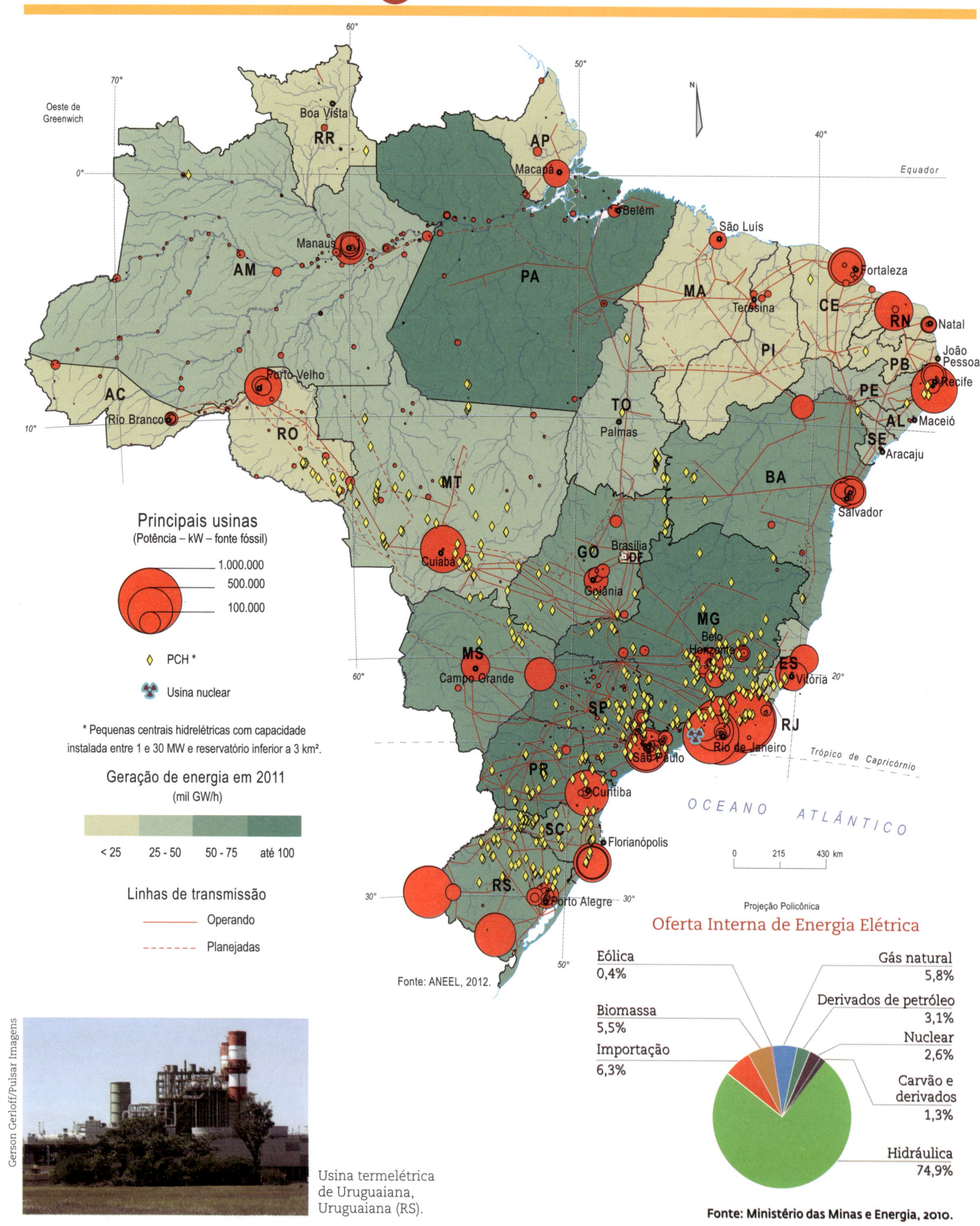

Principais usinas
(Potência – kW – fonte fóssil)

- 1.000.000
- 500.000
- 100.000

◆ PCH *

☢ Usina nuclear

* Pequenas centrais hidrelétricas com capacidade instalada entre 1 e 30 MW e reservatório inferior a 3 km².

Geração de energia em 2011
(mil GW/h)

< 25 | 25 - 50 | 50 - 75 | até 100

Linhas de transmissão
— Operando
--- Planejadas

Fonte: ANEEL, 2012.

Usina termelétrica de Uruguaiana, Uruguaiana (RS).
Gerson Gerloff/Pulsar Imagens

Oferta Interna de Energia Elétrica

- Eólica 0,4%
- Biomassa 5,5%
- Importação 6,3%
- Gás natural 5,8%
- Derivados de petróleo 3,1%
- Nuclear 2,6%
- Carvão e derivados 1,3%
- Hidráulica 74,9%

Fonte: Ministério das Minas e Energia, 2010.

102

97 Energias renováveis

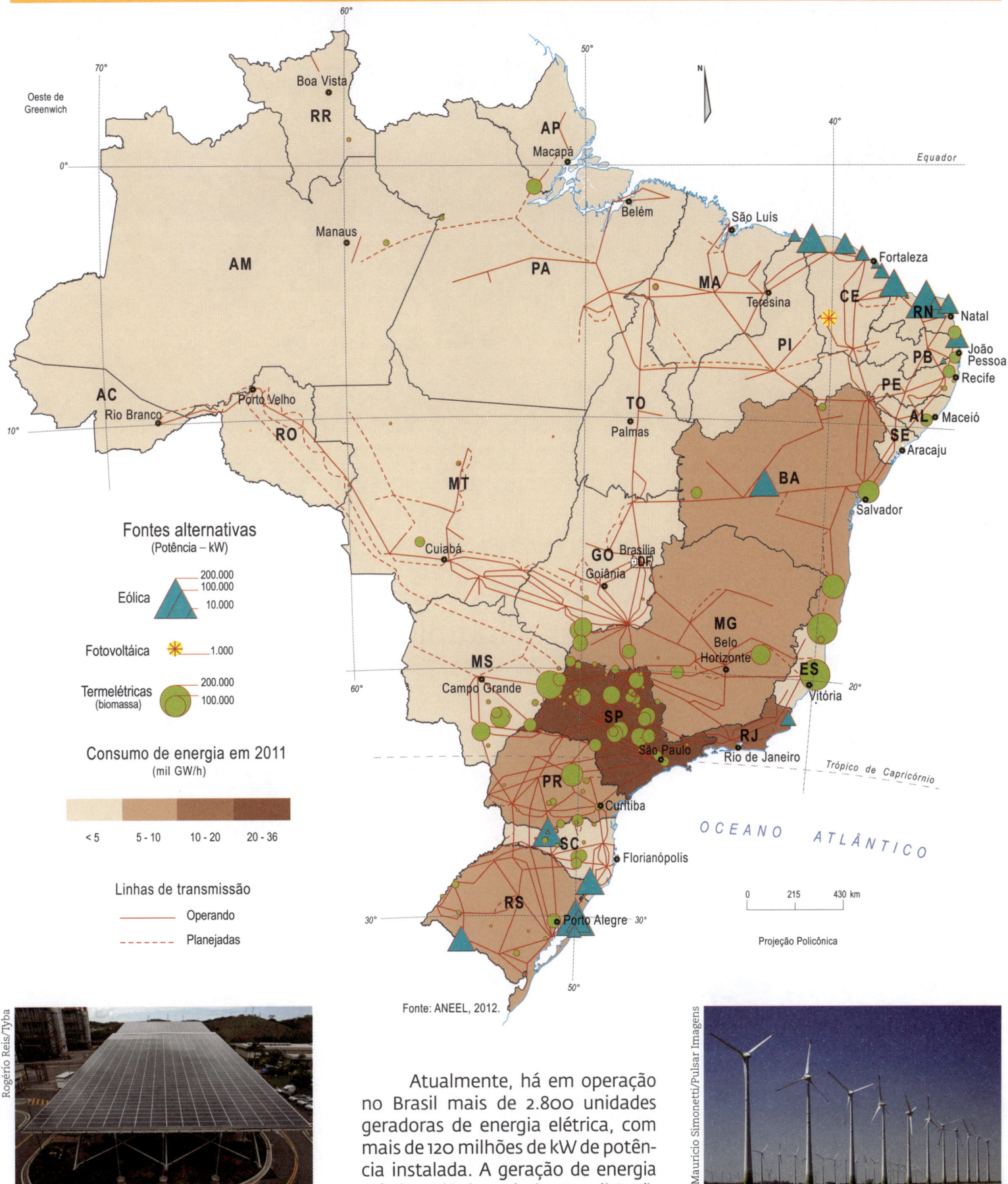

Fontes alternativas
(Potência – kW)

- Eólica: 200.000 / 100.000 / 10.000
- Fotovoltáica: 1.000
- Termelétricas (biomassa): 200.000 / 100.000

Consumo de energia em 2011
(mil GW/h)

< 5 | 5 - 10 | 10 - 20 | 20 - 36

Linhas de transmissão
— Operando
--- Planejadas

Fonte: ANEEL, 2012.

Placas fotovoltaicas na UTE, Norte Fluminense (RJ).

Atualmente, há em operação no Brasil mais de 2.800 unidades geradoras de energia elétrica, com mais de 120 milhões de kW de potência instalada. A geração de energia elétrica atingiu mais de 530 mil GW/h em 2011, desse total, 80% foi obtido por meio da energia hidráulica.

Parque gerador de energia eólica Ventos do Sul, Osório (RS).

Atlas Geográfico do Brasil

98 Energia eólica

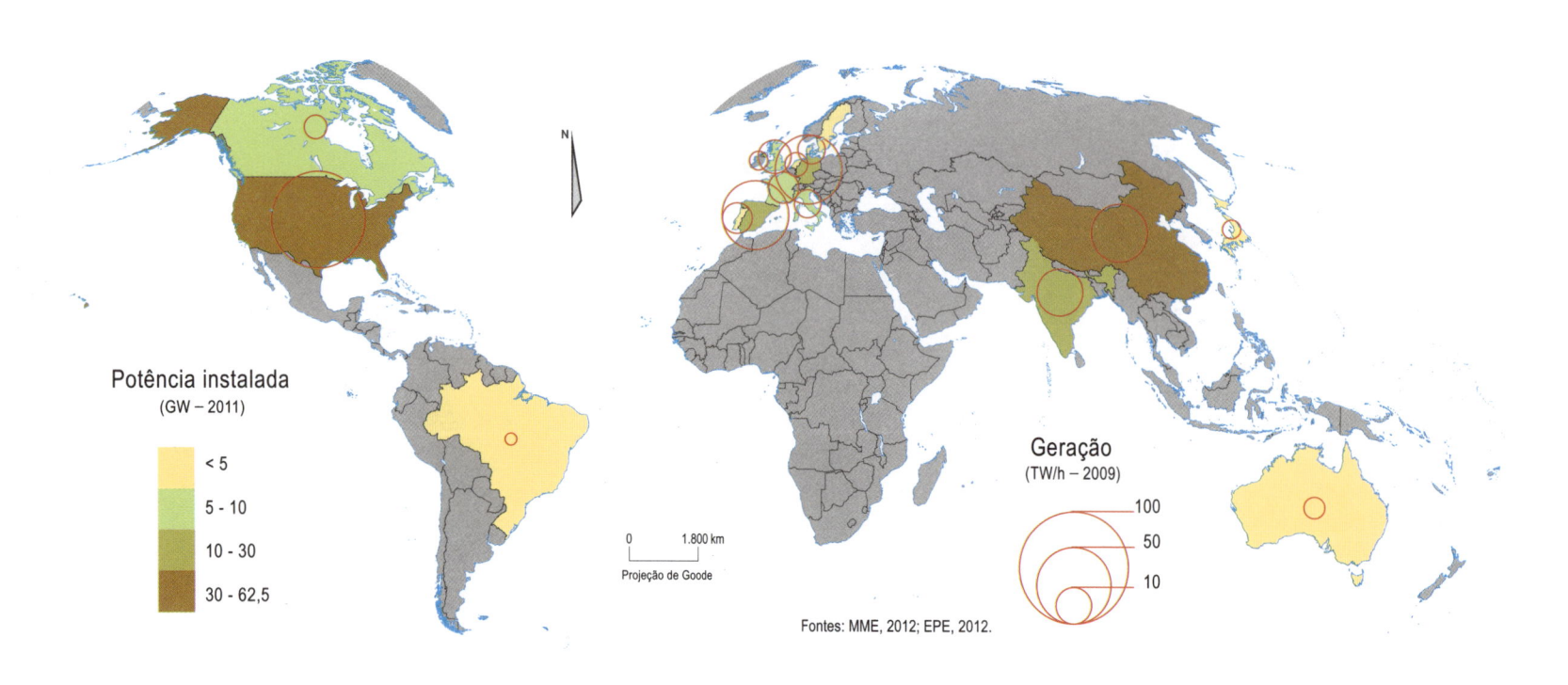

Potência instalada (GW – 2011)
- < 5
- 5 - 10
- 10 - 30
- 30 - 62,5

Geração (TW/h – 2009)
- 100
- 50
- 10

Fontes: MME, 2012; EPE, 2012.

Projeção de Goode

99 Energia hidrelétrica

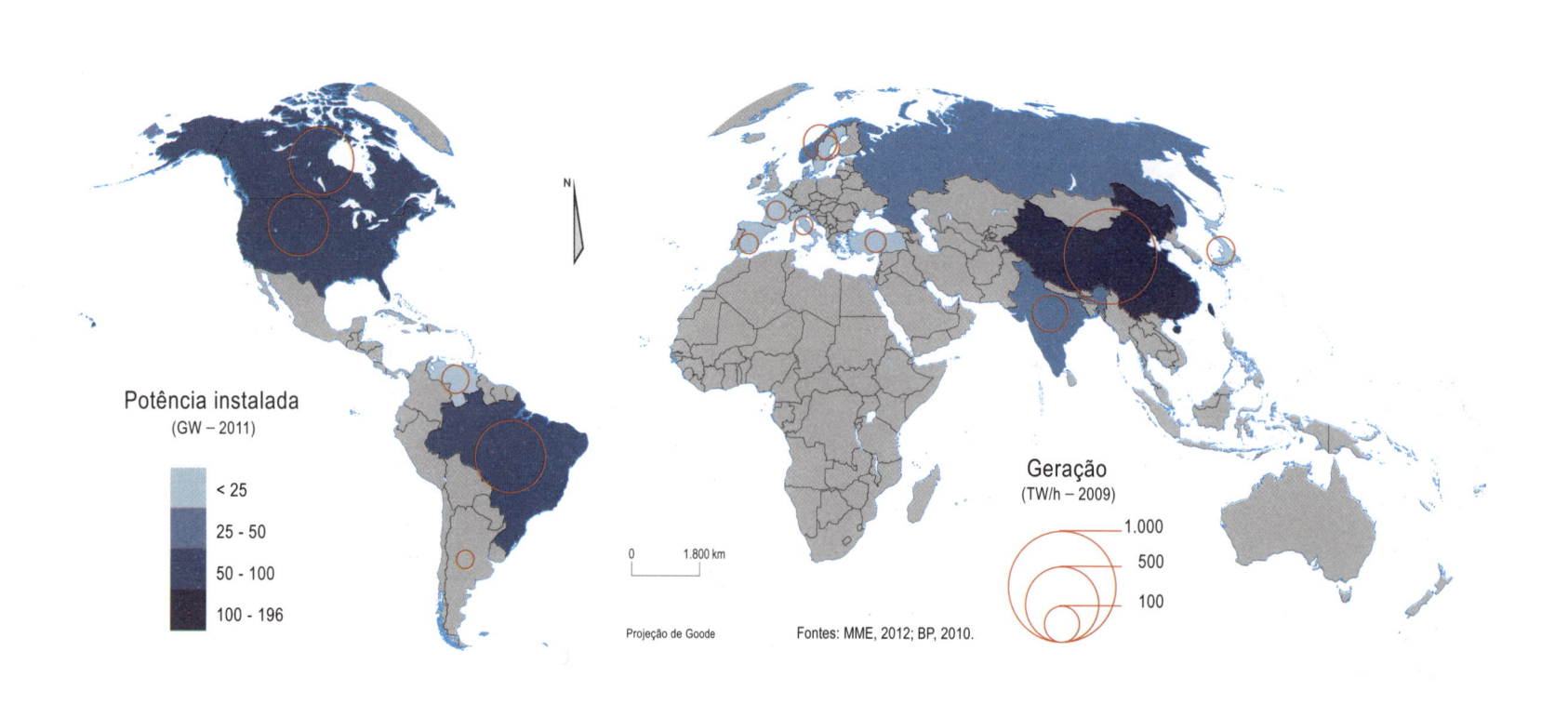

Potência instalada (GW – 2011)
- < 25
- 25 - 50
- 50 - 100
- 100 - 196

Geração (TW/h – 2009)
- 1.000
- 500
- 100

Fontes: MME, 2012; BP, 2010.

Projeção de Goode

104

Atlas Geográfico do Brasil

100 Energia nuclear

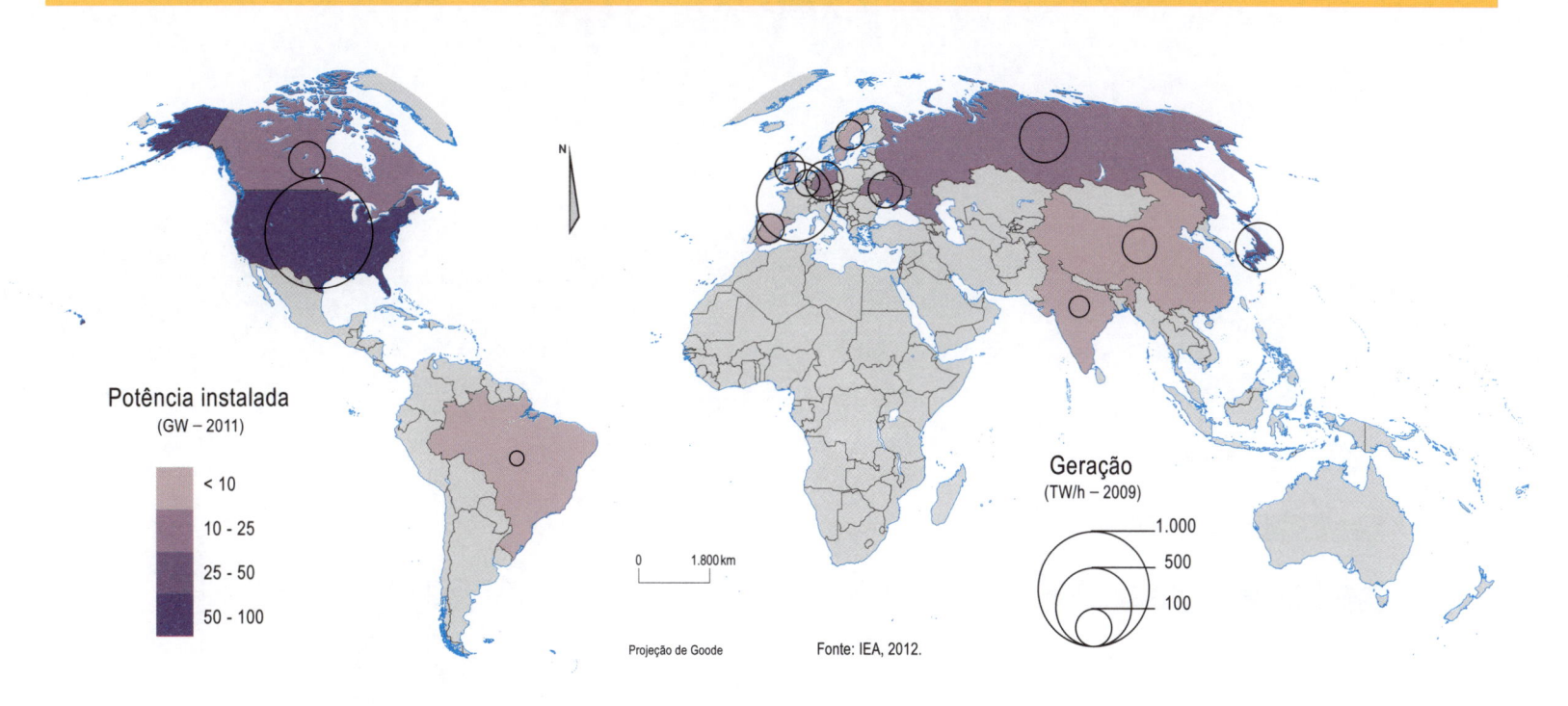

Potência instalada (GW – 2011)
- < 10
- 10 - 25
- 25 - 50
- 50 - 100

Geração (TW/h – 2009)
- 1.000
- 500
- 100

Projeção de Goode Fonte: IEA, 2012.

101 Energia elétrica

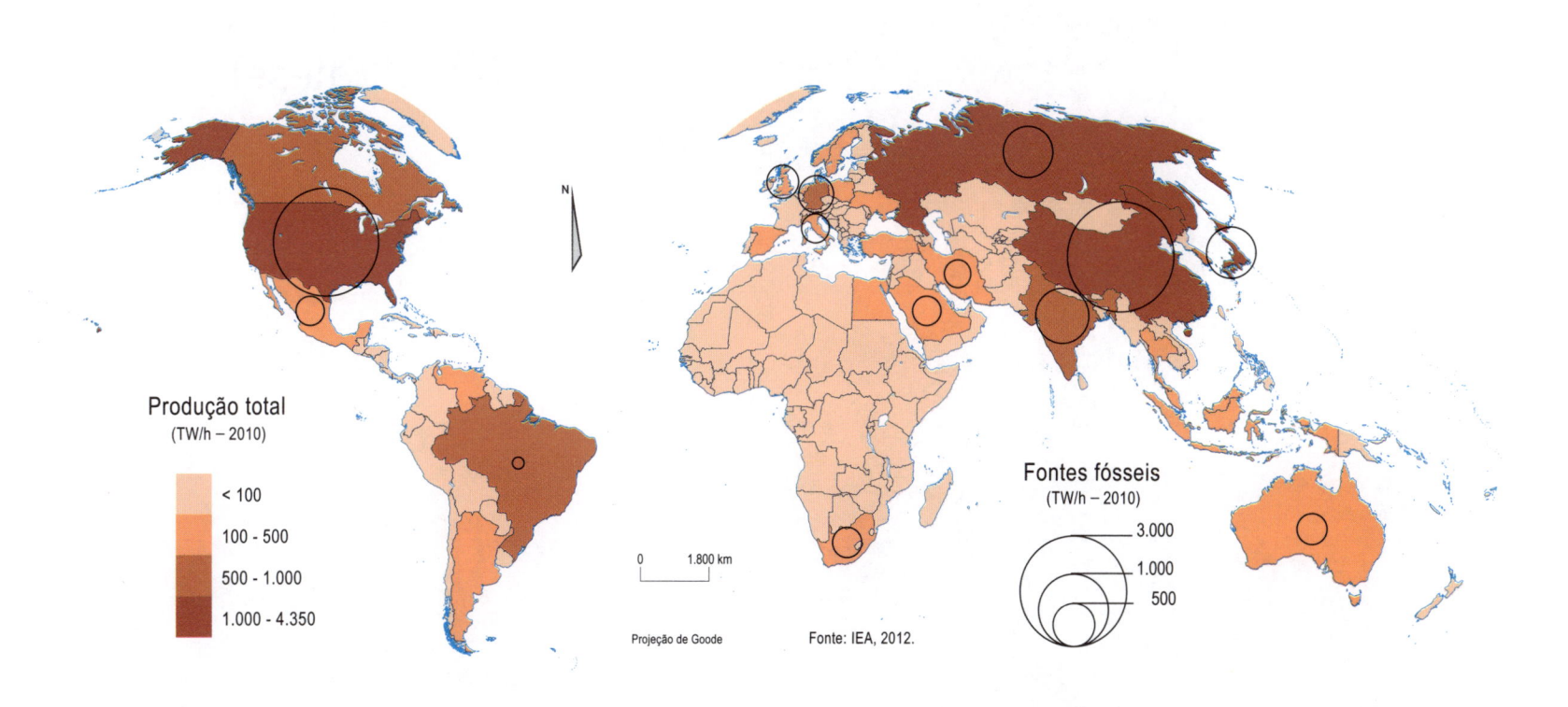

Produção total (TW/h – 2010)
- < 100
- 100 - 500
- 500 - 1.000
- 1.000 - 4.350

Fontes fósseis (TW/h – 2010)
- 3.000
- 1.000
- 500

Projeção de Goode Fonte: IEA, 2012.

105

Atlas Geográfico do Brasil

102 Etanol

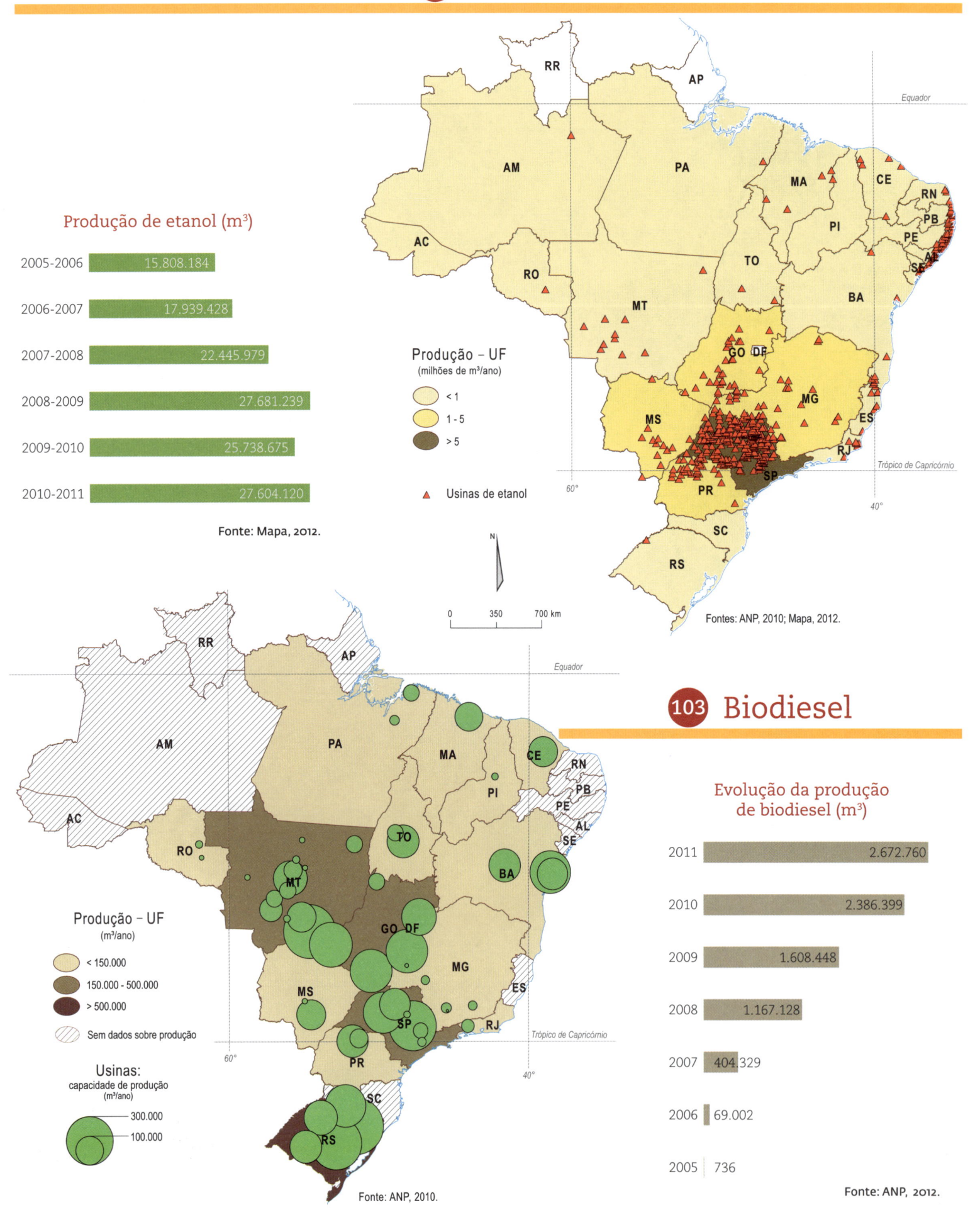

Produção de etanol (m³)

Período	Produção
2005-2006	15.808.184
2006-2007	17.939.428
2007-2008	22.445.979
2008-2009	27.681.239
2009-2010	25.738.675
2010-2011	27.604.120

Fonte: Mapa, 2012.

Produção – UF (milhões de m³/ano)
- < 1
- 1 - 5
- > 5

▲ Usinas de etanol

Fontes: ANP, 2010; Mapa, 2012.

103 Biodiesel

Evolução da produção de biodiesel (m³)

Ano	Produção
2011	2.672.760
2010	2.386.399
2009	1.608.448
2008	1.167.128
2007	404.329
2006	69.002
2005	736

Fonte: ANP, 2012.

Produção – UF (m³/ano)
- < 150.000
- 150.000 - 500.000
- > 500.000
- Sem dados sobre produção

Usinas: capacidade de produção (m³/ano)
- 300.000
- 100.000

Fonte: ANP, 2010.

104 Petróleo e gás natural

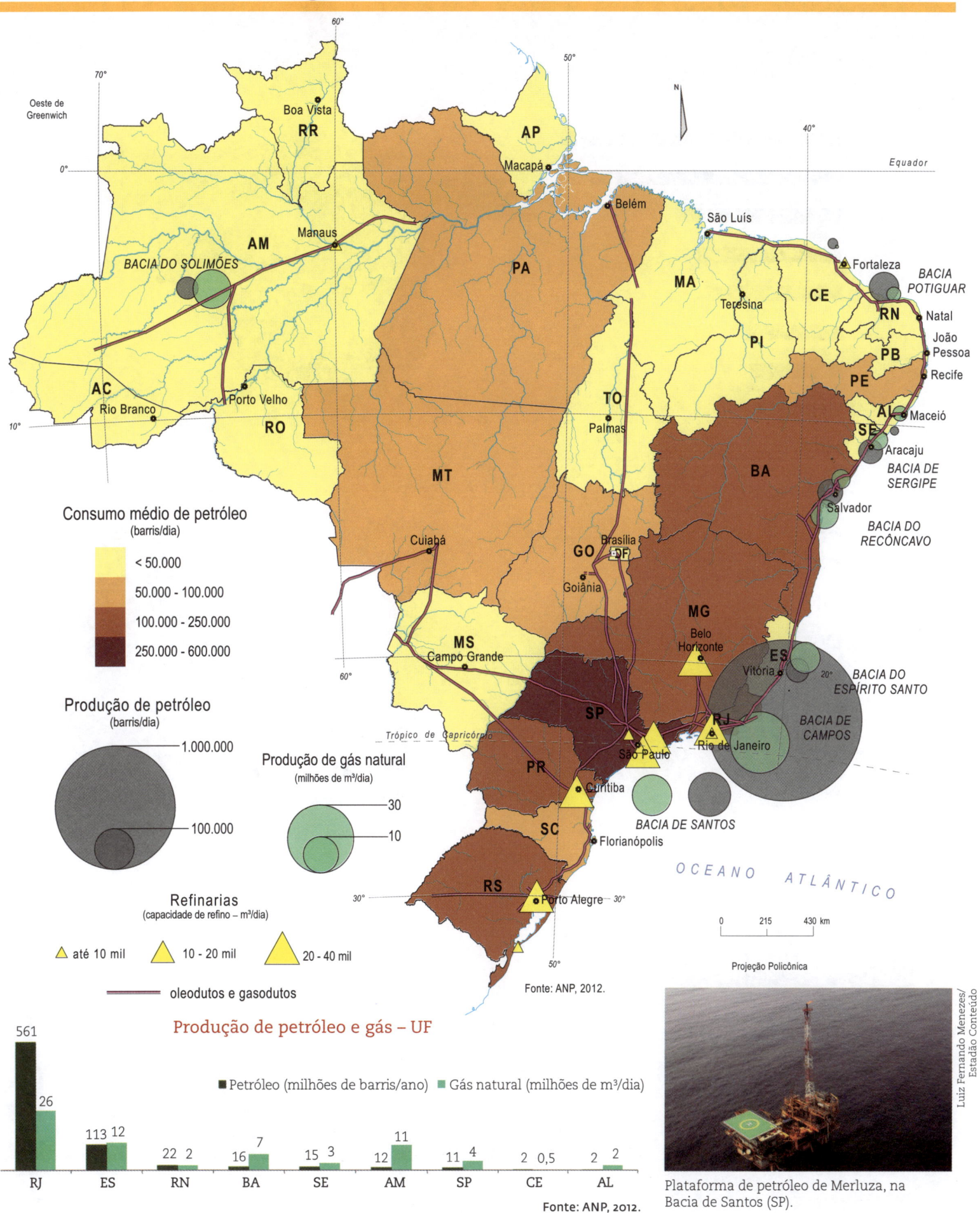

Consumo médio de petróleo (barris/dia)
- < 50.000
- 50.000 - 100.000
- 100.000 - 250.000
- 250.000 - 600.000

Produção de petróleo (barris/dia)
- 1.000.000
- 100.000

Produção de gás natural (milhões de m³/dia)
- 30
- 10

Refinarias (capacidade de refino – m³/dia)
- até 10 mil
- 10 - 20 mil
- 20 - 40 mil

— oleodutos e gasodutos

Fonte: ANP, 2012.

Produção de petróleo e gás – UF

Petróleo (milhões de barris/ano) | Gás natural (milhões de m³/dia)

UF	Petróleo	Gás natural
RJ	561	26
ES	113	12
RN	22	2
BA	16	7
SE	15	3
AM	12	11
SP	11	4
CE	2	0,5
AL	2	2

Fonte: ANP, 2012.

Plataforma de petróleo de Merluza, na Bacia de Santos (SP).

105 Petróleo – cenário mundial

Reservas provadas de petróleo em 2011
(bilhões de barris)

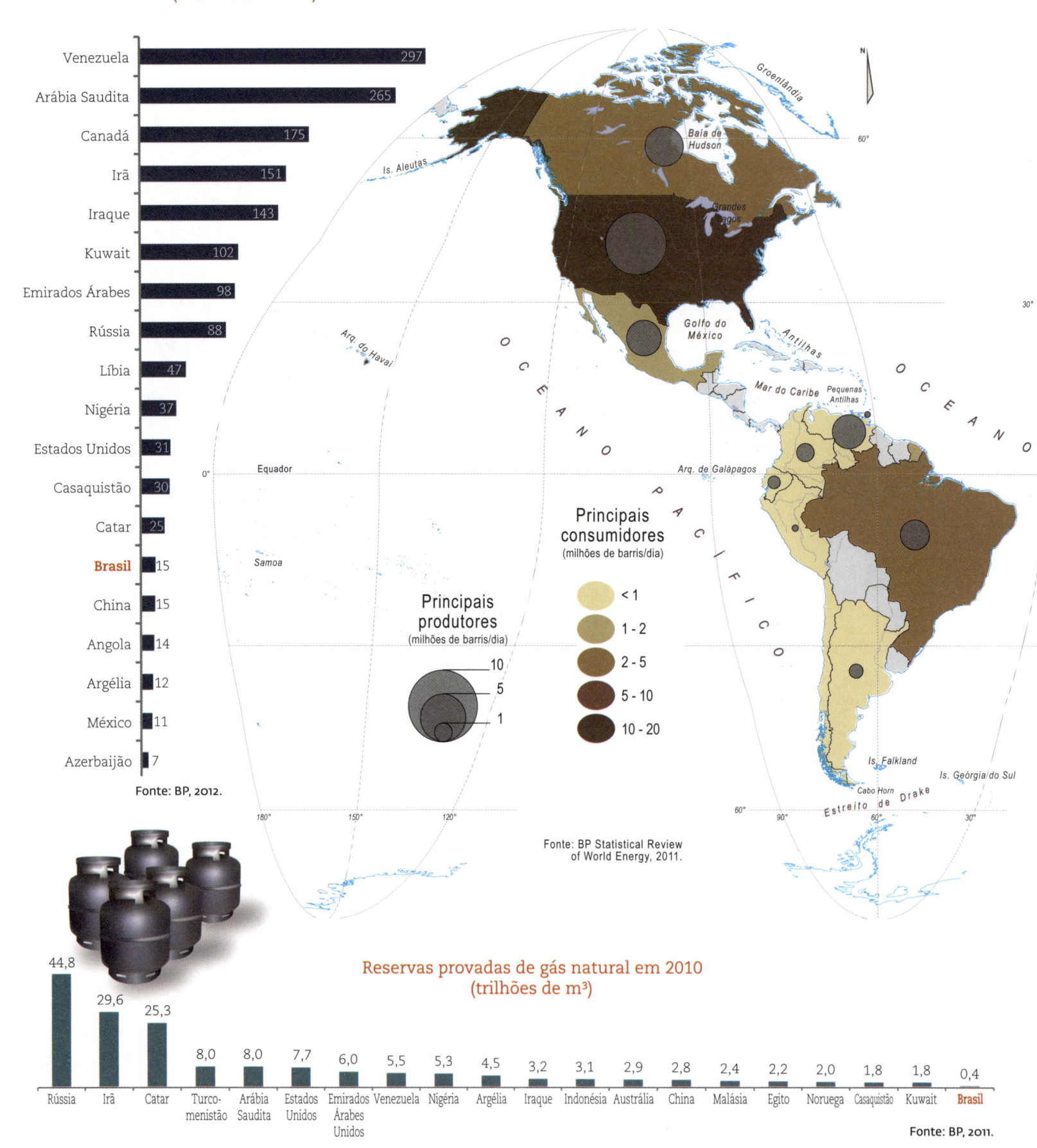

País	Reservas
Venezuela	297
Arábia Saudita	265
Canadá	175
Irã	151
Iraque	143
Kuwait	102
Emirados Árabes	98
Rússia	88
Líbia	47
Nigéria	37
Estados Unidos	31
Casaquistão	30
Catar	25
Brasil	15
China	15
Angola	14
Argélia	12
México	11
Azerbaijão	7

Fonte: BP, 2012.

Principais consumidores (milhões de barris/dia)
- < 1
- 1 - 2
- 2 - 5
- 5 - 10
- 10 - 20

Principais produtores (milhões de barris/dia): 10, 5, 1

Fonte: BP Statistical Review of World Energy, 2011.

Reservas provadas de gás natural em 2010
(trilhões de m³)

País	Reservas
Rússia	44,8
Irã	29,6
Catar	25,3
Turcomenistão	8,0
Arábia Saudita	8,0
Estados Unidos	7,7
Emirados Árabes Unidos	6,0
Venezuela	5,5
Nigéria	5,3
Argélia	4,5
Iraque	3,2
Indonésia	3,1
Austrália	2,9
China	2,8
Malásia	2,4
Egito	2,2
Noruega	2,0
Casaquistão	1,8
Kuwait	1,8
Brasil	0,4

Fonte: BP, 2011.

Produção mundial

Nos últimos 50 anos, a produção mundial de petróleo praticamente dobrou, passando dos 40 milhões de barris/dia no final dos anos 1960 para mais de 80 milhões de barris/dia em 2010.

Fonte: ONU, 2011.

Capacidade efetiva de refino em 2010 (milhões de barris/dia)

País	Capacidade
Estados Unidos	17.594
China	10.121
Rússia	5.555
Japão	4.464
Índia	3.703
Coreia do Sul	2.712
Itália	2.396
Arábia Saudita	2.100
Brasil	2.095
Alemanha	2.091
Canadá	1.914
Irã	1.860

Fonte: BP, 2011.

Estatísticas minerais

Participação do Brasil na produção e nas reservas mundiais em 2011 (recursos minerais selecionados)

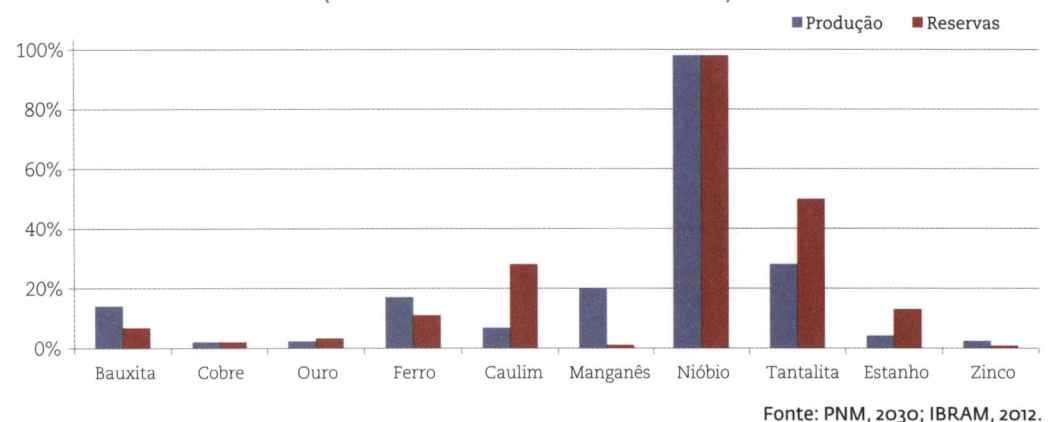

Recurso	Produção	Reservas
Bauxita	~14%	~7%
Cobre	~2%	~2%
Ouro	~2%	~4%
Ferro	~17%	~11%
Caulim	~7%	~28%
Manganês	~20%	~1%
Nióbio	~98%	~98%
Tantalita	~28%	~50%
Estanho	~4%	~13%
Zinco	~3%	~1%

Fonte: PNM, 2030; IBRAM, 2012.

Mineração – comércio exterior (milhões de dólares em 2011)

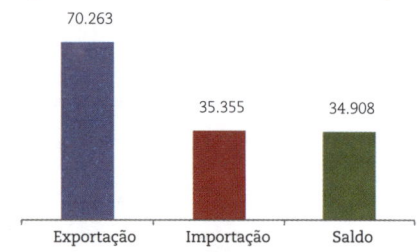

Exportação	Importação	Saldo
70.263	35.355	34.908

Fonte: MDIC; Secex, 2011.

Produção e reservas de manganês em 2011 (milhões de toneladas)

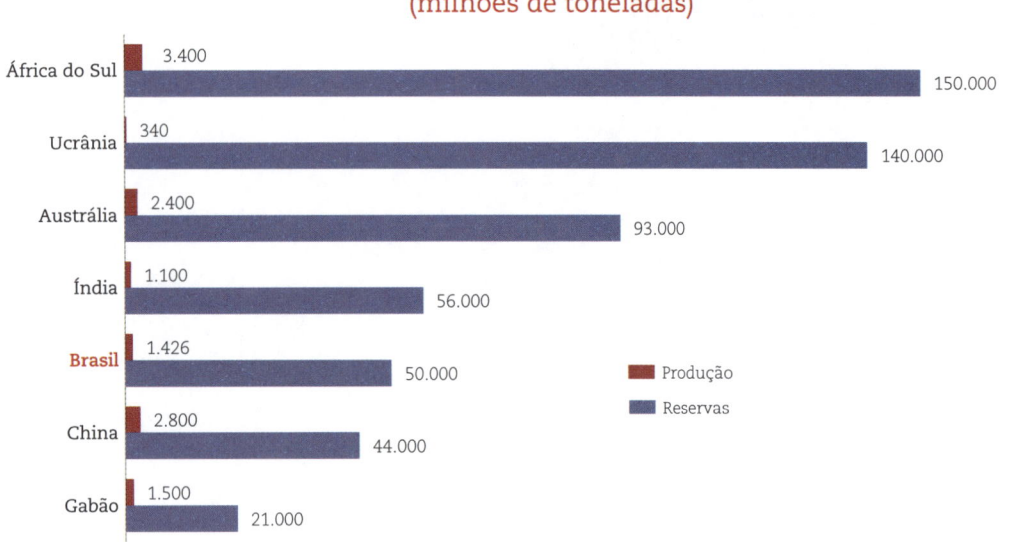

País	Produção	Reservas
África do Sul	3.400	150.000
Ucrânia	340	140.000
Austrália	2.400	93.000
Índia	1.100	56.000
Brasil	1.426	50.000
China	2.800	44.000
Gabão	1.500	21.000
México	170	4.000

Fonte: DNPM, 2012.

Principais minerais (em milhões de toneladas)

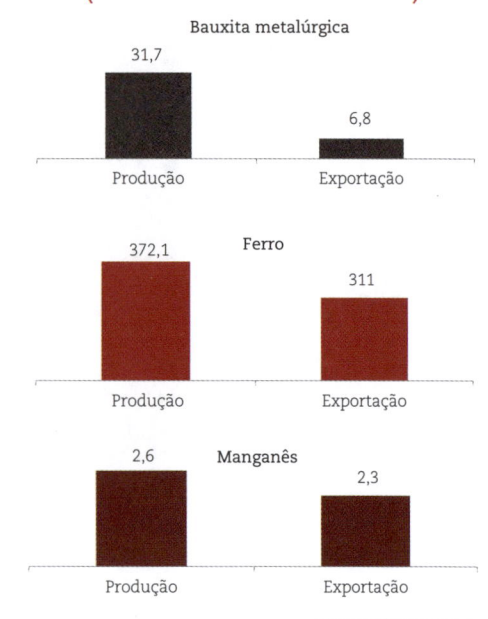

Mineral	Produção	Exportação
Bauxita metalúrgica	31,7	6,8
Ferro	372,1	311
Manganês	2,6	2,3

Fonte: Ibram, 2011.

Alumínio (bauxita)

Reservas (em milhões de toneladas)

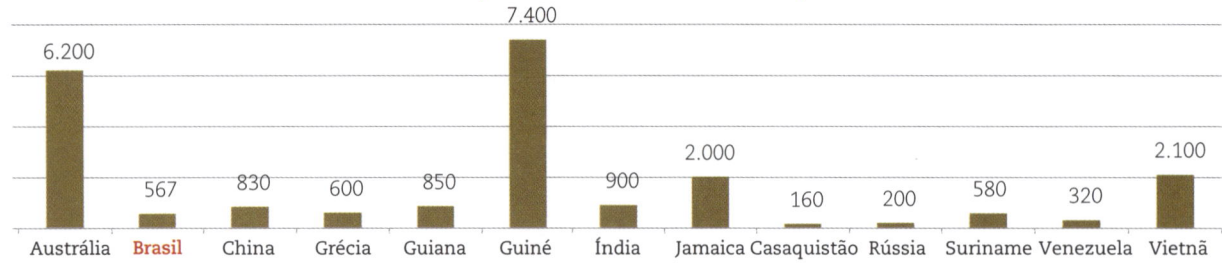

País	Reservas
Austrália	6.200
Brasil	567
China	830
Grécia	600
Guiana	850
Guiné	7.400
Índia	900
Jamaica	2.000
Casaquistão	160
Rússia	200
Suriname	580
Venezuela	320
Vietnã	2.100

Produção (em milhões de toneladas)

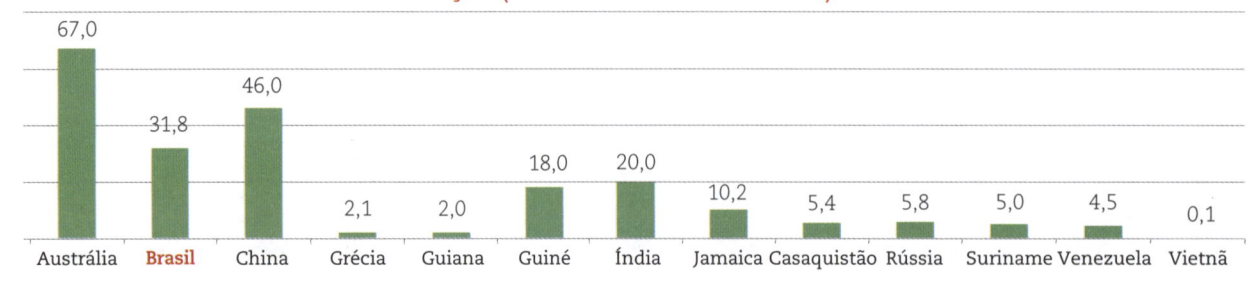

País	Produção
Austrália	67,0
Brasil	31,8
China	46,0
Grécia	2,1
Guiana	2,0
Guiné	18,0
Índia	20,0
Jamaica	10,2
Casaquistão	5,4
Rússia	5,8
Suriname	5,0
Venezuela	4,5
Vietnã	0,1

Fonte: DNPM, 2012.

Atlas Geográfico do Brasil

106 Recursos minerais

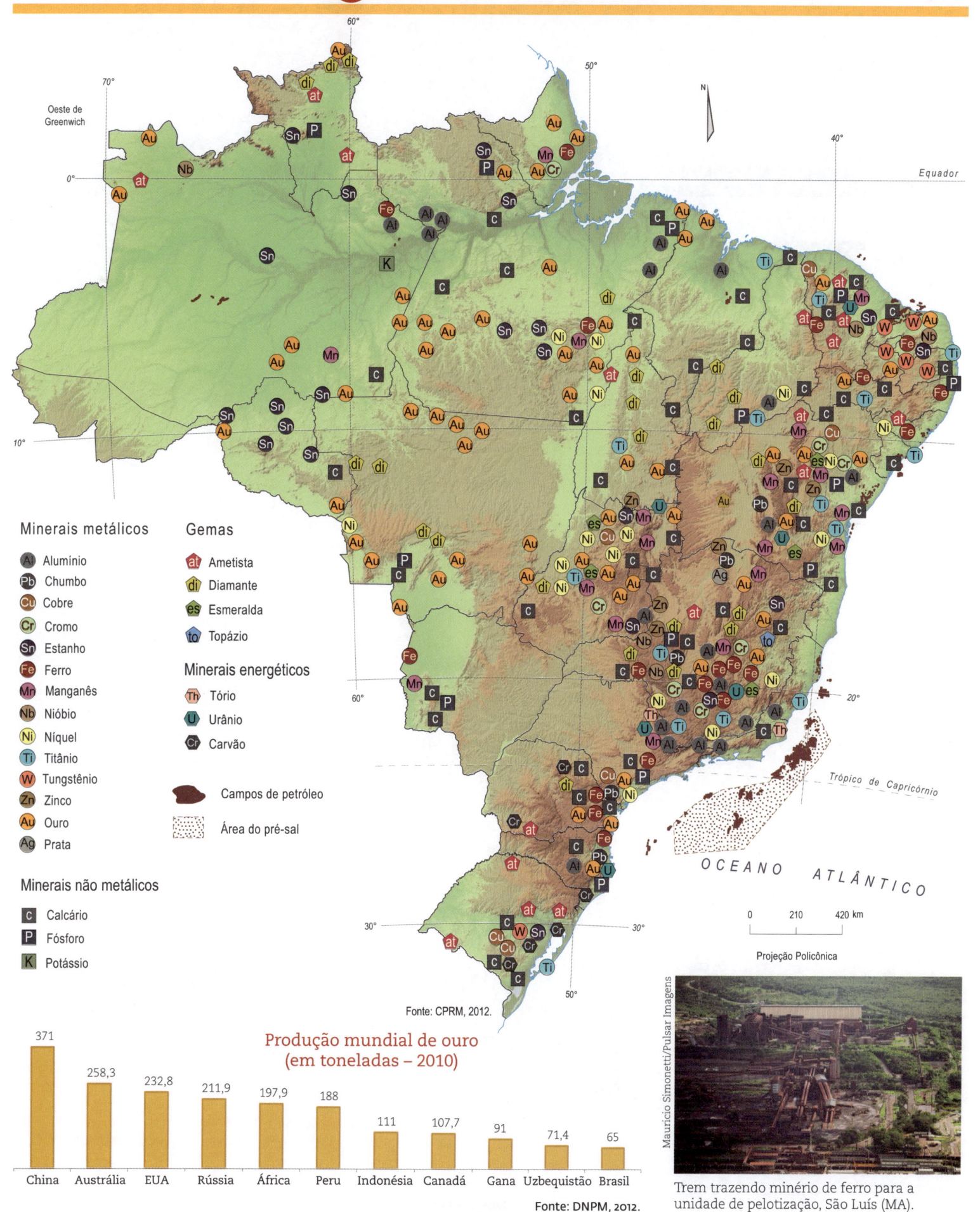

Minerais metálicos
- Al Alumínio
- Pb Chumbo
- Cu Cobre
- Cr Cromo
- Sn Estanho
- Fe Ferro
- Mn Manganês
- Nb Nióbio
- Ni Níquel
- Ti Titânio
- W Tungstênio
- Zn Zinco
- Au Ouro
- Ag Prata

Minerais não metálicos
- C Calcário
- P Fósforo
- K Potássio

Gemas
- at Ametista
- di Diamante
- es Esmeralda
- to Topázio

Minerais energéticos
- Th Tório
- U Urânio
- Cr Carvão

- Campos de petróleo
- Área do pré-sal

Projeção Policônica

Fonte: CPRM, 2012.

Produção mundial de ouro (em toneladas – 2010)

País	Produção
China	371
Austrália	258,3
EUA	232,8
Rússia	211,9
África	197,9
Peru	188
Indonésia	111
Canadá	107,7
Gana	91
Uzbequistão	71,4
Brasil	65

Fonte: DNPM, 2012.

Trem trazendo minério de ferro para a unidade de pelotização, São Luís (MA). Maurício Simonetti/Pulsar Imagens

111

107 Indústria I – química, metalurgia, máquinas e equipamentos

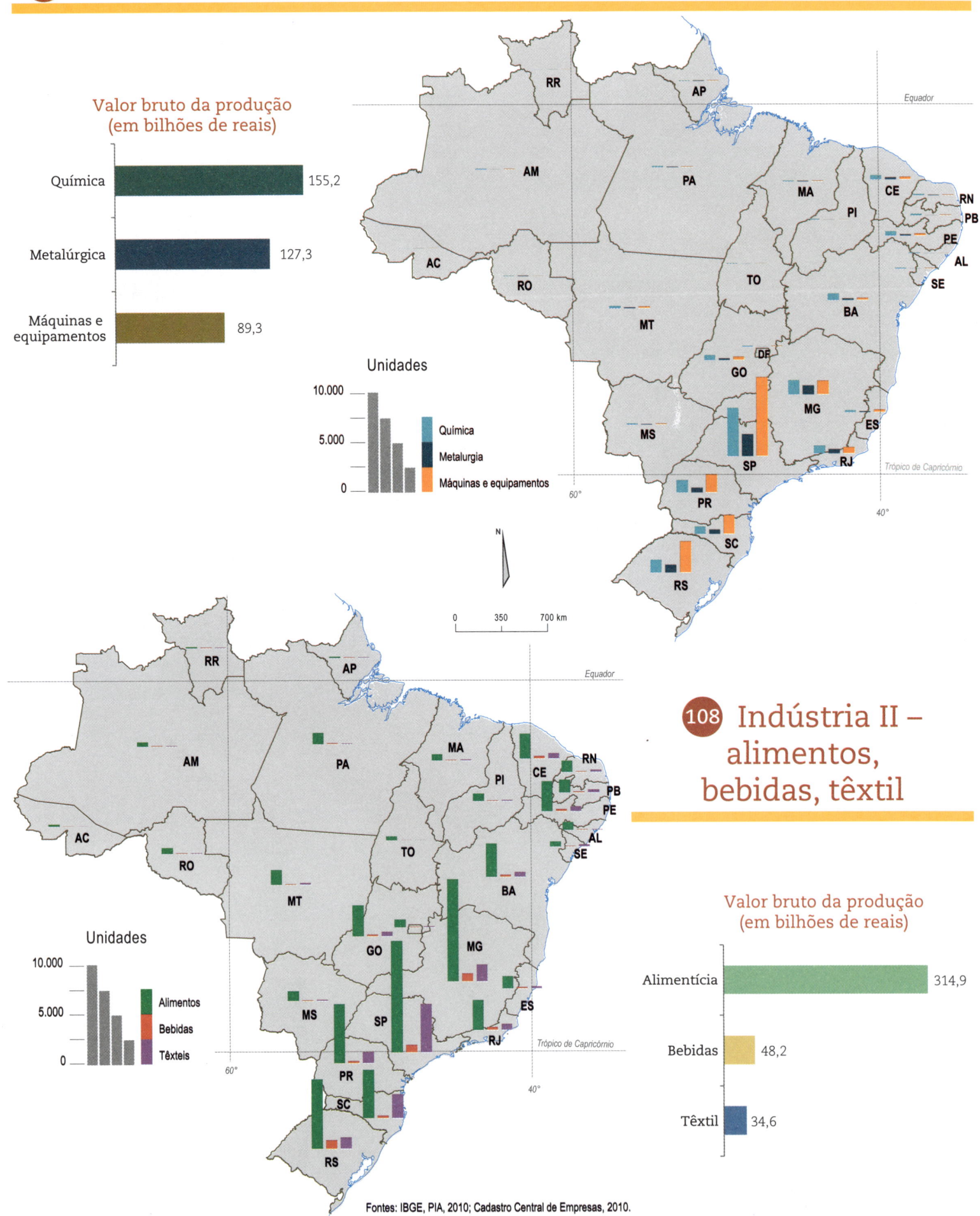

Valor bruto da produção (em bilhões de reais)

- Química: 155,2
- Metalúrgica: 127,3
- Máquinas e equipamentos: 89,3

Unidades

- Química
- Metalurgia
- Máquinas e equipamentos

108 Indústria II – alimentos, bebidas, têxtil

Unidades

- Alimentos
- Bebidas
- Têxteis

Valor bruto da produção (em bilhões de reais)

- Alimentícia: 314,9
- Bebidas: 48,2
- Têxtil: 34,6

Fontes: IBGE, PIA, 2010; Cadastro Central de Empresas, 2010.

109 Indústria III – siderurgia automobilística

Parque industrial automobilístico, Camaçari (BA).

Unidades
- ⊙ Caminhões / tratores
- ⊙ Comerciais leves
- ⊙ Automóveis
- ✳ Motocicletas
- ● Motores
- ▲ Indústrias siderúrgicas
- ▽ Estaleiros em operação

Fontes: IBGE. PIA, 2010; Anfávea, 2012; MT, 2012.

Produção mundial de aço bruto em 2010 (em milhões de toneladas)

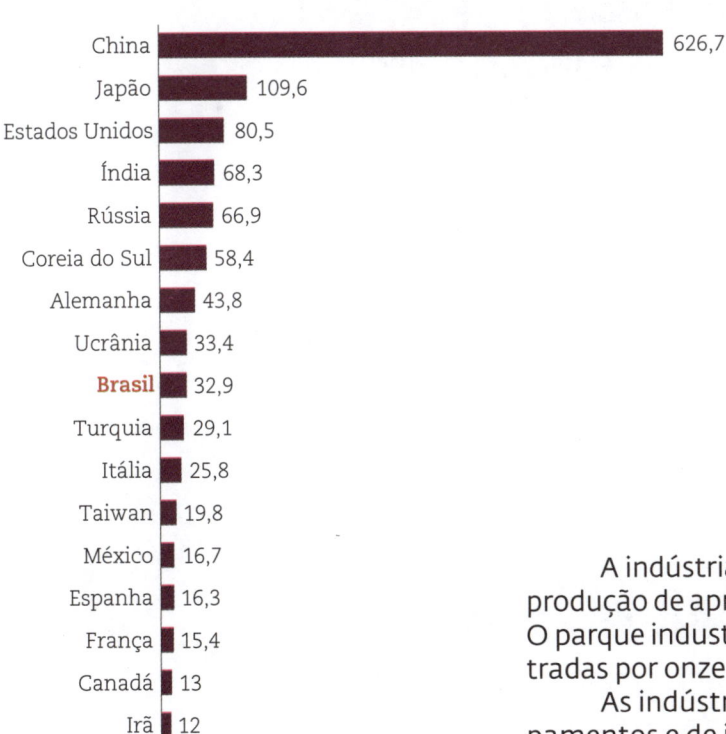

País	Produção
China	626,7
Japão	109,6
Estados Unidos	80,5
Índia	68,3
Rússia	66,9
Coreia do Sul	58,4
Alemanha	43,8
Ucrânia	33,4
Brasil	32,9
Turquia	29,1
Itália	25,8
Taiwan	19,8
México	16,7
Espanha	16,3
França	15,4
Canadá	13
Irã	12
Reino Unido	9,7

Fonte: MME, 2011.

Alto-forno da Companhia Siderúrgica Nacional, Volta Redonda (RJ).

A indústria siderúrgica brasileira possui atualmente uma capacidade de produção de aproximadamente 48 milhões de toneladas de aço bruto por ano. O parque industrial do setor é constituído de 29 unidades produtivas administradas por onze empresas.

As indústrias automobilística, de construção civil, de máquinas e equipamentos e de implementos agrícolas são exemplos de grandes consumidores dos produtos siderúrgicos.

Atlas Geográfico do Brasil

110 Atividade industrial

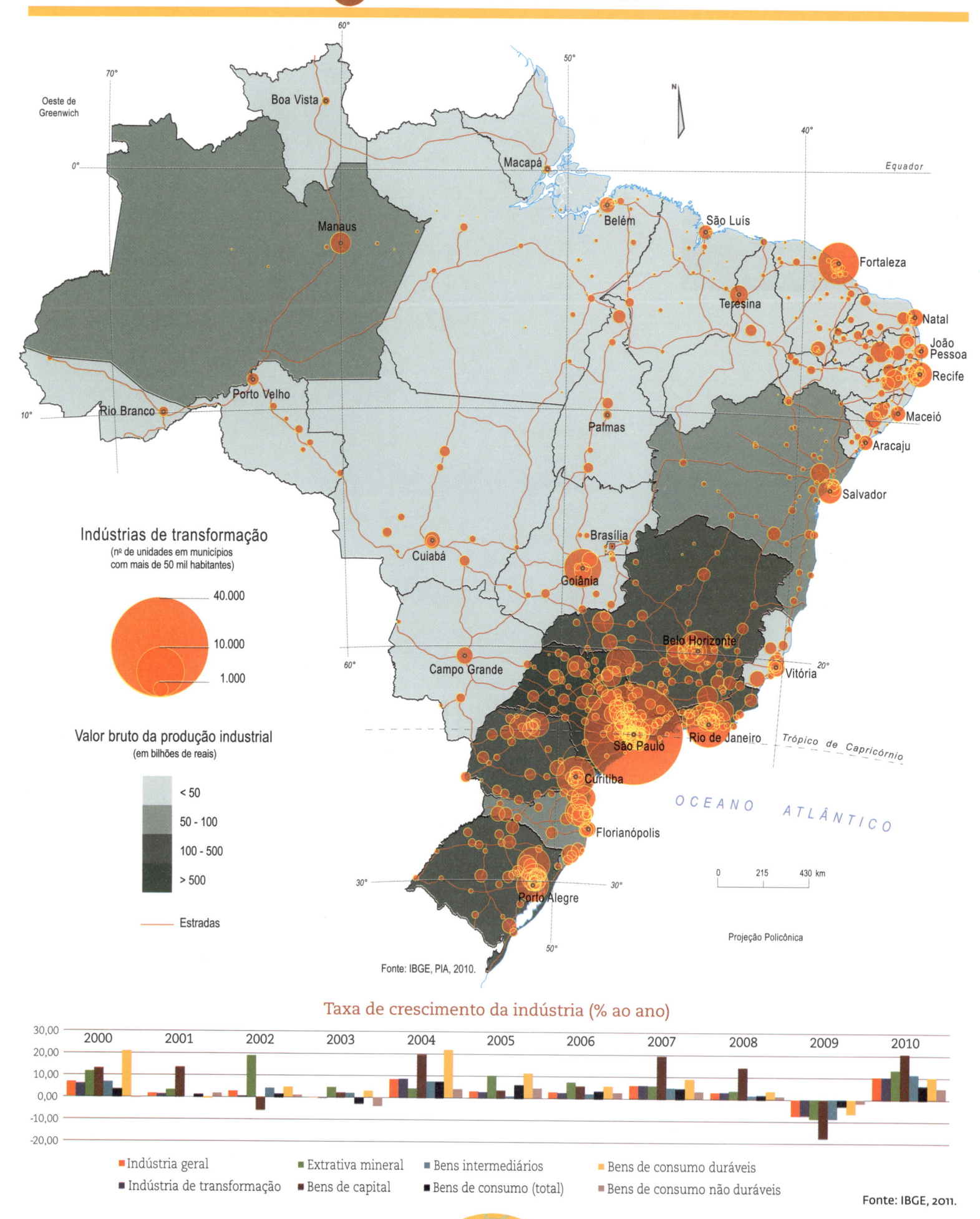

Indústrias de transformação
(nº de unidades em municípios com mais de 50 mil habitantes)

- 40.000
- 10.000
- 1.000

Valor bruto da produção industrial
(em bilhões de reais)

- < 50
- 50 - 100
- 100 - 500
- > 500

— Estradas

Fonte: IBGE, PIA, 2010.

Projeção Policônica

Taxa de crescimento da indústria (% ao ano)

- Indústria geral
- Indústria de transformação
- Extrativa mineral
- Bens de capital
- Bens intermediários
- Bens de consumo (total)
- Bens de consumo duráveis
- Bens de consumo não duráveis

Fonte: IBGE, 2011.

111 Produção e culturas agrícolas

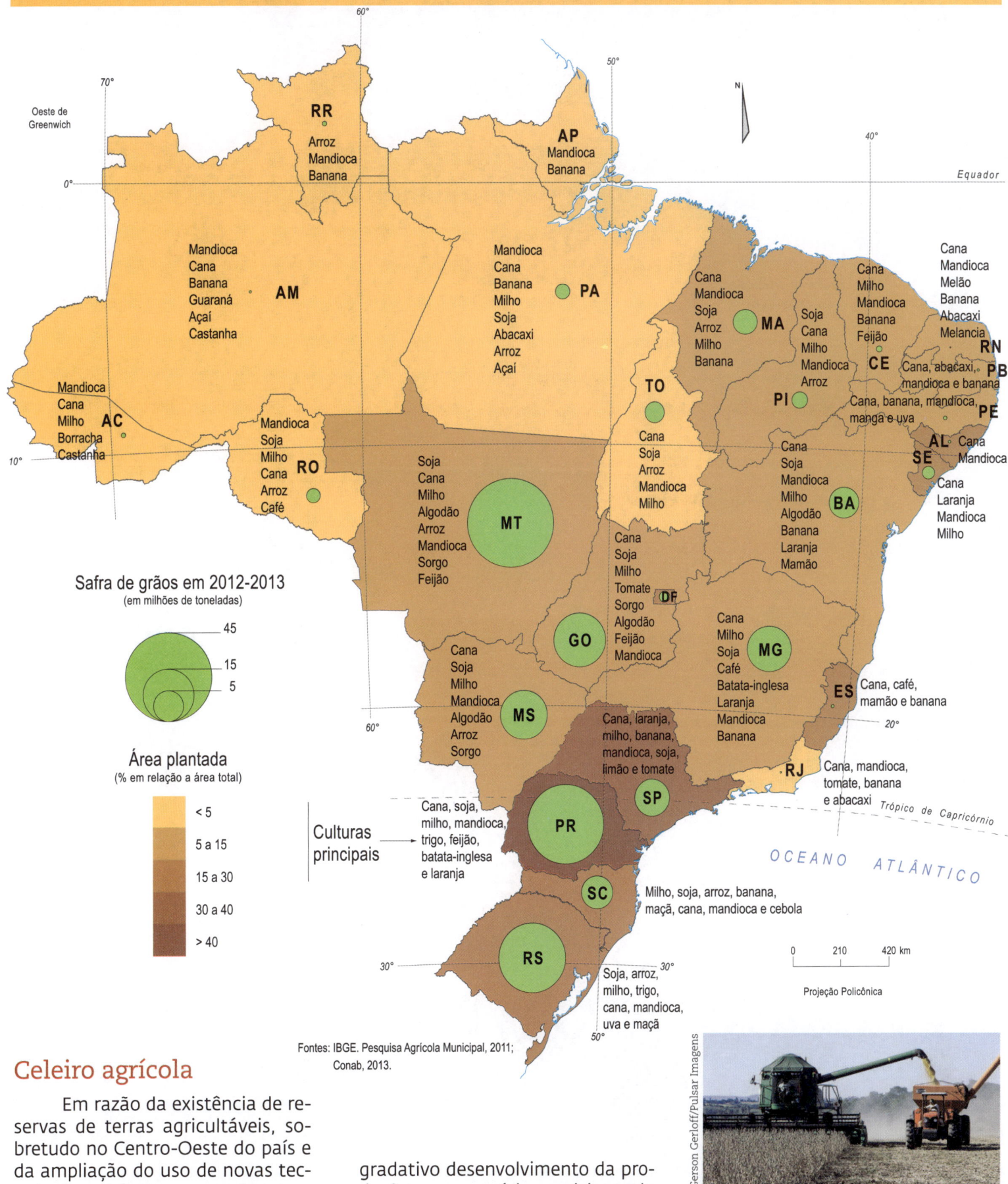

Safra de grãos em 2012-2013
(em milhões de toneladas)
- 45
- 15
- 5

Área plantada
(% em relação a área total)
- < 5
- 5 a 15
- 15 a 30
- 30 a 40
- > 40

Culturas principais

RR: Arroz, Mandioca, Banana
AP: Mandioca, Banana
AM: Mandioca, Cana, Banana, Guaraná, Açaí, Castanha
PA: Mandioca, Cana, Banana, Milho, Soja, Abacaxi, Arroz, Açaí
AC: Mandioca, Cana, Milho, Borracha, Castanha
RO: Mandioca, Soja, Milho, Cana, Arroz, Café
MT: Soja, Cana, Milho, Algodão, Arroz, Mandioca, Sorgo, Feijão
TO: Cana, Soja, Arroz, Mandioca, Milho
MA: Cana, Mandioca, Soja, Arroz, Milho, Banana
PI: Soja, Cana, Milho, Mandioca, Arroz
CE: Cana, Milho, Mandioca, Banana, Feijão
RN: Cana, Mandioca, Melão, Banana, Abacaxi, Melancia
PB: Cana, abacaxi, mandioca e banana
PE: Cana, banana, mandioca, manga e uva
AL: Cana
SE: Cana, Mandioca
BA: Cana, Soja, Mandioca, Milho, Algodão, Banana, Laranja, Mamão
DF: Cana, Soja, Milho, Tomate, Sorgo, Algodão, Feijão, Mandioca
GO: (mesma legenda DF)
MG: Cana, Milho, Soja, Café, Batata-inglesa, Laranja, Mandioca, Banana
ES: Cana, café, mamão e banana
MS: Cana, Soja, Milho, Mandioca, Algodão, Arroz, Sorgo
SP: Cana, laranja, milho, banana, mandioca, soja, limão e tomate
RJ: Cana, mandioca, tomate, banana e abacaxi
PR: Cana, soja, milho, mandioca, trigo, feijão, batata-inglesa e laranja
SC: Milho, soja, arroz, banana, maçã, cana, mandioca e cebola
RS: Soja, arroz, milho, trigo, cana, mandioca, uva e maçã

Fontes: IBGE. Pesquisa Agrícola Municipal, 2011; Conab, 2013.

Projeção Policônica

Celeiro agrícola

Em razão da existência de reservas de terras agricultáveis, sobretudo no Centro-Oeste do país e da ampliação do uso de novas tecnologias, máquinas e equipamentos, a expansão das áreas de cultivo e de criação de gado permitiu um gradativo desenvolvimento da produção agropecuária, posicionando o país entre os maiores produtores de alimentos do mundo.

Colheita mecanizada em plantação de soja, Santa Maria (RS).

Atlas Geográfico do Brasil

112 Arroz

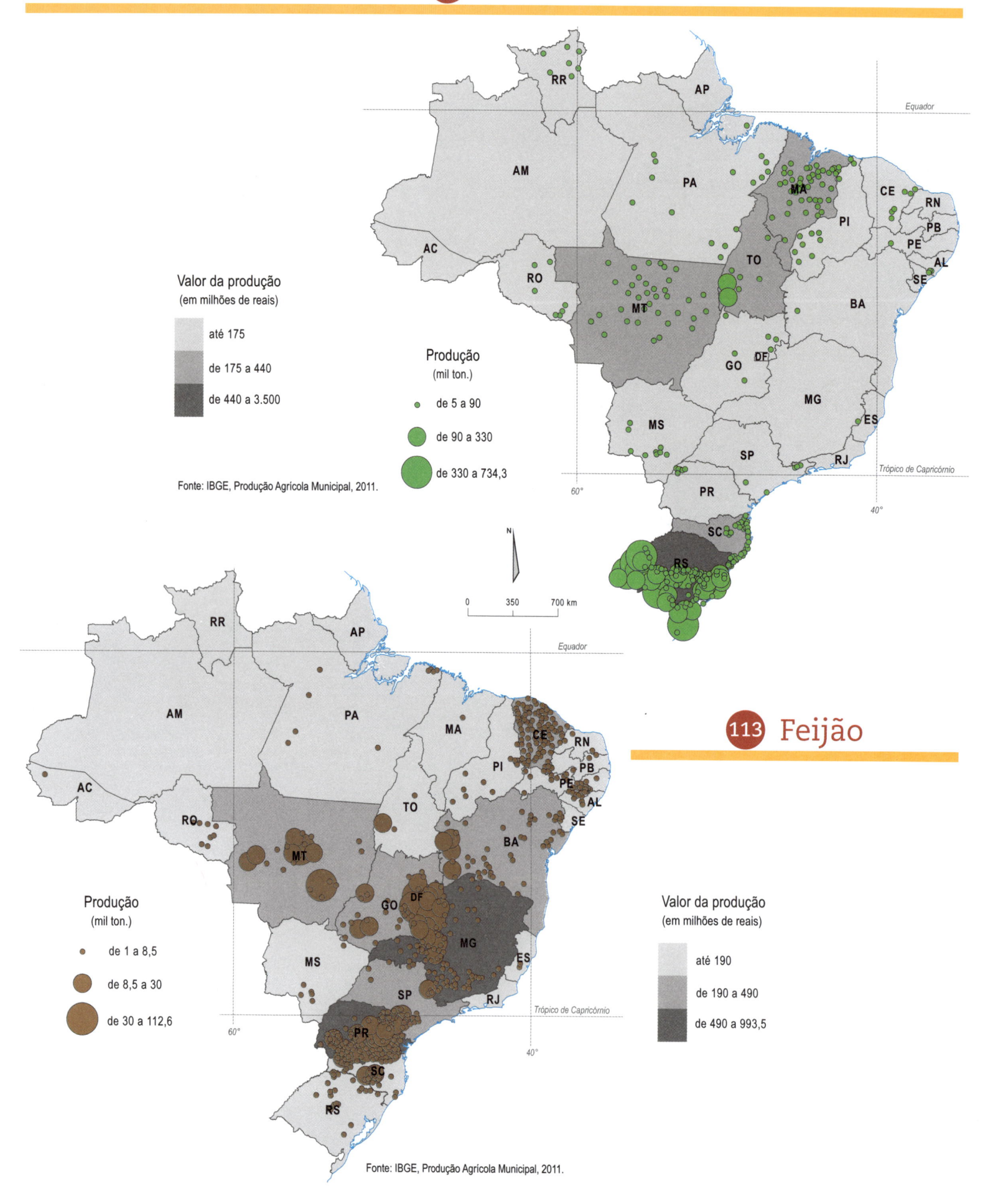

Valor da produção (em milhões de reais)
- até 175
- de 175 a 440
- de 440 a 3.500

Produção (mil ton.)
- de 5 a 90
- de 90 a 330
- de 330 a 734,3

Fonte: IBGE, Produção Agrícola Municipal, 2011.

113 Feijão

Produção (mil ton.)
- de 1 a 8,5
- de 8,5 a 30
- de 30 a 112,6

Valor da produção (em milhões de reais)
- até 190
- de 190 a 490
- de 490 a 993,5

Fonte: IBGE, Produção Agrícola Municipal, 2011.

116

Atlas Geográfico do Brasil

114 Soja

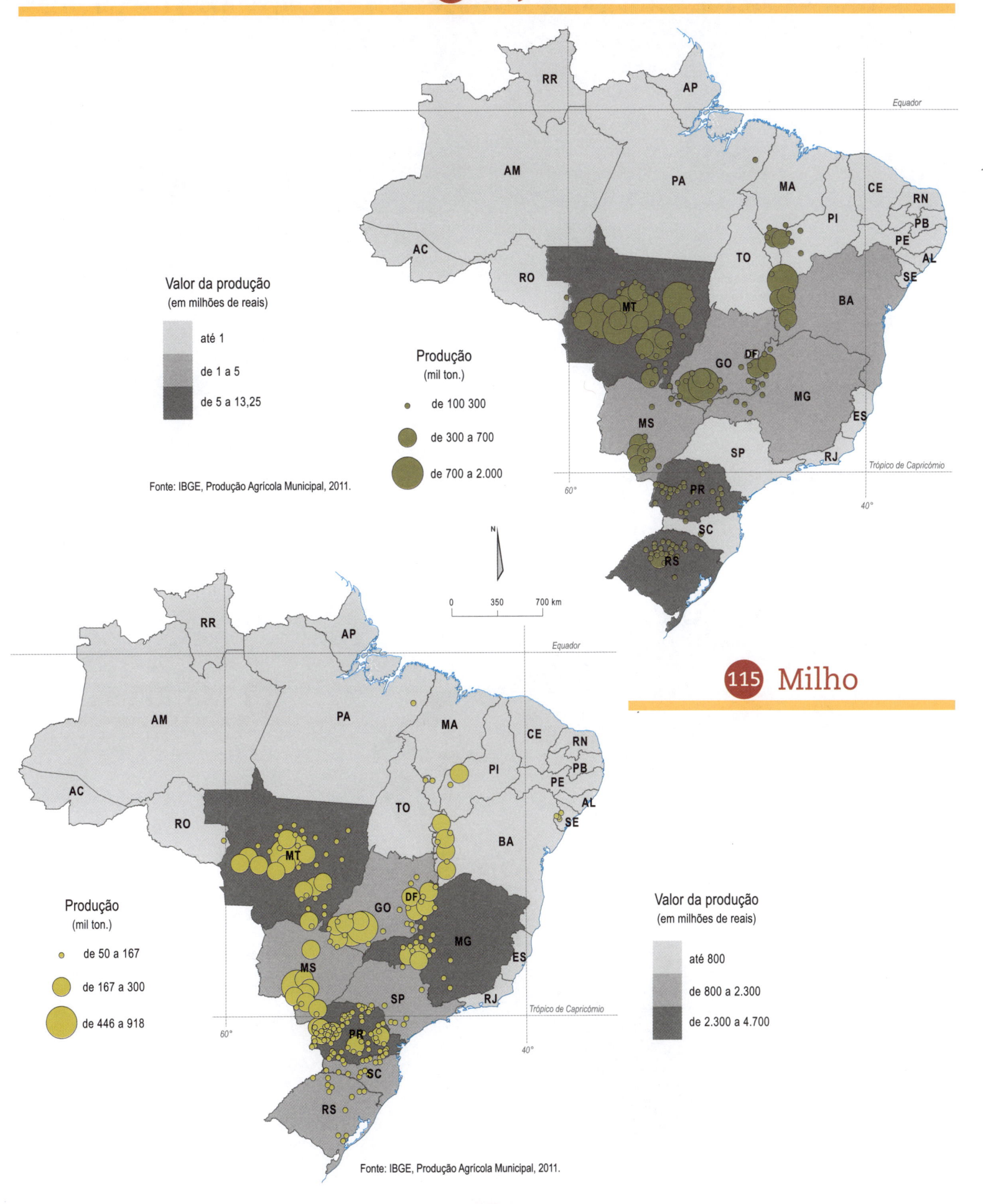

Valor da produção (em milhões de reais)
- até 1
- de 1 a 5
- de 5 a 13,25

Produção (mil ton.)
- de 100 300
- de 300 a 700
- de 700 a 2.000

Fonte: IBGE, Produção Agrícola Municipal, 2011.

115 Milho

Produção (mil ton.)
- de 50 a 167
- de 167 a 300
- de 446 a 918

Valor da produção (em milhões de reais)
- até 800
- de 800 a 2.300
- de 2.300 a 4.700

Fonte: IBGE, Produção Agrícola Municipal, 2011.

117

116 Batata

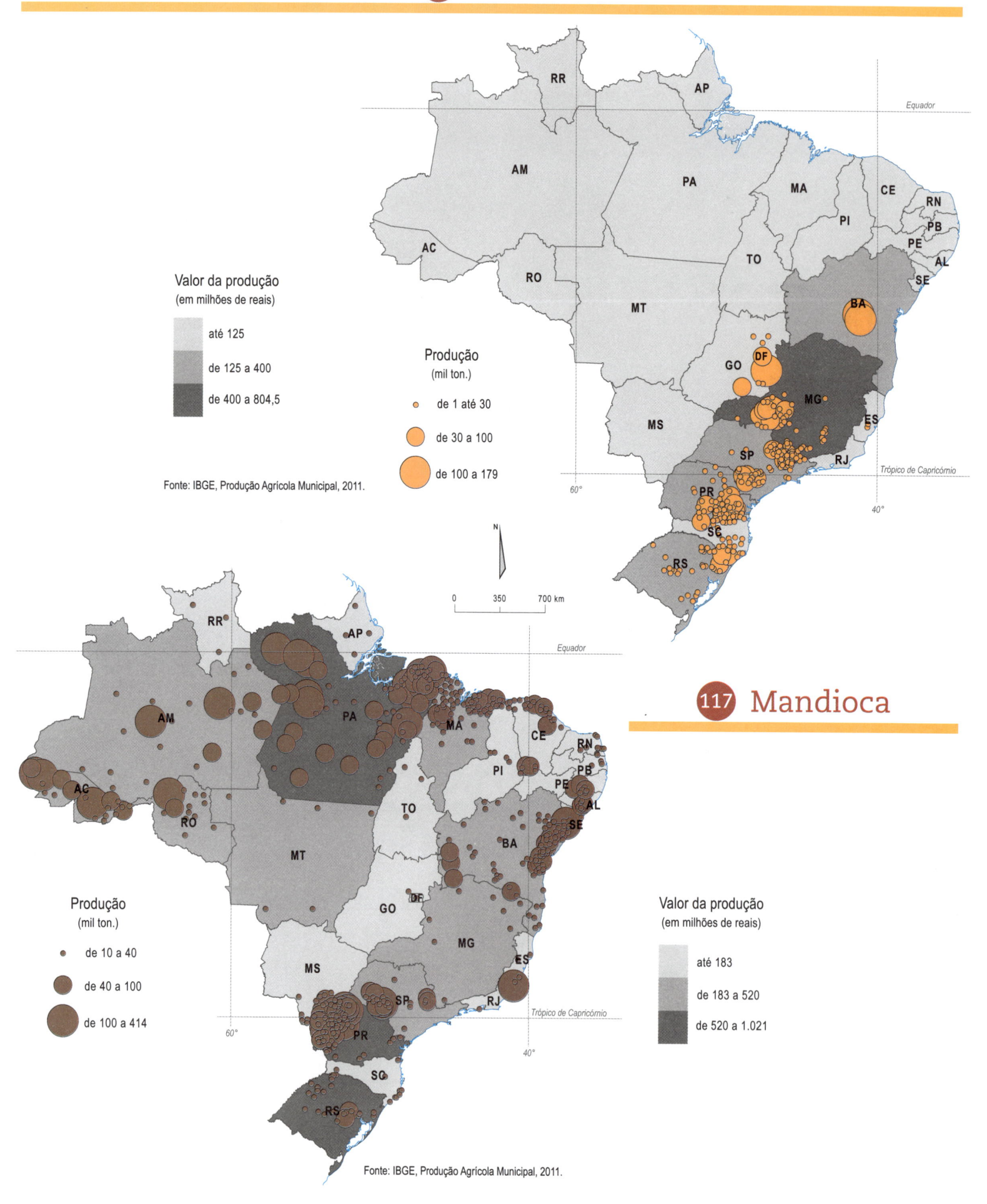

Valor da produção (em milhões de reais)
- até 125
- de 125 a 400
- de 400 a 804,5

Produção (mil ton.)
- de 1 até 30
- de 30 a 100
- de 100 a 179

Fonte: IBGE, Produção Agrícola Municipal, 2011.

117 Mandioca

Produção (mil ton.)
- de 10 a 40
- de 40 a 100
- de 100 a 414

Valor da produção (em milhões de reais)
- até 183
- de 183 a 520
- de 520 a 1.021

Fonte: IBGE, Produção Agrícola Municipal, 2011.

Atlas Geográfico do Brasil

118 Algodão

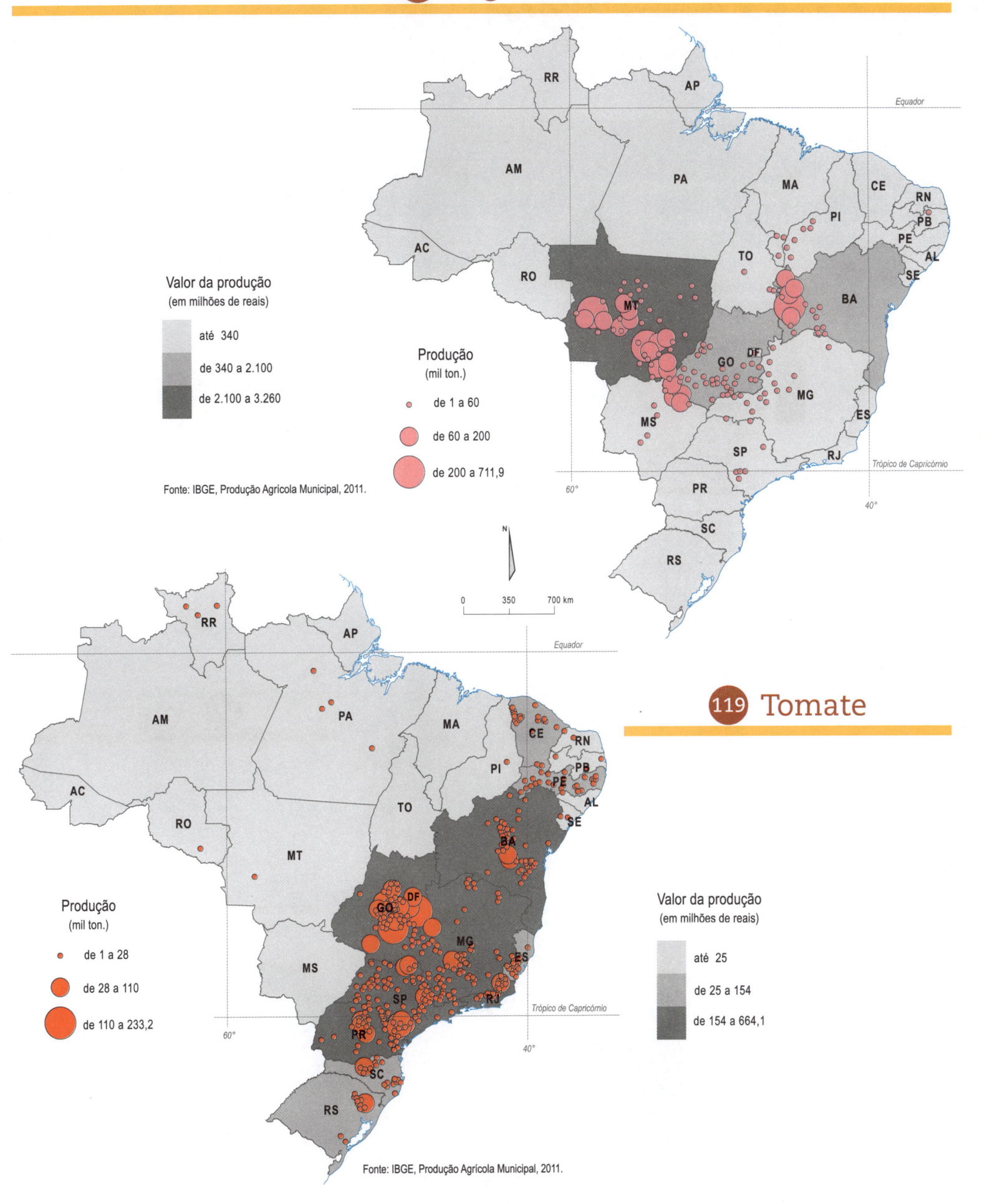

Valor da produção (em milhões de reais)
- até 340
- de 340 a 2.100
- de 2.100 a 3.260

Produção (mil ton.)
- de 1 a 60
- de 60 a 200
- de 200 a 711,9

Fonte: IBGE, Produção Agrícola Municipal, 2011.

119 Tomate

Produção (mil ton.)
- de 1 a 28
- de 28 a 110
- de 110 a 233,2

Valor da produção (em milhões de reais)
- até 25
- de 25 a 154
- de 154 a 664,1

Fonte: IBGE, Produção Agrícola Municipal, 2011.

Atlas Geográfico do Brasil

120 Cana-de-açúcar

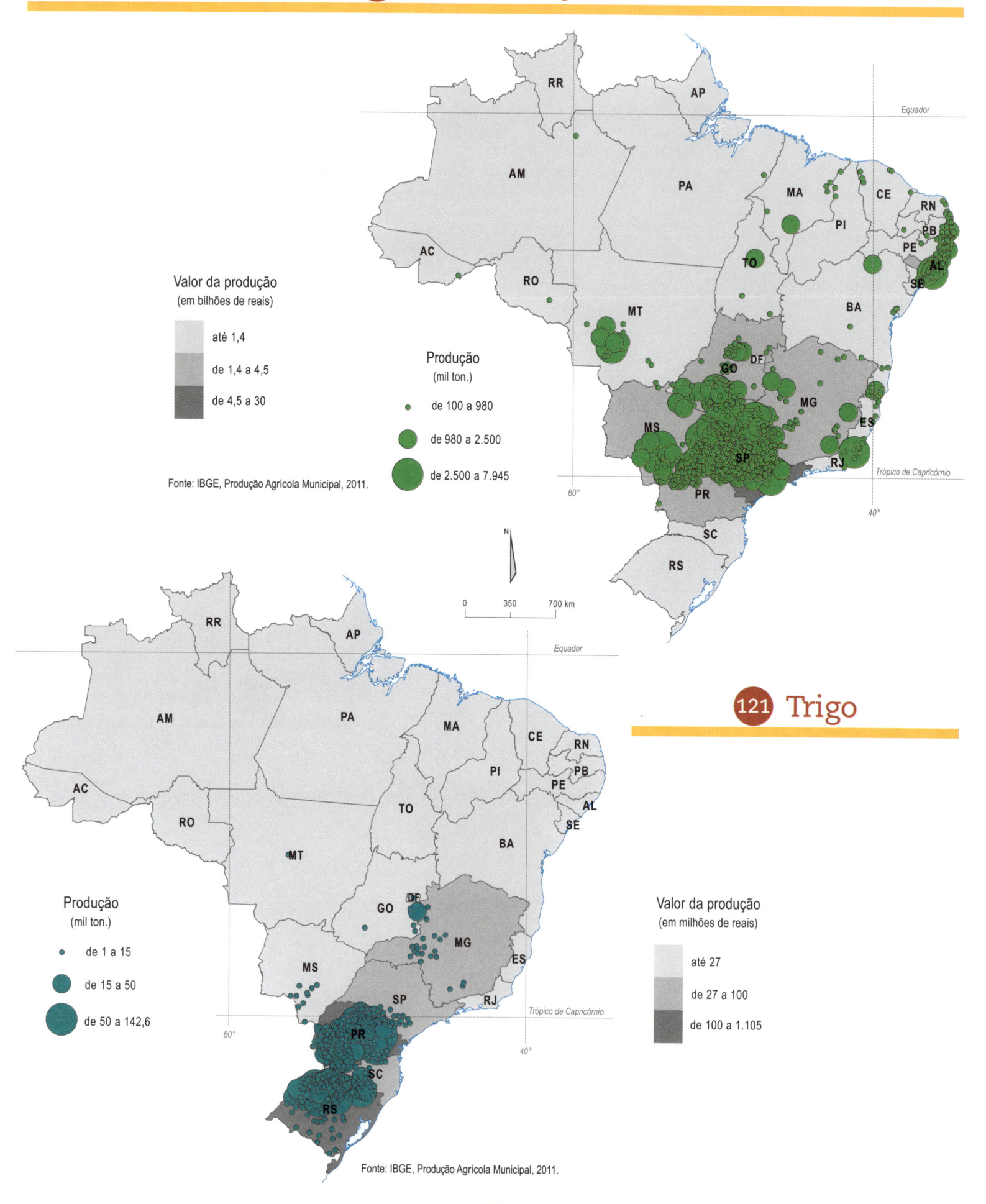

Valor da produção
(em bilhões de reais)
- até 1,4
- de 1,4 a 4,5
- de 4,5 a 30

Produção
(mil ton.)
- de 100 a 980
- de 980 a 2.500
- de 2.500 a 7.945

Fonte: IBGE, Produção Agrícola Municipal, 2011.

121 Trigo

Produção
(mil ton.)
- de 1 a 15
- de 15 a 50
- de 50 a 142,6

Valor da produção
(em milhões de reais)
- até 27
- de 27 a 100
- de 100 a 1.105

Fonte: IBGE, Produção Agrícola Municipal, 2011.

Atlas Geográfico do Brasil

122 Café

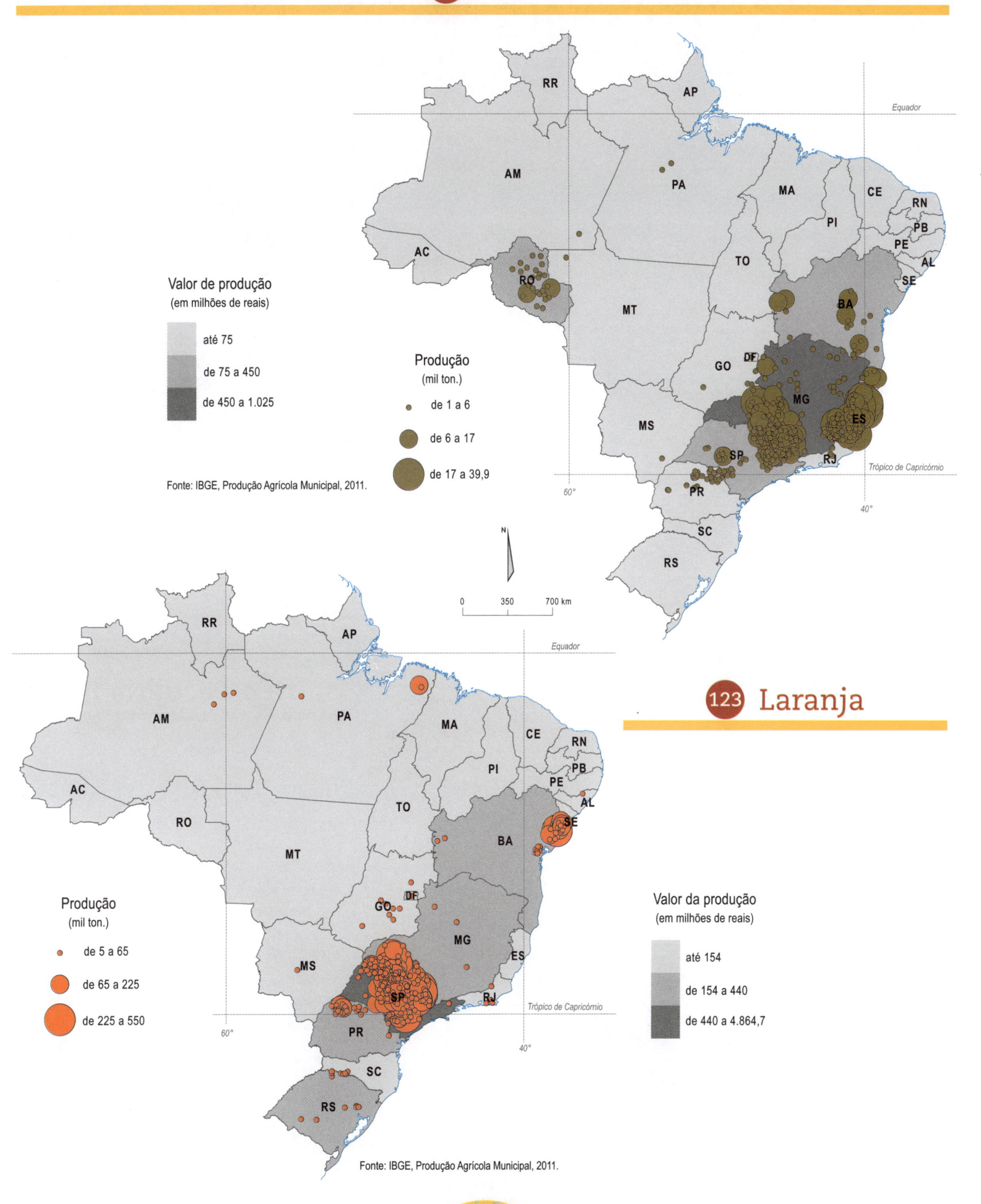

Valor de produção
(em milhões de reais)
- até 75
- de 75 a 450
- de 450 a 1.025

Produção
(mil ton.)
- de 1 a 6
- de 6 a 17
- de 17 a 39,9

Fonte: IBGE, Produção Agrícola Municipal, 2011.

123 Laranja

Produção
(mil ton.)
- de 5 a 65
- de 65 a 225
- de 225 a 550

Valor da produção
(em milhões de reais)
- até 154
- de 154 a 440
- de 440 a 4.864,7

Fonte: IBGE, Produção Agrícola Municipal, 2011.

121

Atlas Geográfico do Brasil

124 Pecuária I

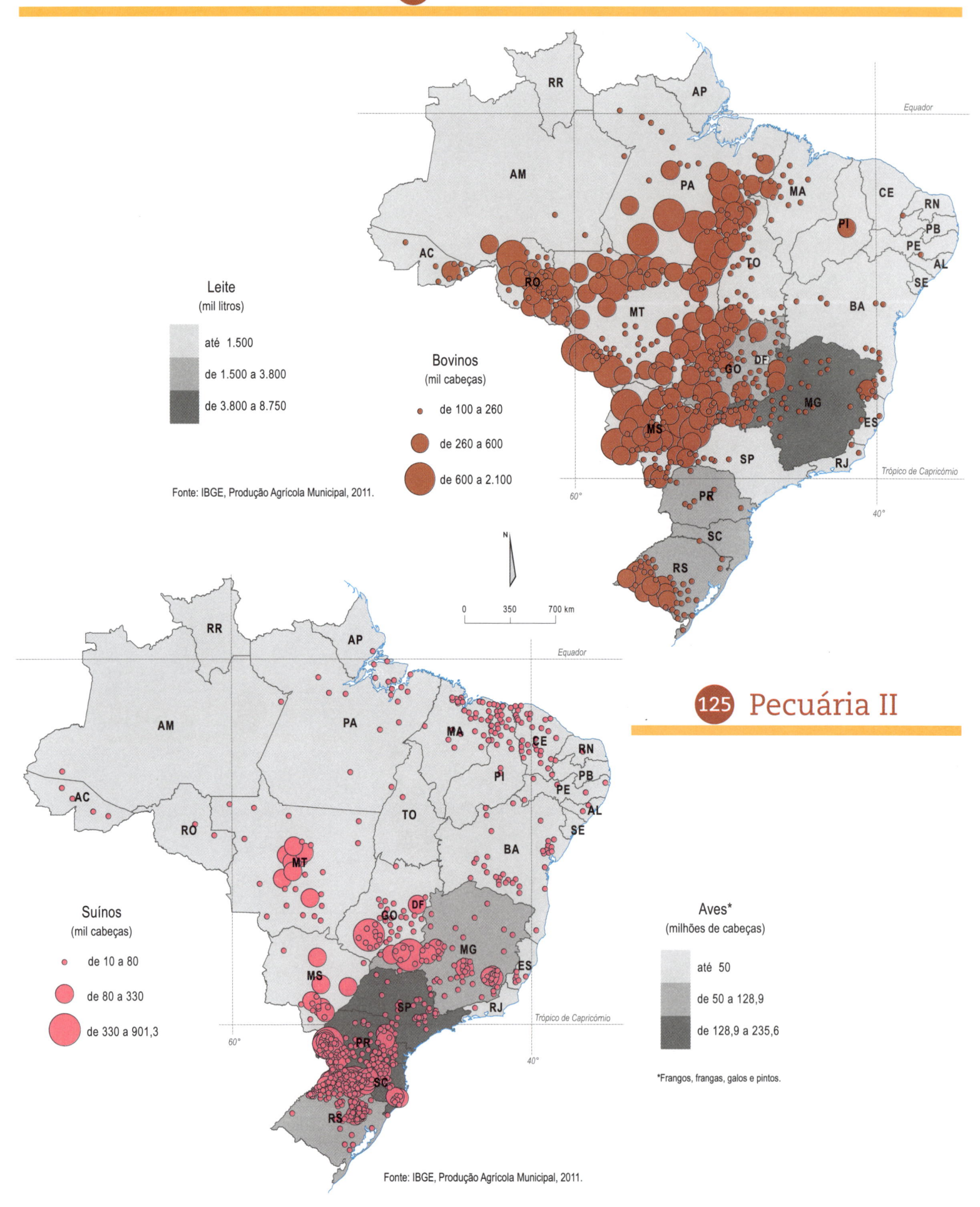

Leite
(mil litros)
- até 1.500
- de 1.500 a 3.800
- de 3.800 a 8.750

Bovinos
(mil cabeças)
- de 100 a 260
- de 260 a 600
- de 600 a 2.100

Fonte: IBGE, Produção Agrícola Municipal, 2011.

125 Pecuária II

Suínos
(mil cabeças)
- de 10 a 80
- de 80 a 330
- de 330 a 901,3

Aves*
(milhões de cabeças)
- até 50
- de 50 a 128,9
- de 128,9 a 235,6

*Frangos, frangas, galos e pintos.

Fonte: IBGE, Produção Agrícola Municipal, 2011.

Atlas Geográfico do Brasil

126 Agronegócio

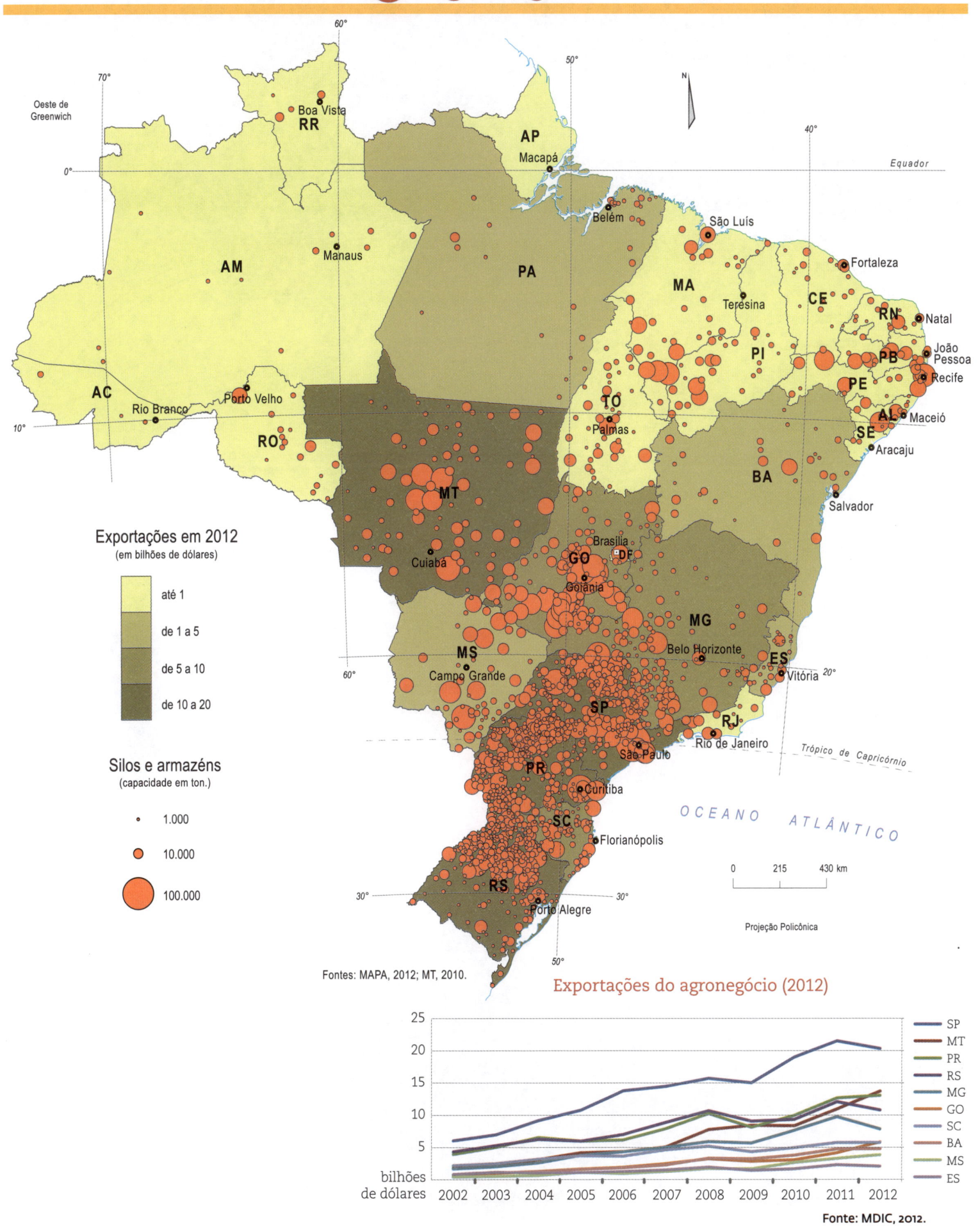

Exportações em 2012
(em bilhões de dólares)
- até 1
- de 1 a 5
- de 5 a 10
- de 10 a 20

Silos e armazéns
(capacidade em ton.)
- 1.000
- 10.000
- 100.000

Fontes: MAPA, 2012; MT, 2010.

Projeção Policônica

Exportações do agronegócio (2012)

Legenda: SP, MT, PR, RS, MG, GO, SC, BA, MS, ES

Eixo Y: bilhões de dólares (0 a 25)
Eixo X: 2002 a 2012

Fonte: MDIC, 2012.

127 Maiores parceiros comerciais

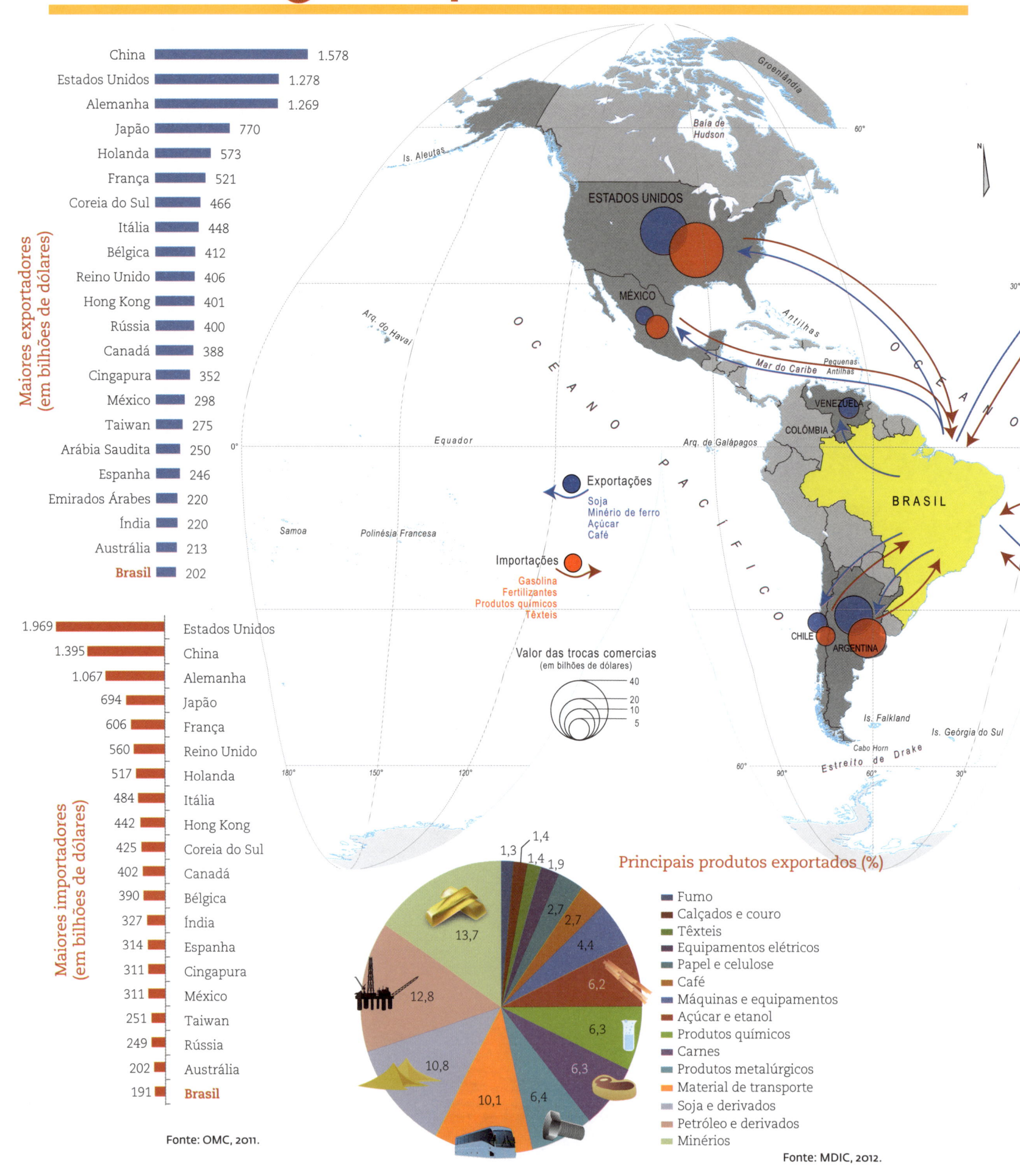

Maiores exportadores (em bilhões de dólares)

China	1.578
Estados Unidos	1.278
Alemanha	1.269
Japão	770
Holanda	573
França	521
Coreia do Sul	466
Itália	448
Bélgica	412
Reino Unido	406
Hong Kong	401
Rússia	400
Canadá	388
Cingapura	352
México	298
Taiwan	275
Arábia Saudita	250
Espanha	246
Emirados Árabes	220
Índia	220
Austrália	213
Brasil	202

Maiores importadores (em bilhões de dólares)

1.969	Estados Unidos
1.395	China
1.067	Alemanha
694	Japão
606	França
560	Reino Unido
517	Holanda
484	Itália
442	Hong Kong
425	Coreia do Sul
402	Canadá
390	Bélgica
327	Índia
314	Espanha
311	Cingapura
311	México
251	Taiwan
249	Rússia
202	Austrália
191	Brasil

Fonte: OMC, 2011.

Exportações: Soja, Minério de ferro, Açúcar, Café

Importações: Gasolina, Fertilizantes, Produtos químicos, Têxteis

Valor das trocas comerciais (em bilhões de dólares): 40, 20, 10, 5

Principais produtos exportados (%)

- Fumo — 1,3
- Calçados e couro — 1,4
- Têxteis — 1,4
- Equipamentos elétricos — 1,9
- Papel e celulose — 2,7
- Café — 2,7
- Máquinas e equipamentos — 4,4
- Açúcar e etanol — 6,2
- Produtos químicos — 6,3
- Carnes — 6,3
- Produtos metalúrgicos — 6,4
- Material de transporte — 10,1
- Soja e derivados — 10,8
- Petróleo e derivados — 12,8
- Minérios — 13,7

Fonte: MDIC, 2012.

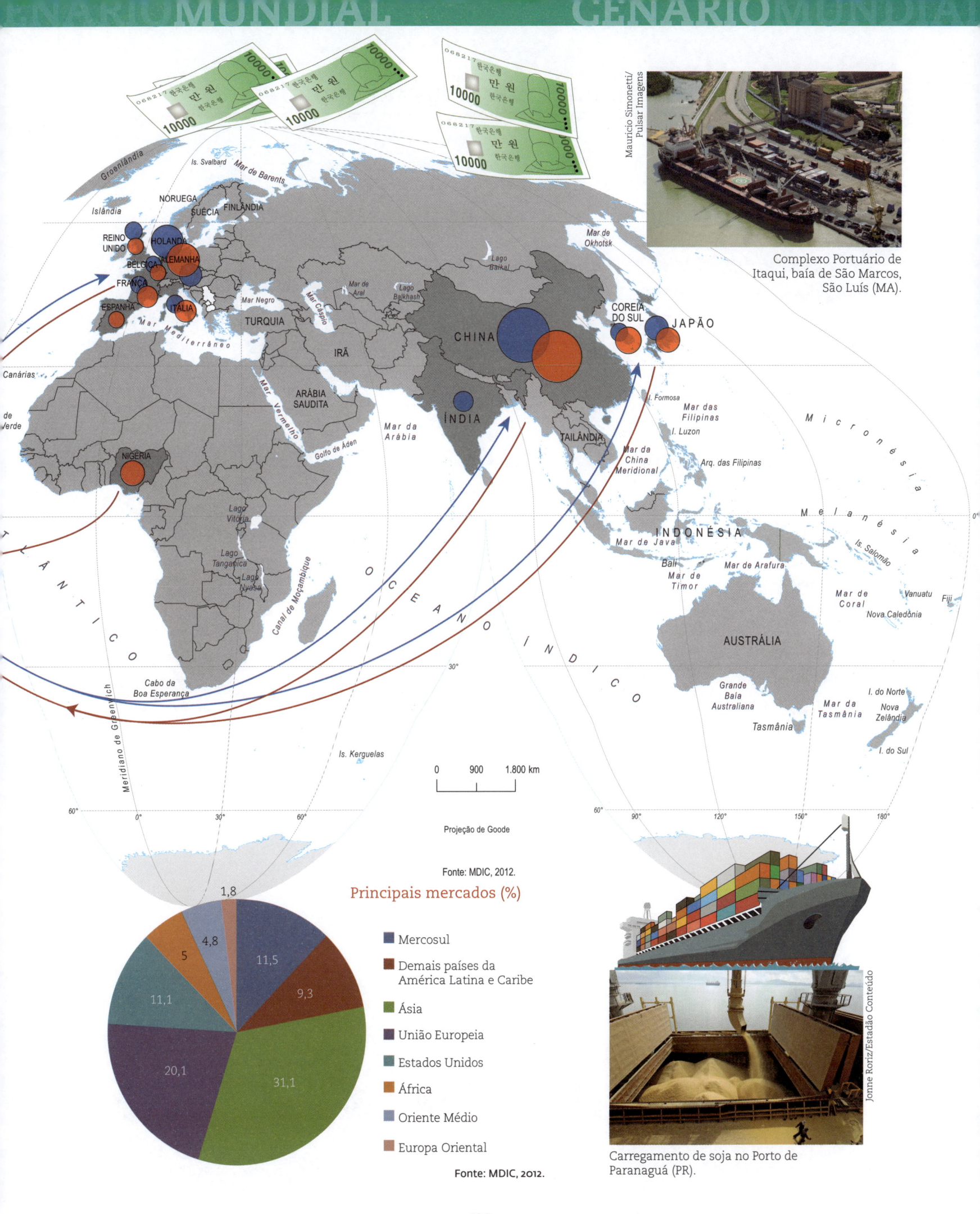

Complexo Portuário de Itaqui, baía de São Marcos, São Luís (MA).

Projeção de Goode

Fonte: MDIC, 2012.

Principais mercados (%)

- Mercosul — 11,5
- Demais países da América Latina e Caribe — 9,3
- Ásia — 31,1
- União Europeia — 20,1
- Estados Unidos — 11,1
- África — 5
- Oriente Médio — 4,8
- Europa Oriental — 1,8

Fonte: MDIC, 2012.

Carregamento de soja no Porto de Paranaguá (PR).

128 Produto interno bruto mundial

PIB per capita em 2011 (em dólares)

Noruega	99.557,73
Catar	90.523,53
Suíça	79.052,34
Austrália	67.035,57
Kuwait	56.514,16
Dinamarca	56.210,23
Suécia	55.244,65
Canadá	52.218,99
Estados Unidos	49.965,27
Áustria	47.226,20
Japão	46.720,36
Finlândia	46.178,59
Holanda	46.054,41
Irlanda	45.835,75
Bélgica	43.412,53
Islândia	42.658,40
Alemanha	41.514,17
Emirados Árabes	40.363,16
França	39.771,84
Reino Unido	38.514,46
Brasil	11.339,52

Fonte: Banco Mundial, 2012.

PIB dos países selecionados (em bilhões de dólares)

- de 10.000 a 15.000
- de 6.000 a 10.000
- de 3.000 a 6.000
- de 2.000 a 3.000
- de 1.000 a 2.000
- de 500 a 1.000
- de 250 a 500
- até 250

PIB em 2011 (trilhões de dólares)

Estados Unidos	15.0
China	7.3
Japão	5.9
Alemanha	3.6
França	2.8
Brasil	2.6
Reino Unido	2.5
Itália	2.2
Índia	1.9
Rússia	1.9

Fonte: Banco Mundial, 2012.

CENÁRIO MUNDIAL

Fonte: Banco Mundial, 2012.

Projeção de Goode

Taxa de investimento em 2012

% do PIB

China | Índia | Indonésia | Coreia do Sul | Austrália | Chile | Peru | México | Canadá | Rússia | África do Sul | Japão | França | Brasil

Fonte: Fundo Monetário Internacional, 2013.

Atlas Geográfico do Brasil

129 Produto interno do Brasil

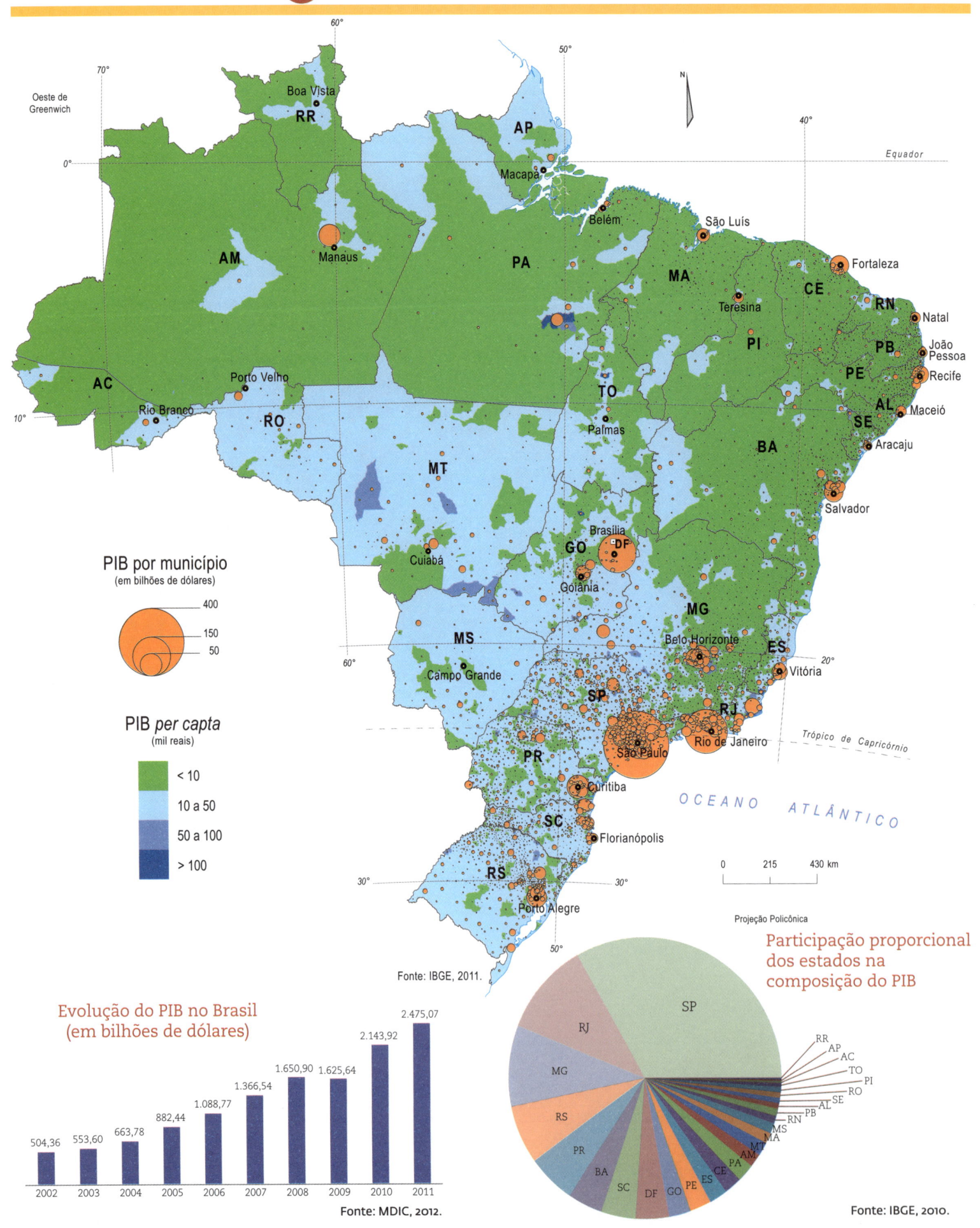

PIB por município
(em bilhões de dólares)
- 400
- 150
- 50

PIB per capta
(mil reais)
- < 10
- 10 a 50
- 50 a 100
- > 100

Fonte: IBGE, 2011.

Projeção Policônica

Evolução do PIB no Brasil
(em bilhões de dólares)

Ano	Valor
2002	504,36
2003	553,60
2004	663,78
2005	882,44
2006	1.088,77
2007	1.366,54
2008	1.650,90
2009	1.625,64
2010	2.143,92
2011	2.475,07

Fonte: MDIC, 2012.

Participação proporcional dos estados na composição do PIB

Fonte: IBGE, 2010.

Atlas Geográfico do Brasil

130 Mercosul

Trata-se de uma zona de livre comércio e de uma união aduaneira em fase de consolidação, cujo objetivo é a formação de um mercado comum.

Fluxos comerciais do Brasil com países do Mercosul (2012):
- Brasil ↔ Venezuela: US$ 1,3 bilhão (importações) / US$ 4,6 bilhões (exportações)
- Brasil ↔ Argentina: US$ 17,34 bilhões (importações) / US$ 22,71 bilhões (exportações)
- Brasil ↔ Paraguai: US$ 782 milhões (importações) / US$ 3 bilhões (exportações)
- Brasil ↔ Uruguai: US$ 1,83 bilhão (importações) / US$ 2,2 bilhões (exportações)

Legenda:
- Exportações (azul)
- Importações (vermelho)

Países membros:
- Plenos
- Associados
- Convidados

Fonte: MDIC, 2013

Balança comercial do Brasil com o Mercosul*

(bilhões de dólares, 2002–2012)

- Exportações
- Importações
- Saldo

*Argentina, Paraguai e Uruguai

Fonte: MDIC, 2013.

Projeção de Goode

131 Regiões turísticas

RORAIMA
O Extremo Norte do Brasil
Roraima, a Savana Amazônica
Águas e Florestas da Linha do Equador

AMAPÁ
Polo Meio do Mundo
Polo Pororoca
Polo Extremo Norte
Polo Castanhais
Polo Tumucumaque

AMAZONAS
Polo Rio Negro e Solimões
Polo Amazônico
Polo Uatumã
Polo Sateré
Polo Madeira
Polo Alto Solimões
Polo Alto Rio Negro

PARÁ
Polo Belém
Polo Marajó
Polo Tapajós
Polo Araguaia - Tocantins
Polo Amazônia Atlântica
Polo Xingu

TOCANTINS
Bico do Papagaio
Vale dos Grandes Rios
Serras e Lago
Encantos do Jalapão
Serras Gerais
Lagos e Praias do Cantão
Ilha do Bananal

ACRE
Região Turística Vale do Acre
Região Turística Vale do Juruá

RONDÔNIA
Polo de Agronegócios/Caminho das Águas
Polo de Ecoturismo do Guaporé
Polo Pérola do Mamoré
Polo Madeira-Mamoré

MATO GROSSO
Vale do São Lourenço
Pantanal Mato-Grossense
Nascentes Platina Amazônica
Vale do Teles Pires
Portal da Amazônia
Rota dos Ipês e das Águas
Vale do Guaporé
Águas do Vale do Cabaçal
Cristalino
Alto Araguaia
Médio Araguaia
Baixo Araguaia

DISTRITO FEDERAL
Brasília - Patrimônio Cultural da Humanidade

GOIÁS
Região das Águas
Região Nascentes do Oeste
Região Agroecológica
Região do Ouro
Região da Reserva da Biosfera Goyaz
Região dos Engenhos
Região do Vale da Serra da Mesa
Região do Vale do Araguaia

MATO GROSSO DO SUL
Caminho dos Ipês
Pantanal
Bonito / Serra da Bodoquena
Rota Norte
Caminhos da Fronteira
Vale do Aporé
Conesul
Vale das Águas

Fonte: Ministério do Turismo, 2009.

Cidade de Olinda (PE). — Fabio Colombini

Chapada dos Guimarães (MT). — Mario Friedlander/Pulsar Imagens

Esculturas de Edgard de Souza no Parque Inhotim, Brumadinho (MG). — Zig Koch

Estrada de Ferro Curitiba-Paranaguá (PR). — Zig Koch

Cidade de Ouro Preto (MG).

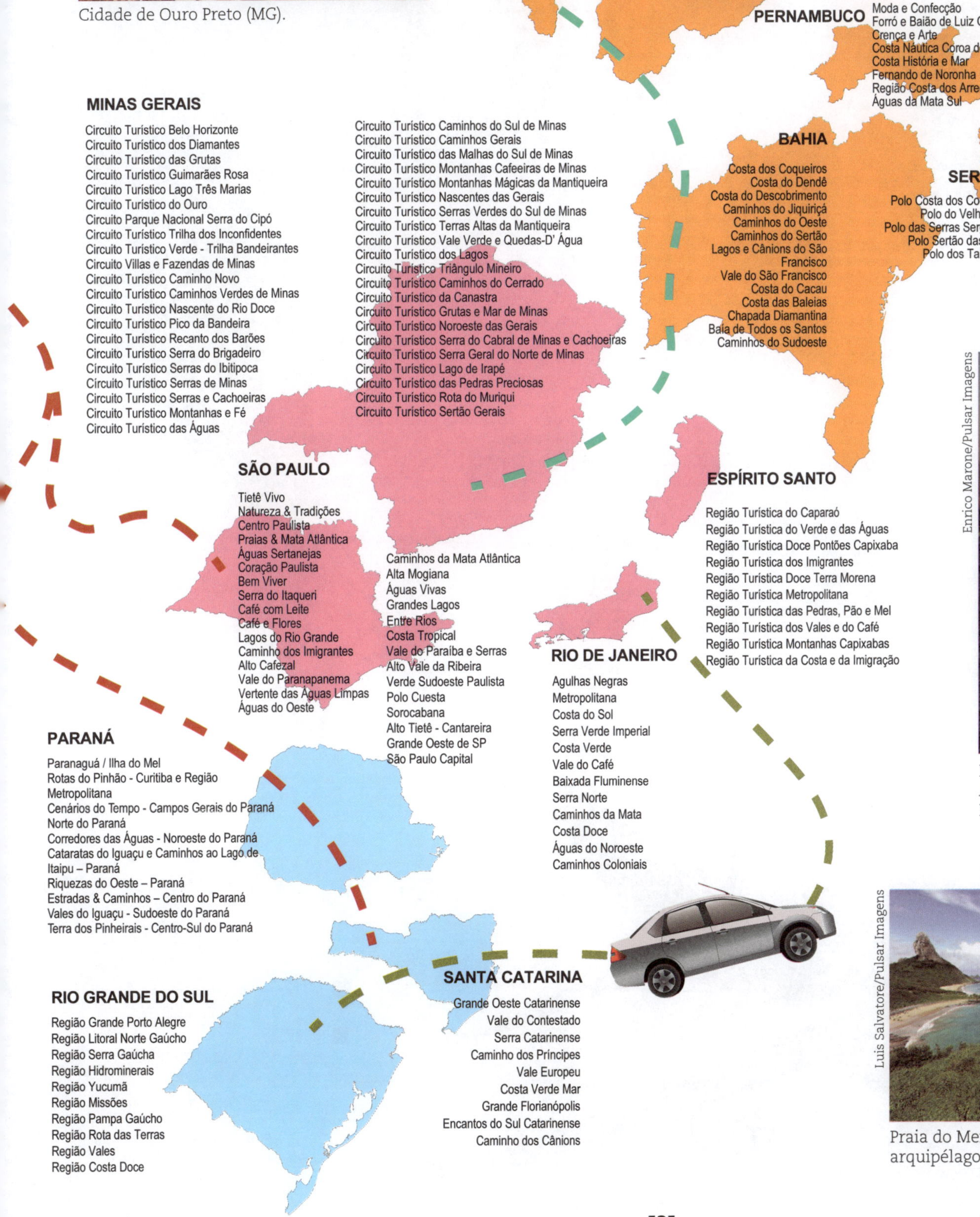

MARANHÃO
- Polo São Luís
- Lençóis Maranhenses
- Delta das Américas
- Floresta dos Guarás
- Chapada das Mesas
- Lagos e Campos Floridos
- Região dos Cocais
- Polo Amazônia Maranhense
- Polo do Munim

PIAUÍ
- Polo Costa do Delta
- Polo das Águas
- Polo Teresina
- Polo Histórico-Cultural
- Polo Aventura e Mistério
- Polo das Origens
- Polo das Nascentes

CEARÁ
- Fortaleza
- Litoral Leste
- Litoral Oeste
- Cariri
- Serras de Aratanha e Baturité
- Serra da Ibiapaba
- Vale do Acaraú
- Sertão Central
- Litoral Extremo Oeste

RIO GRANDE DO NORTE
- Polo Costa das Dunas
- Polo Costa Branca
- Polo Seridó
- Polo Serrano
- Polo Agreste/Traíri

PARAÍBA
- Região Turística do Litoral
- Região Turística do Agreste
- Região Turística do Brejo
- Região Turística do Cariri
- Região Turística Vales dos Sertões
- Região Turística Seridó
- Região Turística Vale dos Dinossauros
- Região Turística Vale das Águas
- Região Zona da Mata
- Engenhos e Maracatus
- Cangaço e Lampião
- Território da Poesia e da Cantoria
- Vinho - Vale do São Francisco
- Ilhas e Lagos do São Francisco
- Encostas da Chapada do Araripe

PERNAMBUCO
- Moda e Confecção
- Forró e Baião de Luiz Gonzaga
- Crença e Arte
- Costa Náutica Coroa do Avião
- Costa História e Mar
- Fernando de Noronha
- Região Costa dos Arrecifes
- Águas da Mata Sul

BAHIA
- Costa dos Coqueiros
- Costa do Dendê
- Costa do Descobrimento
- Caminhos do Jiquiriçá
- Caminhos do Oeste
- Caminhos do Sertão
- Lagos e Cânions do São Francisco
- Vale do São Francisco
- Costa do Cacau
- Costa das Baleias
- Chapada Diamantina
- Baía de Todos os Santos
- Caminhos do Sudoeste

SERGIPE
- Polo Costa dos Coqueirais
- Polo do Velho Chico
- Polo das Serras Sergipanas
- Polo Sertão das Águas
- Polo dos Tabuleiros

ALAGOAS
- Região do Sertão Alagoano
- Caminhos do São Francisco
- Região Celeiro das Tradições
- Região dos Quilombos
- Região Costa dos Corais
- Região Metropolitana
- Região das Lagoas e Mares do Sul

MINAS GERAIS
- Circuito Turístico Belo Horizonte
- Circuito Turístico dos Diamantes
- Circuito Turístico das Grutas
- Circuito Turístico Guimarães Rosa
- Circuito Turístico Lago Três Marias
- Circuito Turístico do Ouro
- Circuito Parque Nacional Serra do Cipó
- Circuito Turístico Trilha dos Inconfidentes
- Circuito Turístico Verde - Trilha Bandeirantes
- Circuito Villas e Fazendas de Minas
- Circuito Turístico Caminho Novo
- Circuito Turístico Caminhos Verdes de Minas
- Circuito Turístico Nascente do Rio Doce
- Circuito Turístico Pico da Bandeira
- Circuito Turístico Recanto dos Barões
- Circuito Turístico Serra do Brigadeiro
- Circuito Turístico Serras do Ibitipoca
- Circuito Turístico Serras de Minas
- Circuito Turístico Serras e Cachoeiras
- Circuito Turístico Montanhas e Fé
- Circuito Turístico das Águas
- Circuito Turístico Caminhos do Sul de Minas
- Circuito Turístico Caminhos Gerais
- Circuito Turístico das Malhas do Sul de Minas
- Circuito Turístico Montanhas Cafeeiras de Minas
- Circuito Turístico Montanhas Mágicas da Mantiqueira
- Circuito Turístico Nascentes das Gerais
- Circuito Turístico Serras Verdes do Sul de Minas
- Circuito Turístico Terras Altas da Mantiqueira
- Circuito Turístico Vale Verde e Quedas-D'Água
- Circuito Turístico dos Lagos
- Circuito Turístico Triângulo Mineiro
- Circuito Turístico Caminhos do Cerrado
- Circuito Turístico da Canastra
- Circuito Turístico Grutas e Mar de Minas
- Circuito Turístico Noroeste das Gerais
- Circuito Turístico Serra do Cabral de Minas e Cachoeiras
- Circuito Turístico Serra Geral do Norte de Minas
- Circuito Turístico Lago de Irapé
- Circuito Turístico das Pedras Preciosas
- Circuito Turístico Rota do Muriqui
- Circuito Turístico Sertão Gerais

SÃO PAULO
- Tietê Vivo
- Natureza & Tradições
- Centro Paulista
- Praias & Mata Atlântica
- Águas Sertanejas
- Coração Paulista
- Bem Viver
- Serra do Itaqueri
- Café com Leite
- Café e Flores
- Lagos do Rio Grande
- Caminho dos Imigrantes
- Alto Cafezal
- Vale do Paranapanema
- Vertente das Águas Limpas
- Águas do Oeste
- Caminhos da Mata Atlântica
- Alta Mogiana
- Águas Vivas
- Grandes Lagos
- Entre Rios
- Costa Tropical
- Vale do Paraíba e Serras
- Alto Vale da Ribeira
- Verde Sudoeste Paulista
- Polo Cuesta
- Sorocabana
- Alto Tietê - Cantareira
- Grande Oeste de SP
- São Paulo Capital

ESPÍRITO SANTO
- Região Turística do Caparaó
- Região Turística do Verde e das Águas
- Região Turística Doce Pontões Capixaba
- Região Turística dos Imigrantes
- Região Turística Doce Terra Morena
- Região Turística Metropolitana
- Região Turística das Pedras, Pão e Mel
- Região Turística dos Vales e do Café
- Região Turística Montanhas Capixabas
- Região Turística da Costa e da Imigração

RIO DE JANEIRO
- Agulhas Negras
- Metropolitana
- Costa do Sol
- Serra Verde Imperial
- Costa Verde
- Vale do Café
- Baixada Fluminense
- Serra Norte
- Caminhos da Mata
- Costa Doce
- Águas do Noroeste
- Caminhos Coloniais

PARANÁ
- Paranaguá / Ilha do Mel
- Rotas do Pinhão - Curitiba e Região Metropolitana
- Cenários do Tempo - Campos Gerais do Paraná
- Norte do Paraná
- Corredores das Águas - Noroeste do Paraná
- Cataratas do Iguaçu e Caminhos ao Lago de Itaipu – Paraná
- Riquezas do Oeste – Paraná
- Estradas & Caminhos – Centro do Paraná
- Vales do Iguaçu - Sudoeste do Paraná
- Terra dos Pinheirais - Centro-Sul do Paraná

SANTA CATARINA
- Grande Oeste Catarinense
- Vale do Contestado
- Serra Catarinense
- Caminho dos Príncipes
- Vale Europeu
- Costa Verde Mar
- Grande Florianópolis
- Encantos do Sul Catarinense
- Caminho dos Cânions

RIO GRANDE DO SUL
- Região Grande Porto Alegre
- Região Litoral Norte Gaúcho
- Região Serra Gaúcha
- Região Hidrominerais
- Região Yucumã
- Região Missões
- Região Pampa Gaúcho
- Região Rota das Terras
- Região Vales
- Região Costa Doce

Praia da Ondina e Forte de Santo Antônio da Barra (o Farol da Barra), Salvador (BA).

Praia do Meio, ao fundo Morro do Pico, arquipélago de Fernando de Noronha (PE).

132 Fluxo turístico internacional

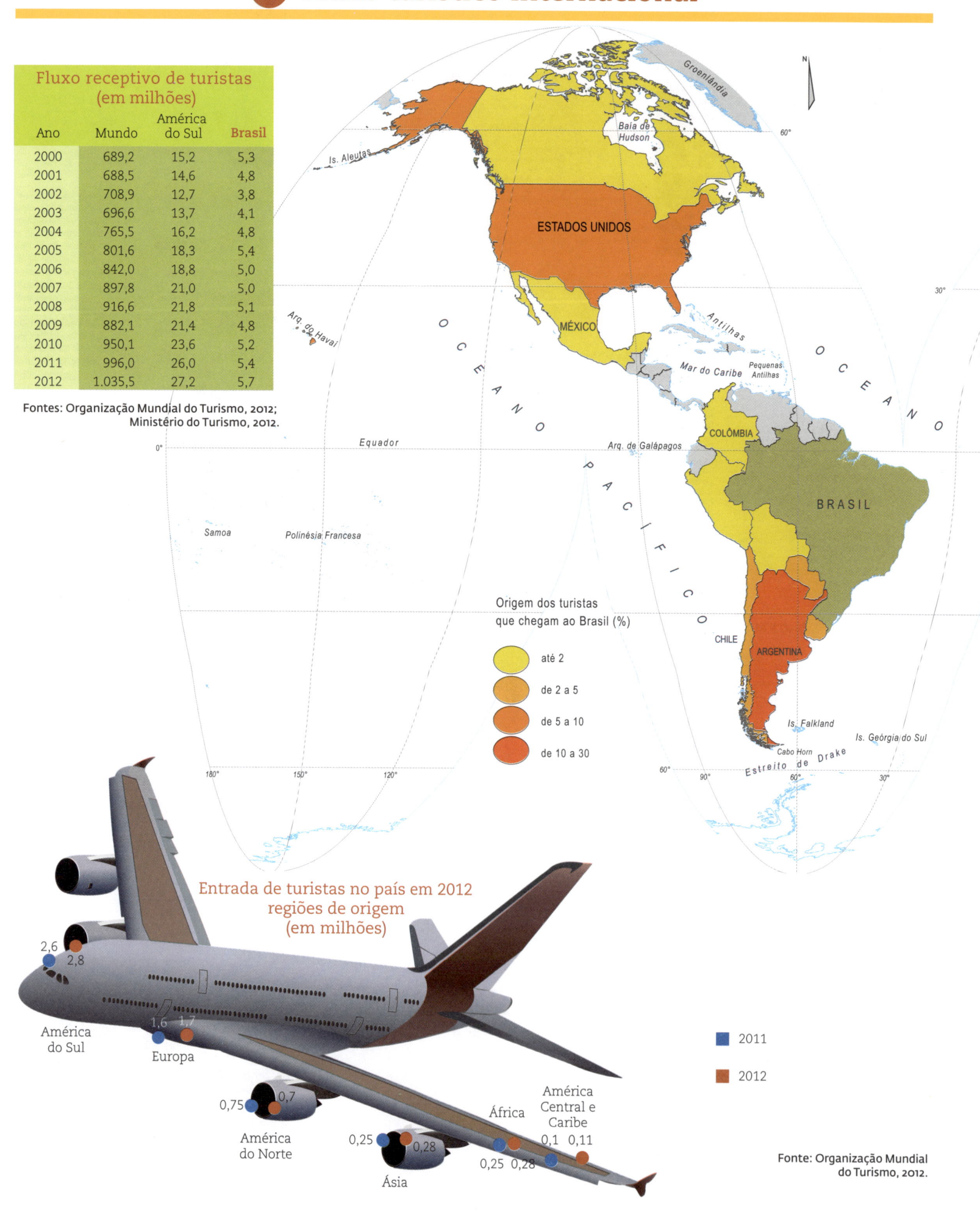

Fluxo receptivo de turistas (em milhões)

Ano	Mundo	América do Sul	Brasil
2000	689,2	15,2	5,3
2001	688,5	14,6	4,8
2002	708,9	12,7	3,8
2003	696,6	13,7	4,1
2004	765,5	16,2	4,8
2005	801,6	18,3	5,4
2006	842,0	18,8	5,0
2007	897,8	21,0	5,0
2008	916,6	21,8	5,1
2009	882,1	21,4	4,8
2010	950,1	23,6	5,2
2011	996,0	26,0	5,4
2012	1.035,5	27,2	5,7

Fontes: Organização Mundial do Turismo, 2012; Ministério do Turismo, 2012.

Origem dos turistas que chegam ao Brasil (%)
- até 2
- de 2 a 5
- de 5 a 10
- de 10 a 30

Entrada de turistas no país em 2012 regiões de origem (em milhões)

- América do Sul: 2,6 (2011); 2,8 (2012)
- Europa: 1,6 (2011); 1,7 (2012)
- América do Norte: 0,75 (2011); 0,7 (2012)
- Ásia: 0,25 (2011); 0,28 (2012)
- África: 0,25 (2011); 0,28 (2012)
- América Central e Caribe: 0,1 (2011); 0,11 (2012)

■ 2011
■ 2012

Fonte: Organização Mundial do Turismo, 2012.

Fonte: Organização Mundial do Turismo, 2012

Principais países receptores de turistas (em milhões de visitantes)

- 83,0 França
- 62,7 EUA
- 57,7 China
- 57,7 Espanha
- 46,4 Itália
- 35,7 Turquia
- 30,4 Alemanha
- 29,3 Reino Unido
- 25,7 Rússia
- 25,0 Malásia
- 24,2 Áustria
- 23,8 Hong Kong (China)
- 23,1 México
- 23,0 Ucrânia
- 23,0 Tailândia
- 5,7 Brasil

Fonte: Organização Mundial do Turismo, 2012.

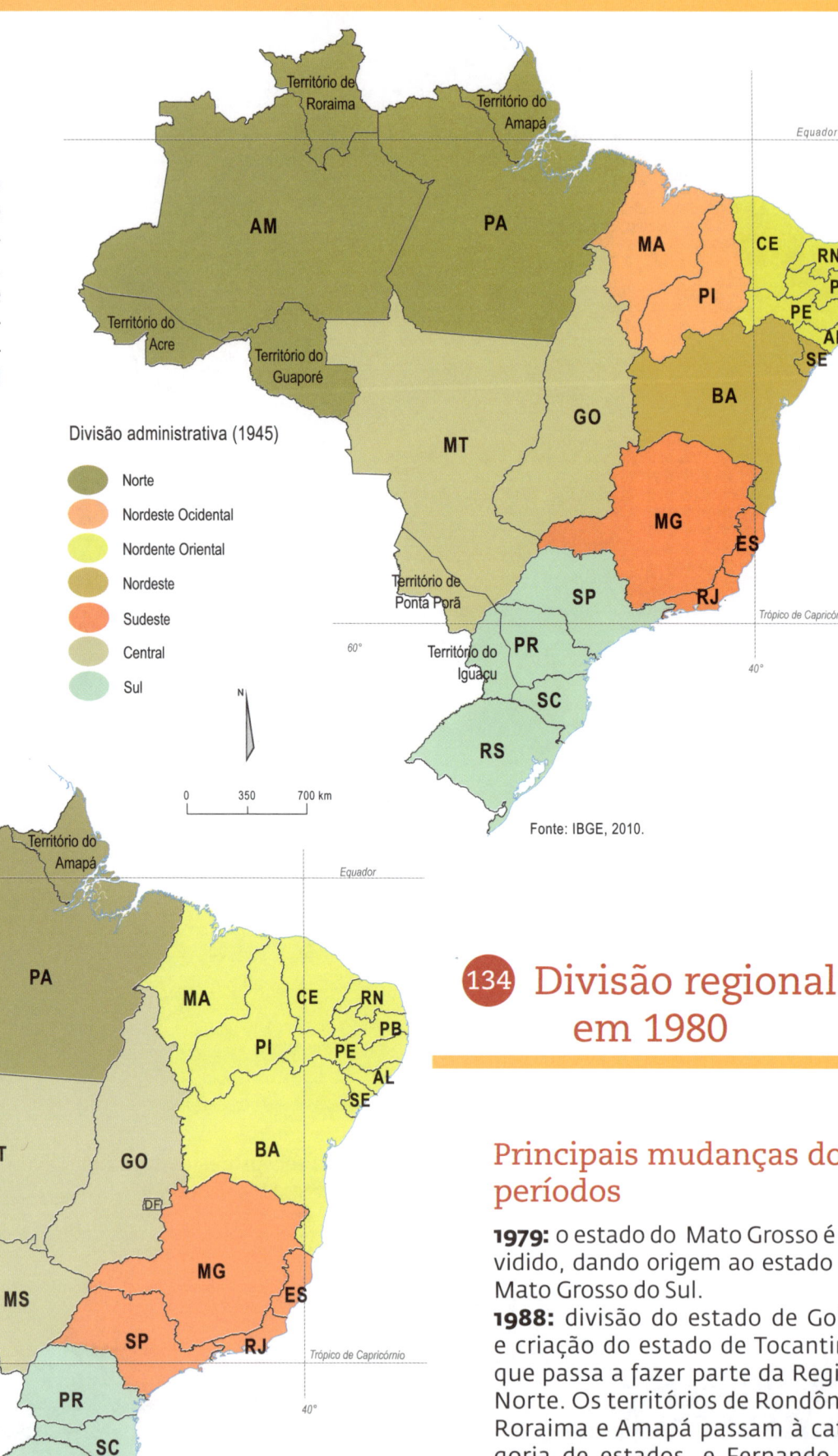

133 Divisão regional em 1945

Principais mudanças dos períodos

1946: os territórios federais do Iguaçu e Ponta Porã são extintos e incorporados aos estados do Paraná e Mato Grosso, respectivamente.

1960: a construção de Brasília é concluída e o Distrito Federal, capital do país, transferido para o Centro-Oeste. O antigo Distrito Federal torna-se o estado da Guanabara.

Divisão administrativa (1945)
- Norte
- Nordeste Ocidental
- Nordente Oriental
- Nordeste
- Sudeste
- Central
- Sul

Fonte: IBGE, 2010.

134 Divisão regional em 1980

Divisão administrativa (1980)
- Norte
- Nordeste
- Centro-Oeste
- Sudeste
- Sul

Principais mudanças dos períodos

1979: o estado do Mato Grosso é dividido, dando origem ao estado do Mato Grosso do Sul.

1988: divisão do estado de Goiás e criação do estado de Tocantins, que passa a fazer parte da Região Norte. Os territórios de Rondônia, Roraima e Amapá passam à categoria de estados, e Fernando de Noronha é anexado ao estado de Pernambuco.

Fonte: IBGE, 2010.

135 Regiões administrativas em 1990

Atualmente, o Brasil está dividido, segundo o IBGE, em cinco grandes regiões. Além disso, em 1953 foi instituída a região da Amazônia Legal que congrega os sete estados da região Norte, o estado do Mato Grosso na região Centro-Oeste e parte do estado do Maranhão no Nordeste.

Regiões administrativas
- Norte
- Nordeste
- Centro-Oeste
- Sudeste
- Sul
- Amazônia Legal

Fonte: IBGE, 2011.

136 Regiões geoeconômicas

Considerando processos históricos e econômicos na formação territorial do país, Pinchas Geiger (1967) propôs que o Brasil poderia ser dividido em três regiões geoeconômicas: Centro-Sul, Nordeste e Norte (Amazônia).

Centro-Sul: é a região mais desenvolvida, possui a maior concentração populacional e maior dinamismo econômico.

Nordeste: é o território de ocupação mais antigo, onde ainda predomina um forte desequilíbrio socioeconômico.

Norte: é a região menos povoada, onde predominam grandes extensões florestadas e que por muito tempo foi considerada uma fronteira distante e isolada do restante do país.

Regiões geoeconômicas
- Norte
- Nordeste
- Centro-Sul

Fonte: Geiger, 1967.

137 Norte físico

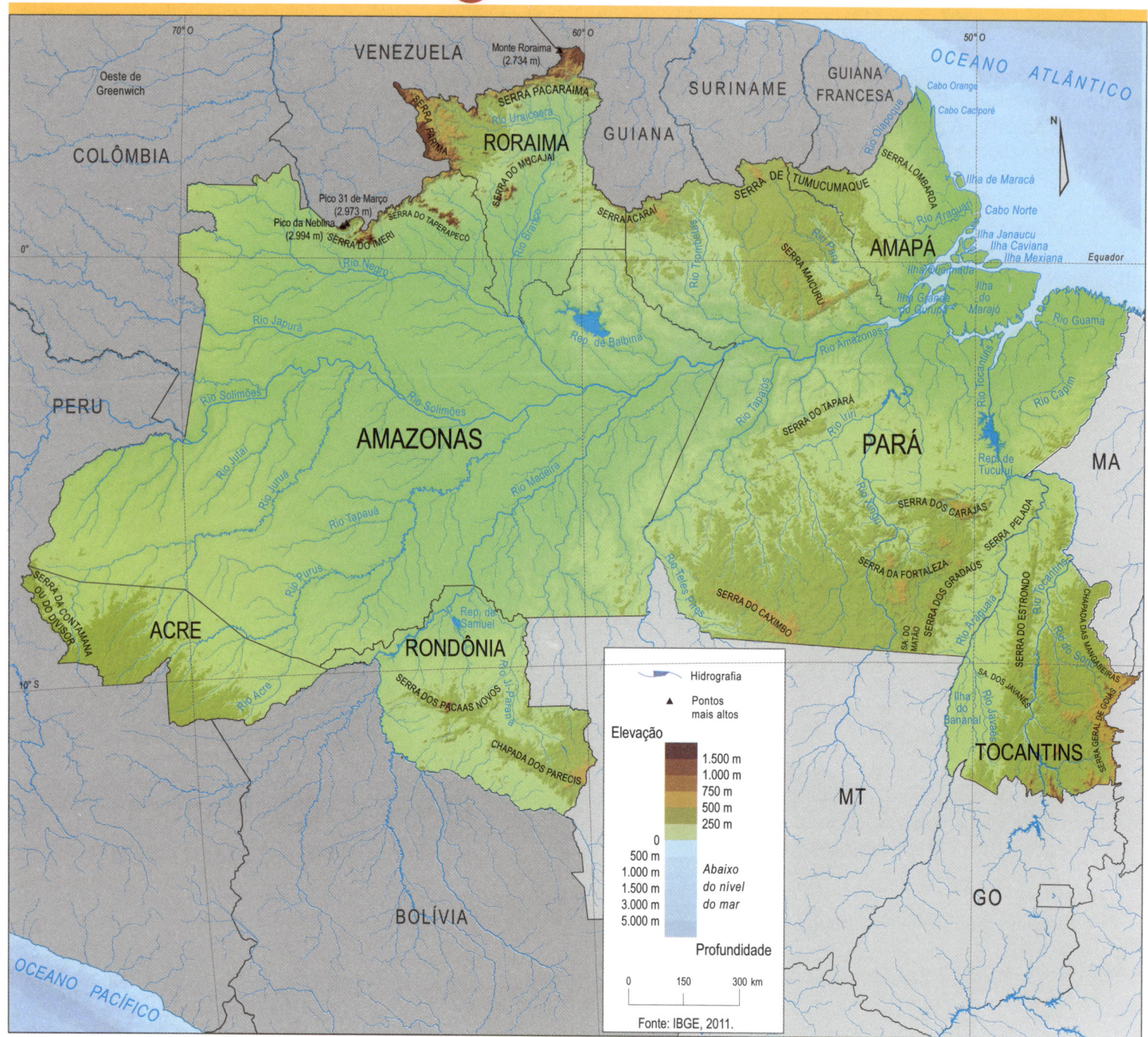

Ponte sobre o Rio Negro, Manaus (AM).

A Região Norte do país é a maior em extensão territorial, ocupando quase metade do território nacional (42,27%). Manaus e Belém são as capitais mais importantes e as áreas mais populosas. As atividades extrativas, com destaque para o setor de mineração e o avanço da agropecuária, impulsionam a economia regional. Contudo, nesse cenário de economia primária, Manaus aparece como importante polo industrial.

138 Norte político

Alter do Chão, às margens do Rio Tapajós (PA).

Secretaria de Segurança Pública, Palmas (TO).

139 Nordeste físico

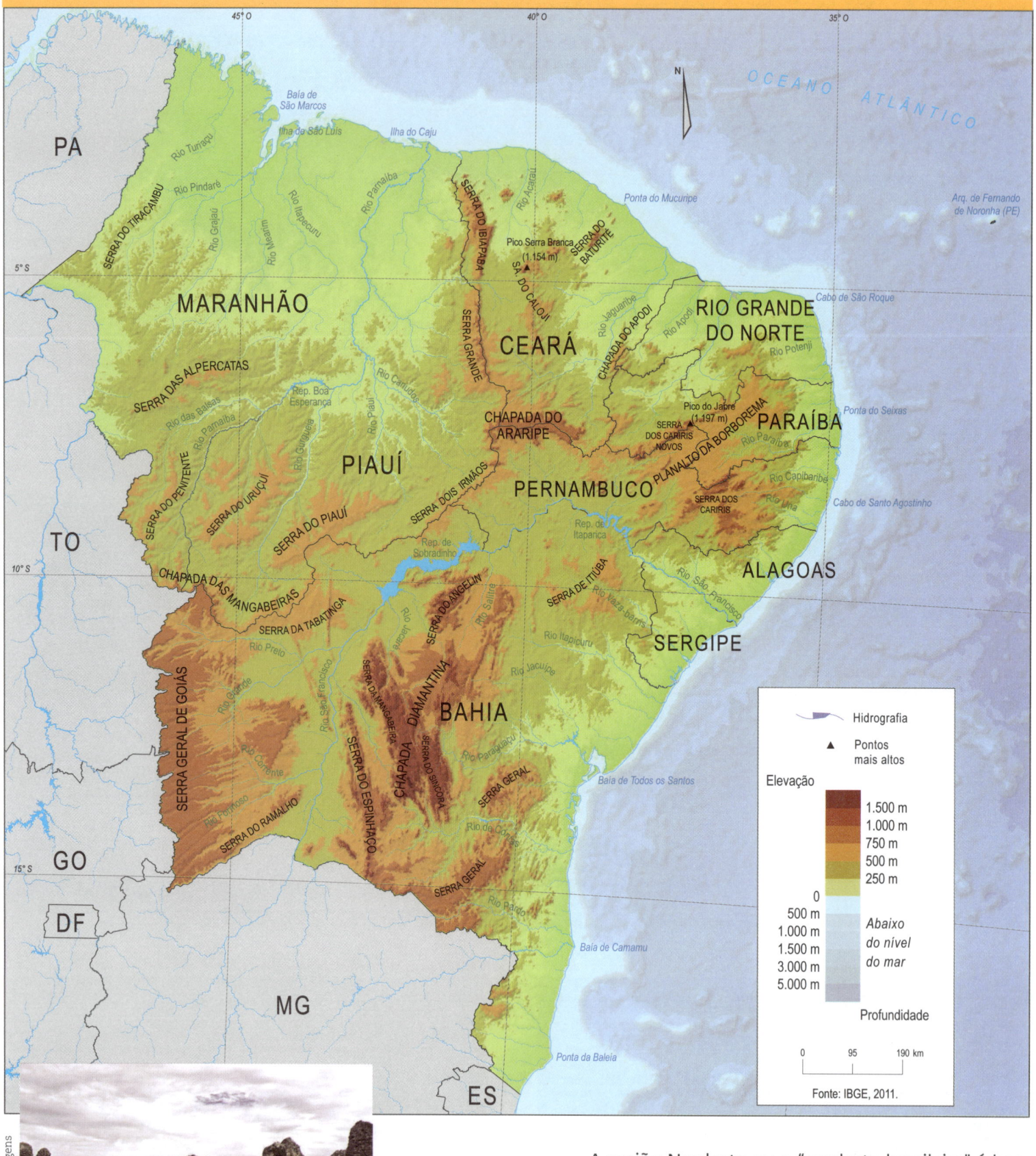

Parque Nacional de Sete Cidades (PI).

A região Nordeste ou o "nordeste brasileiro" é bastante complexo e heterogêneo, em aspectos naturais e socioeconômicos. De modo geral, as alusões à região associam-se principalmente as características do clima semiárido e das paisagens litorâneas da extensa costa oceânica. A região guarda uma imensa herança cultural que se manifesta na música, na literatura e nas artes em geral.

Atlas Geográfico do Brasil

140 Nordeste político

Convenções
- Hidrografia
- Capitais estaduais
- Cidades
- Rodovias
- Limites estaduais

0 — 71 — 142 km

Fonte: IBGE, 2011.

Ponte Juscelino Kubitschek sobre rio Poti, Teresina (PI).

Centro da cidade de Ilhéus (BA).

139

141 Centro-Oeste físico

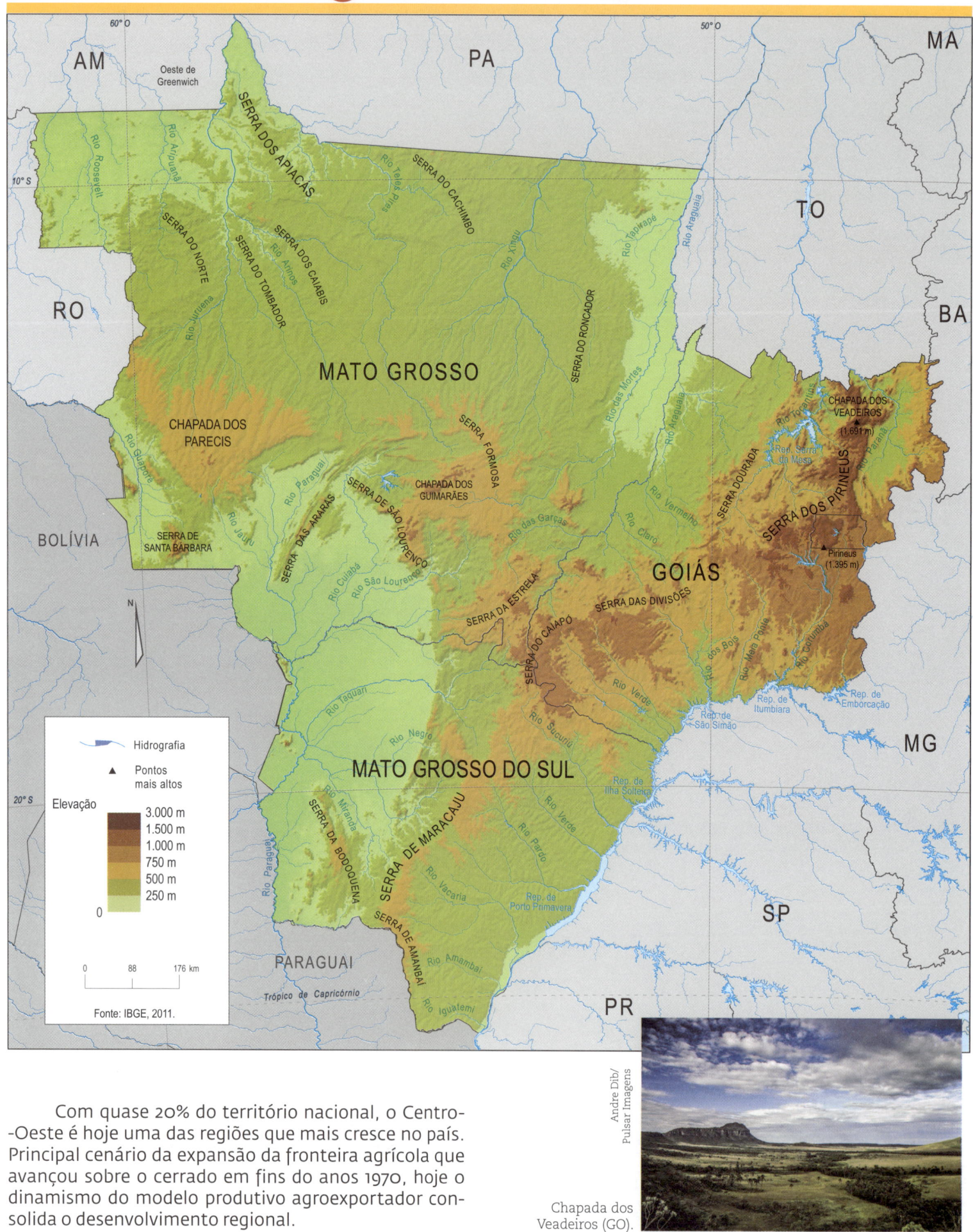

Com quase 20% do território nacional, o Centro-Oeste é hoje uma das regiões que mais cresce no país. Principal cenário da expansão da fronteira agrícola que avançou sobre o cerrado em fins do anos 1970, hoje o dinamismo do modelo produtivo agroexportador consolida o desenvolvimento regional.

Chapada dos Veadeiros (GO).

Atlas Geográfico do Brasil

142 Centro-Oeste político

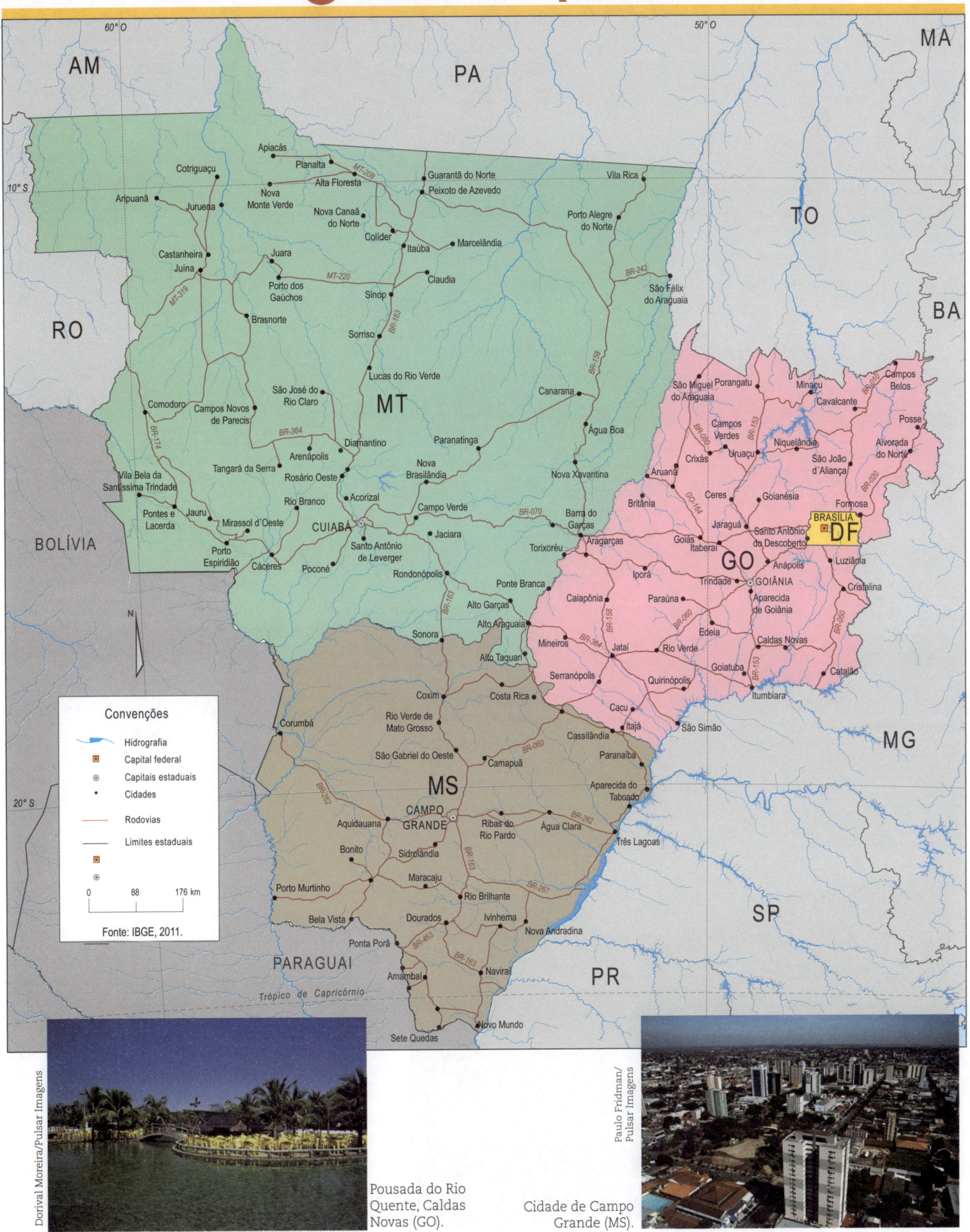

Convenções
- Hidrografia
- Capital federal
- Capitais estaduais
- Cidades
- Rodovias
- Limites estaduais

0 — 88 — 176 km

Fonte: IBGE, 2011.

Pousada do Rio Quente, Caldas Novas (GO).
Dorival Moreira/Pulsar Imagens

Cidade de Campo Grande (MS).
Paulo Fridman/Pulsar Imagens

141

143 Sudeste físico

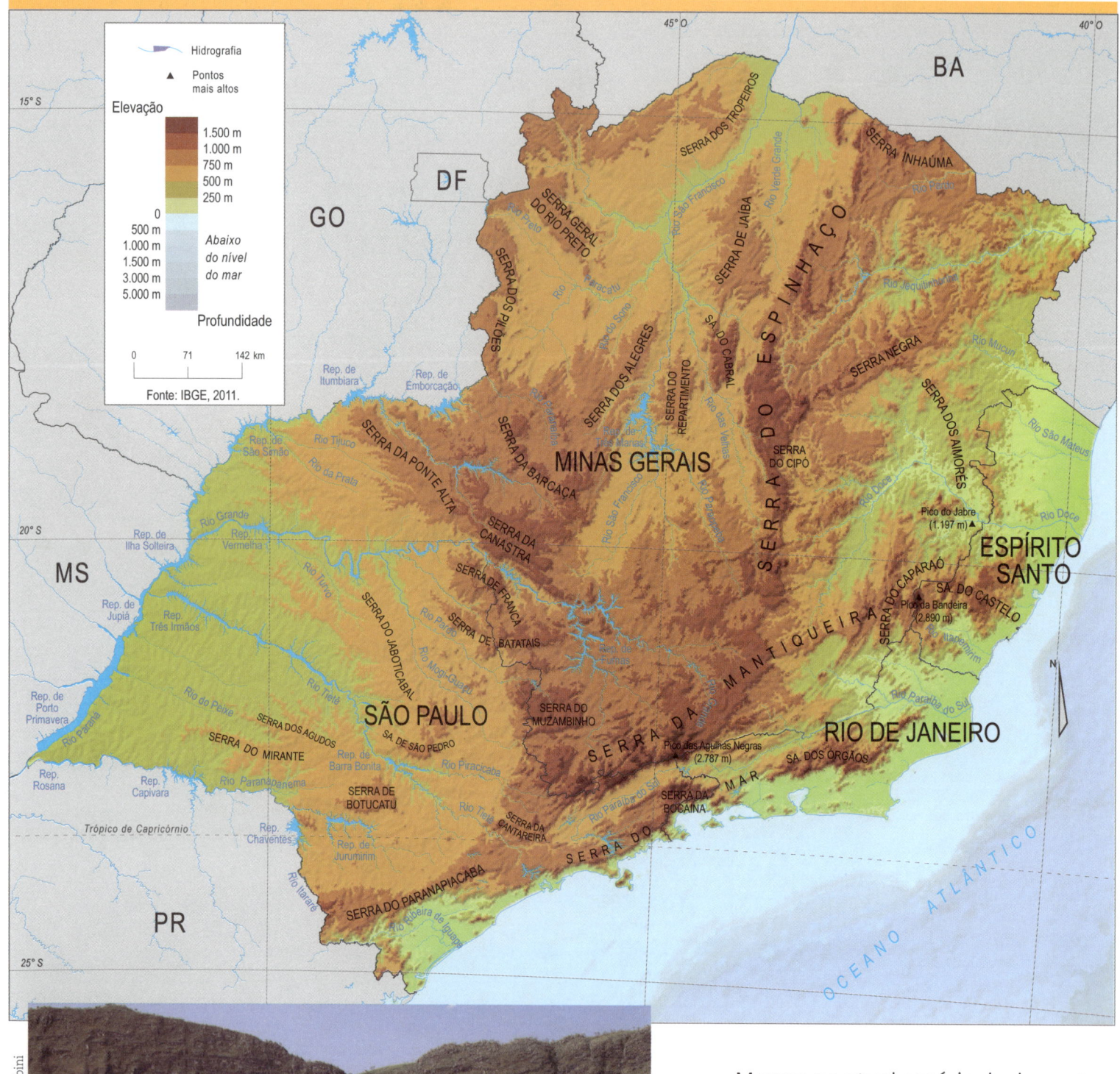

Mesmo no atual cenário de descentralização das atividades econômicas no território nacional, a região Sudeste se mantém como a mais desenvolvida e populosa, com mais de 80 milhões de habitantes. Intensamente urbanizada, a região ainda concentra a maior parte das atividades industriais e de serviços do país.

Cachoeira Casca d'Anta, Parque Nacional da Serra da Canastra (MG).

144 Sudeste político

Terminal da Petrobras (etanol), Ribeirão Preto (SP).

Praia do Canto, Vitória (ES).

Atlas Geográfico do Brasil

145 Sul físico

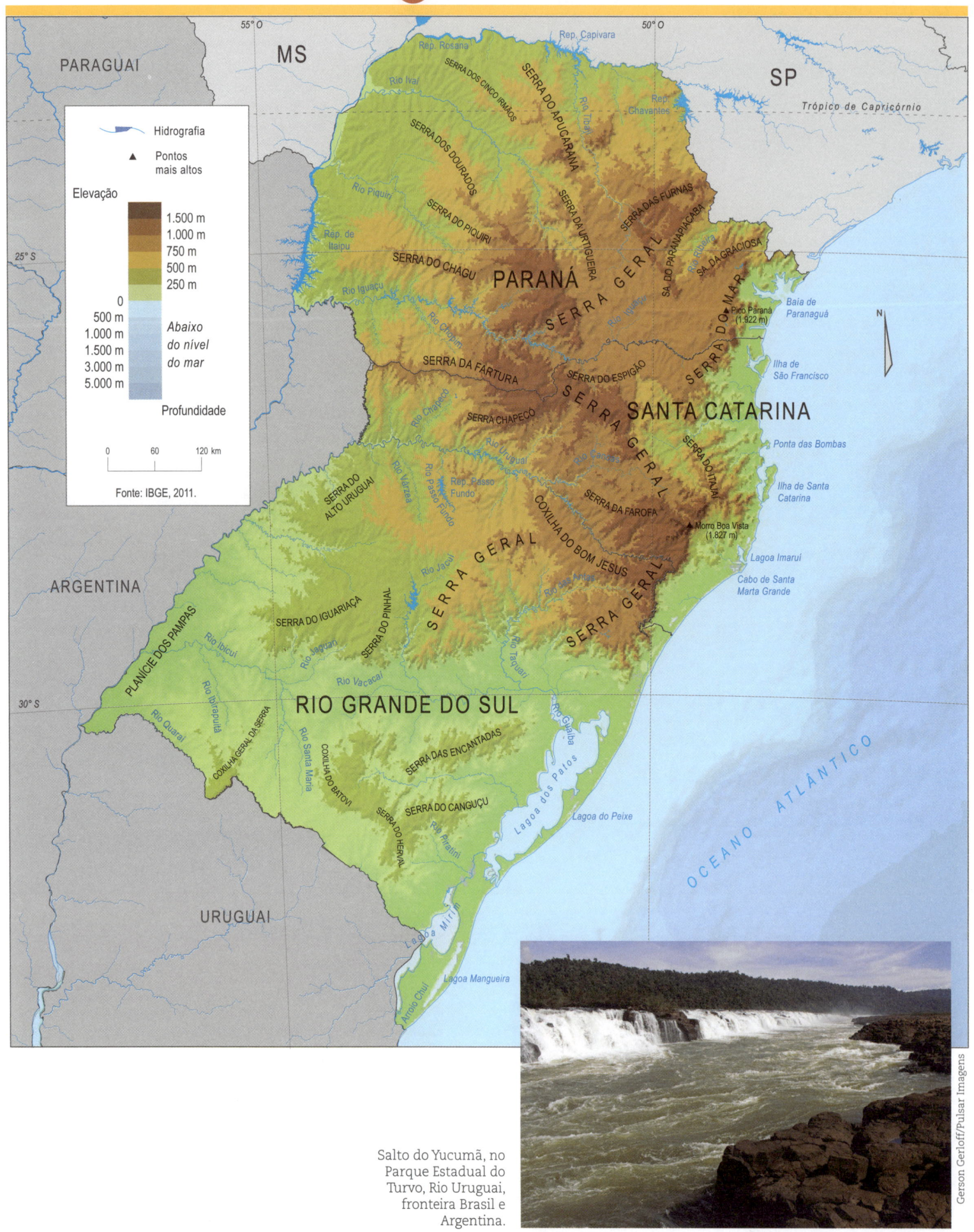

Salto do Yucumã, no Parque Estadual do Turvo, Rio Uruguai, fronteira Brasil e Argentina.

Atlas Geográfico do Brasil

146 Sul político

Convenções
- Hidrografia
- Capitais estaduais
- Cidades
- Rodovias
- Limites estaduais

Fonte: IBGE, 2011.

Os estados da região Sul do Brasil se destacam por apresentar, de modo geral, os melhores índices de desenvolvimento humano do país, com os melhores níveis de alfabetização e qualidade de vida.

Com diversas cidades de médio porte, a região possui uma economia altamente diversificada, apoiada na agropecuária e na atividade industrial.

Gerson Gerloff/Pulsar Imagens

Ópera de Arame, Curitiba (PR).

147 Regiões metropolitanas

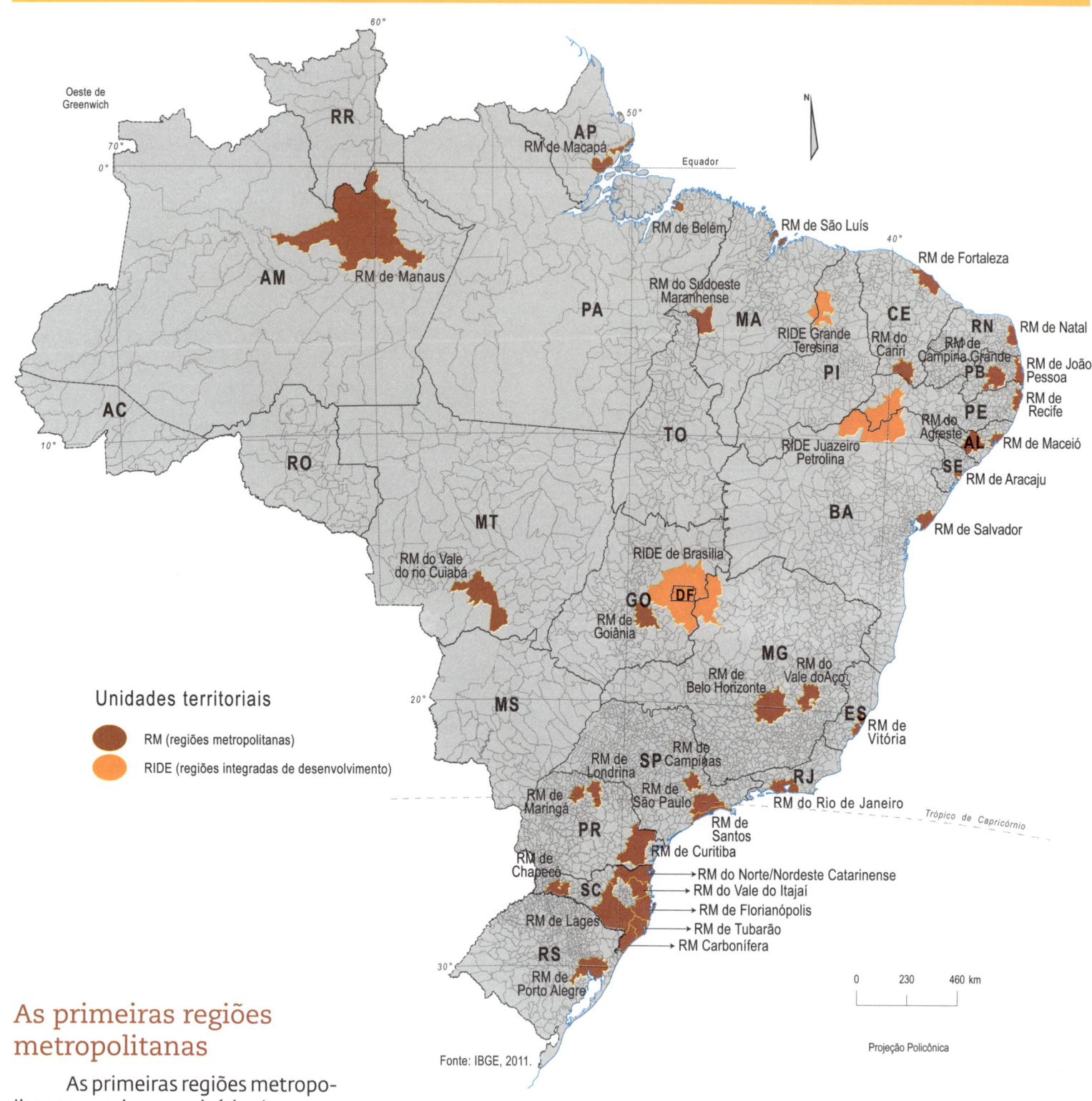

Unidades territoriais
- RM (regiões metropolitanas)
- RIDE (regiões integradas de desenvolvimento)

Fonte: IBGE, 2011.
Projeção Policônica

As primeiras regiões metropolitanas

As primeiras regiões metropolitanas surgiram no início dos anos 1970, no contexto desenvolvimentista do regime militar, por meio da Lei Complementar nº 14, de 1973. Nesse período foram criadas nove regiões metropolitanas: RM de São Paulo, RM de Belo Horizonte, RM de Porto Alegre, RM de Curitiba, RM de Salvador, RM de Recife, RM de Fortaleza, RM de Belém e, em 1974, a RM do Rio de Janeiro.

Com a Constituição de 1988, a criação de novas regiões metropolitanas passou para a competência dos estados. A partir desse período, multiplica-se o número de áreas metropolitanas instituídas. Atualmente, segundo o IBGE, há no país 51 RMs e três RIDEs.

Atlas Geográfico do Brasil

148 RM de São Paulo e RM da Baixada Santista

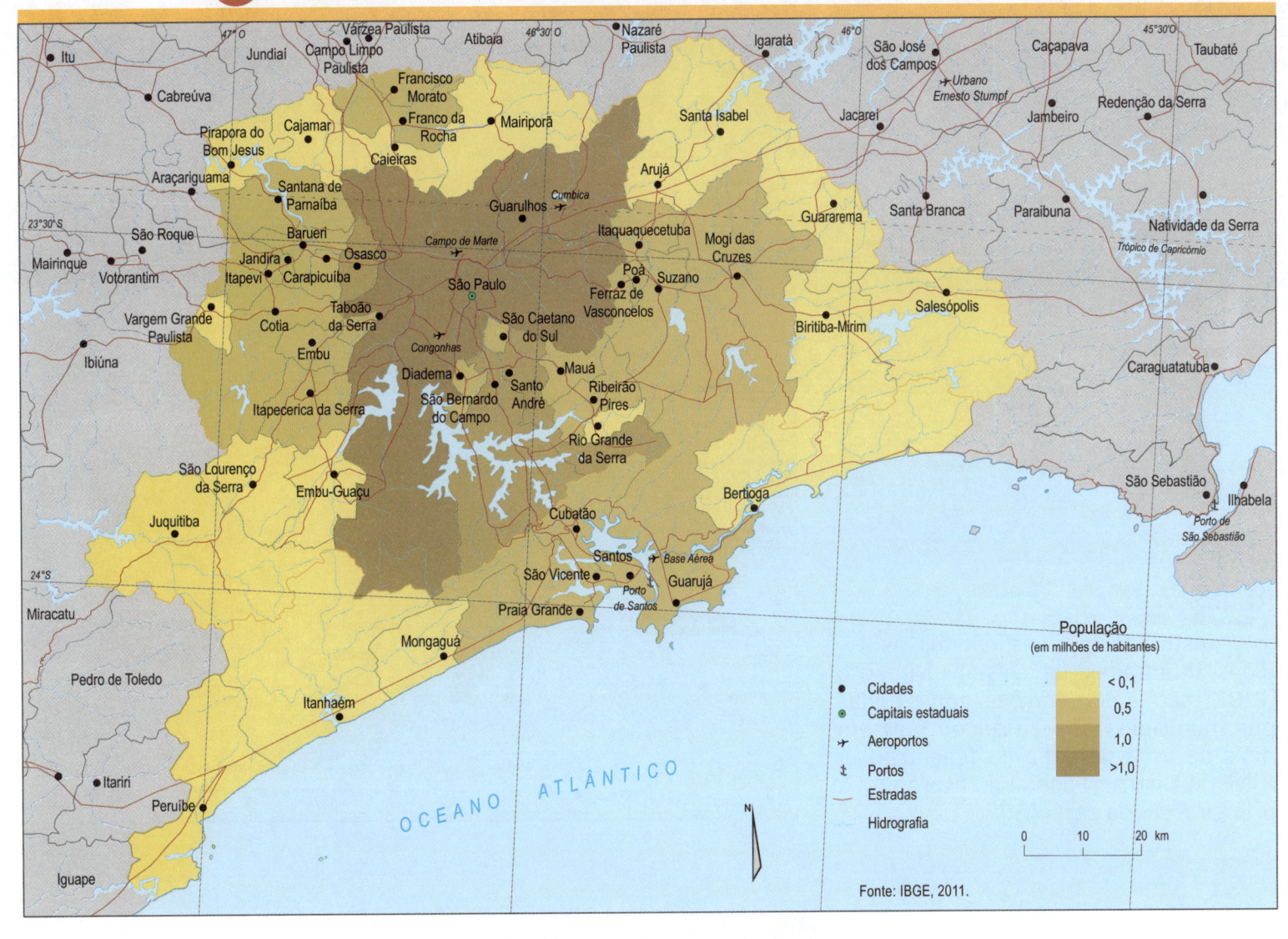

149 RM do Rio de Janeiro

150 RM do Distrito Federal e Entorno

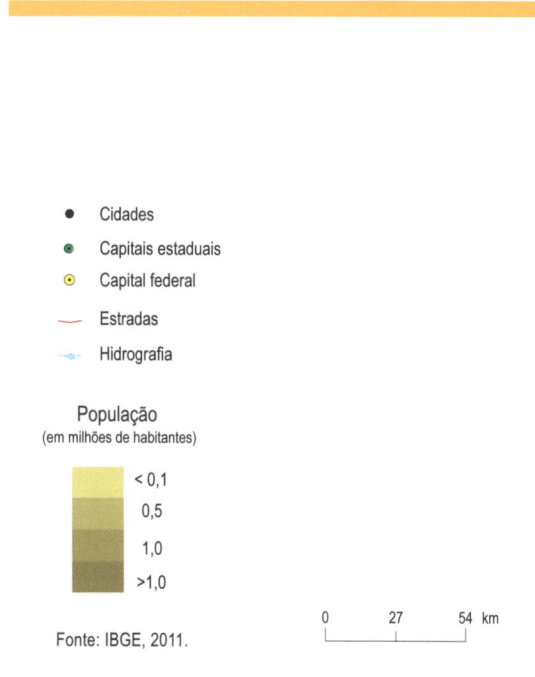

RIDES

Instituídas por leis federais, as Regiões Integradas de Desenvolvimento (RIDE) são aglomerações constituídas por municípios que se encontram em mais de uma unidade da federação. A RIDE do Distrito Federal e Entorno foi a primeira, criada em 1998.

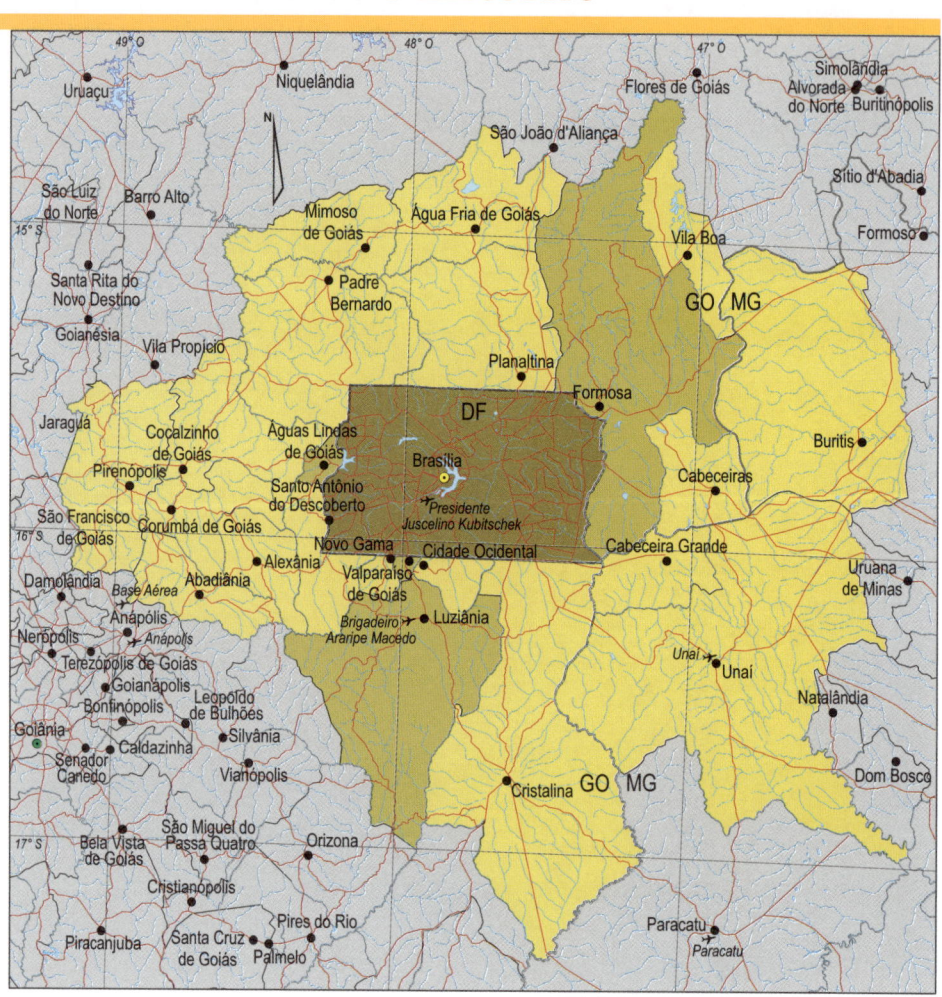

Fonte: IBGE, 2011.

151 RM de Goiânia

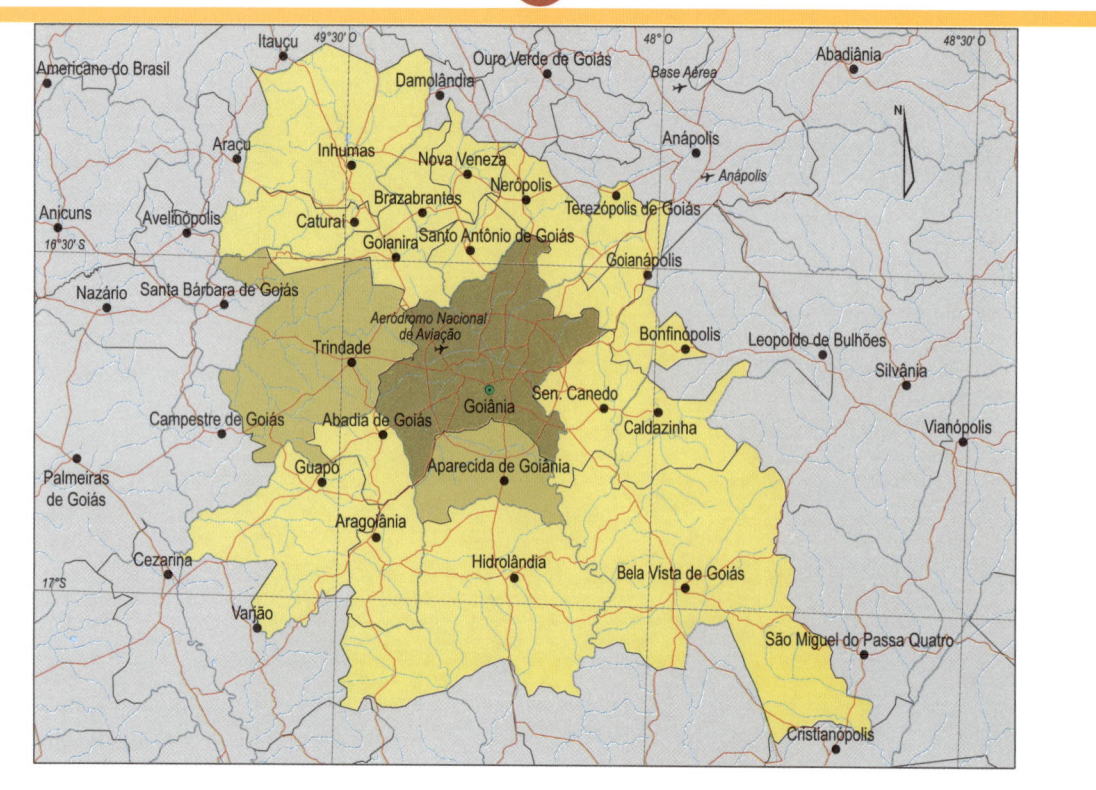

Fonte: IBGE, 2011.

Atlas Geográfico do Brasil

152 RM de Manaus

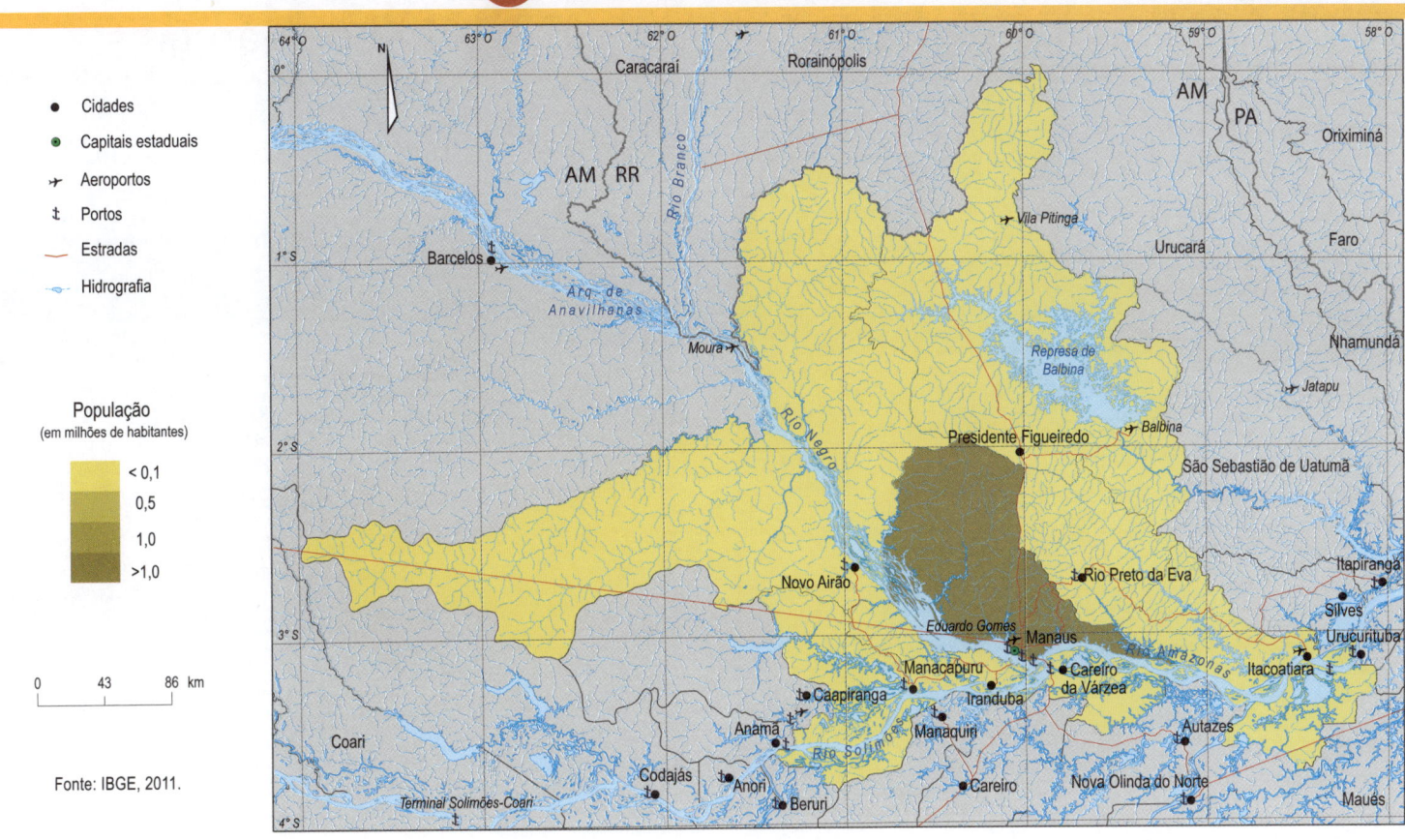

Fonte: IBGE, 2011.

153 RM de Cuiabá

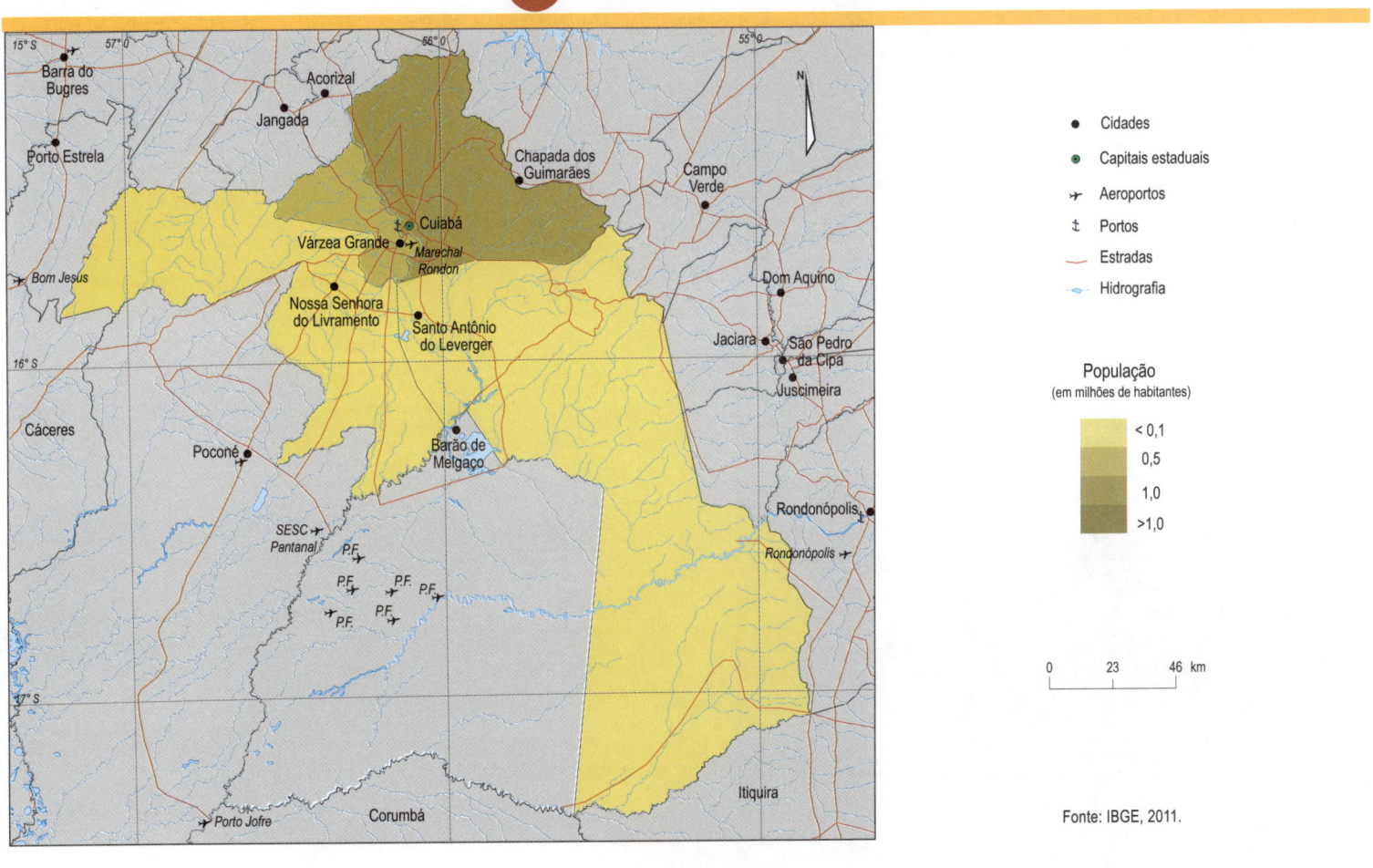

Fonte: IBGE, 2011.

149

154 RM do Sudoeste Maranhense

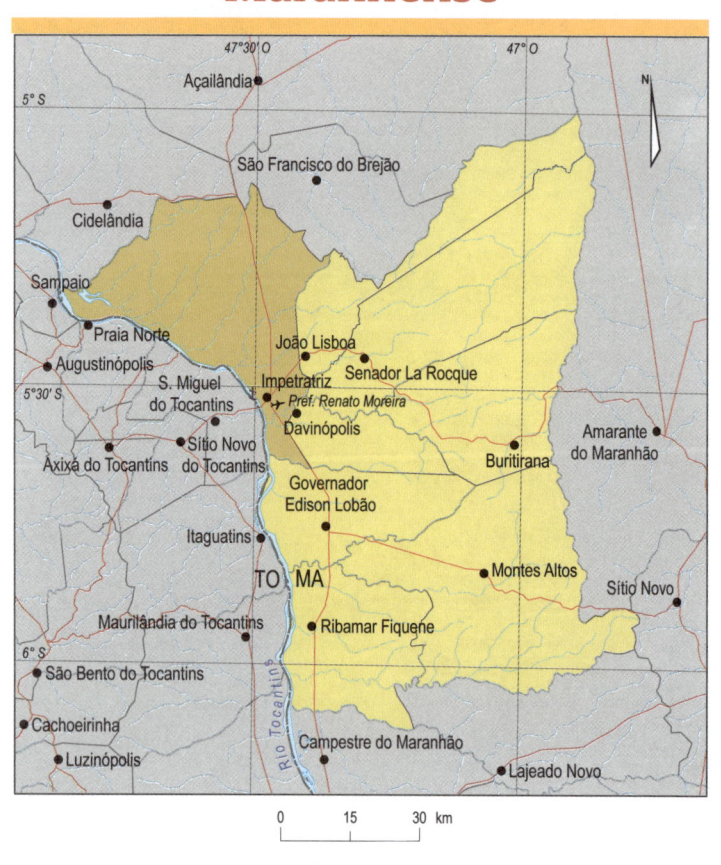

155 RM de São Luís

156 RIDE de Teresina

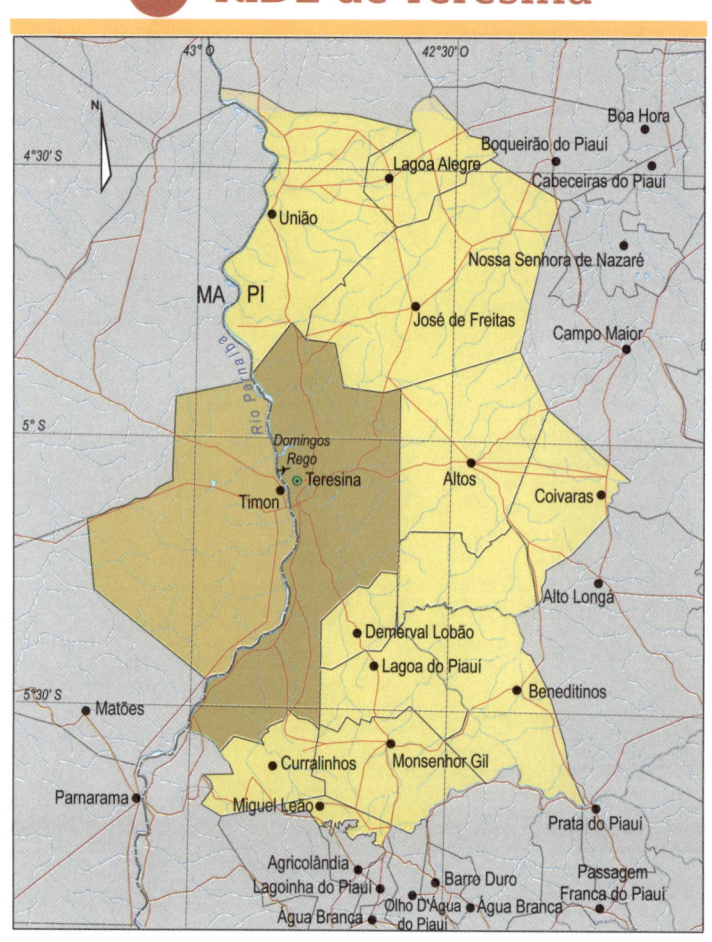

- Cidades
- Capitais estaduais
- Aeroportos
- Estradas
- Hidrografia

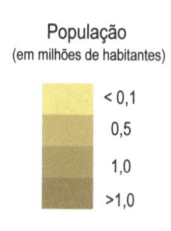

População
(em milhões de habitantes)

- < 0,1
- 0,5
- 1,0
- >1,0

Fonte: IBGE, 2011.

157 RM de Belém

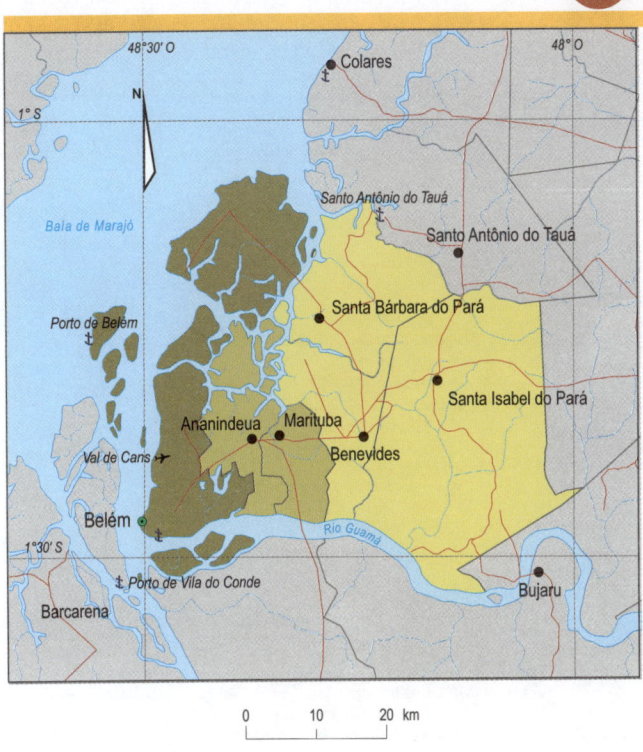

- Cidades
- Capitais estaduais
- Aeroportos
- Portos
- Estradas
- Hidrografia

População (em milhões de habitantes)
- <0,1
- 0,5
- 1,0
- >1,0

Fonte: IBGE, 2011.

158 RM do Cariri

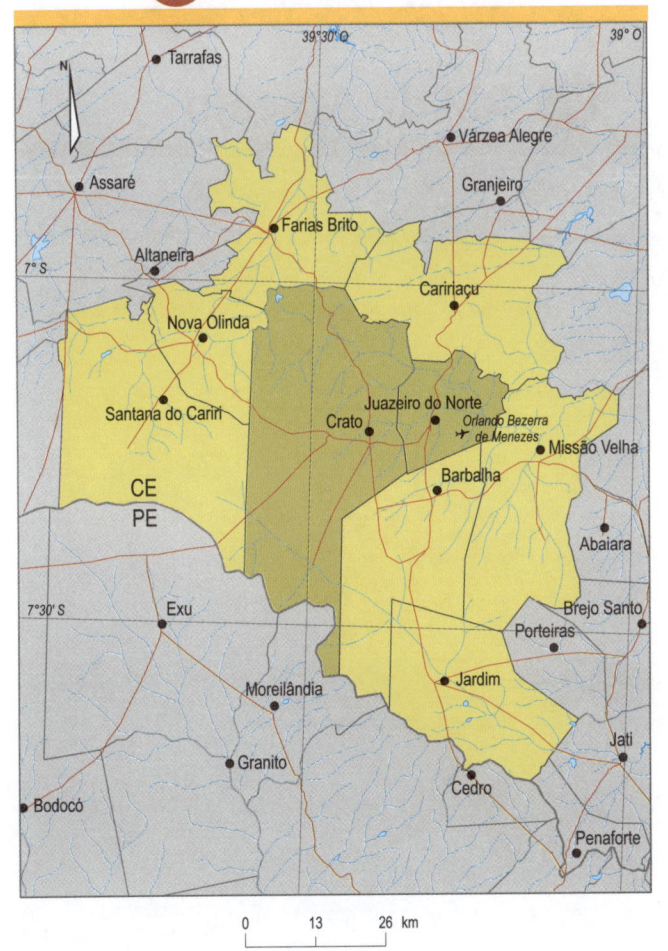

159 RM de Fortaleza

160 RM de Natal

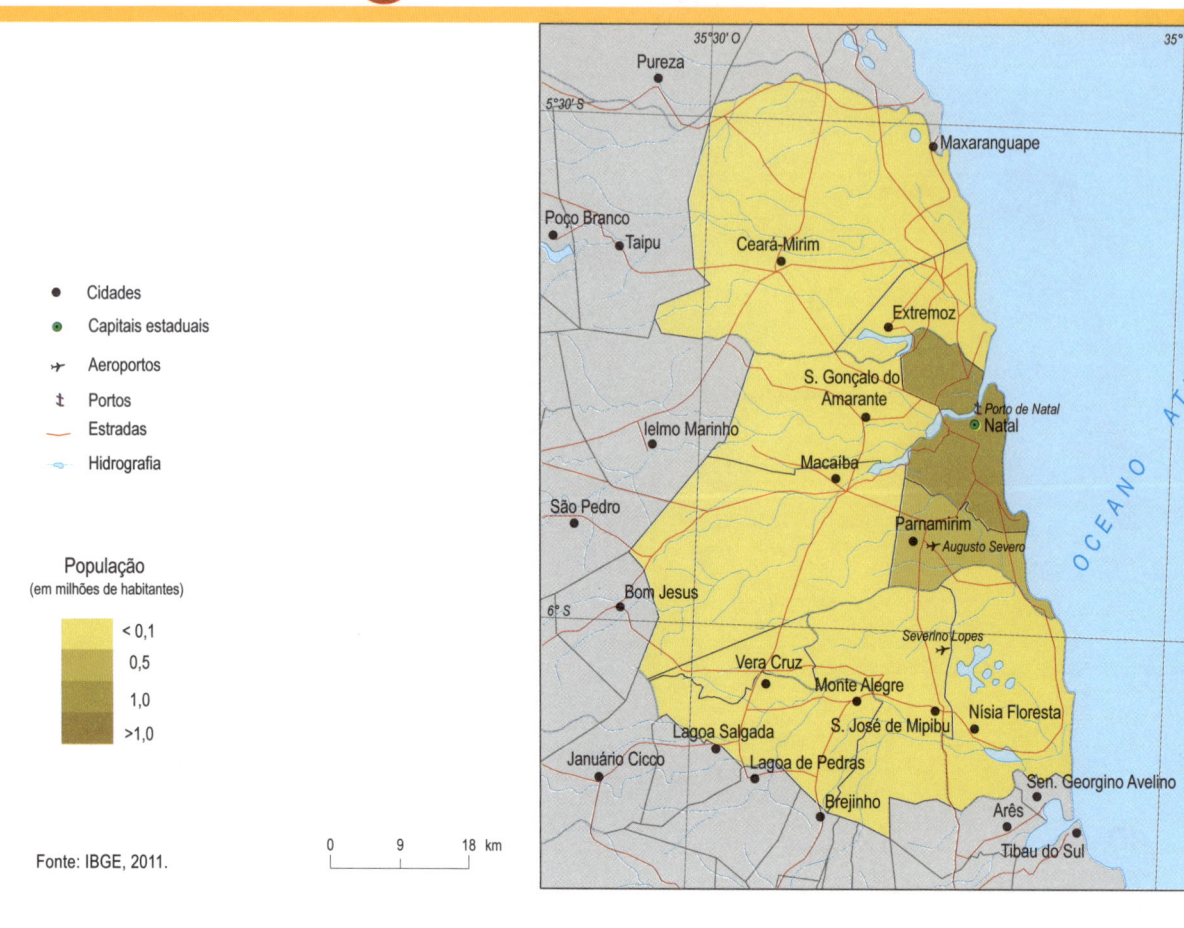

161 RM de Salvador

162 RM de Aracaju

Atlas Geográfico do Brasil

163 RIDE de Juazeiro e Petrolina

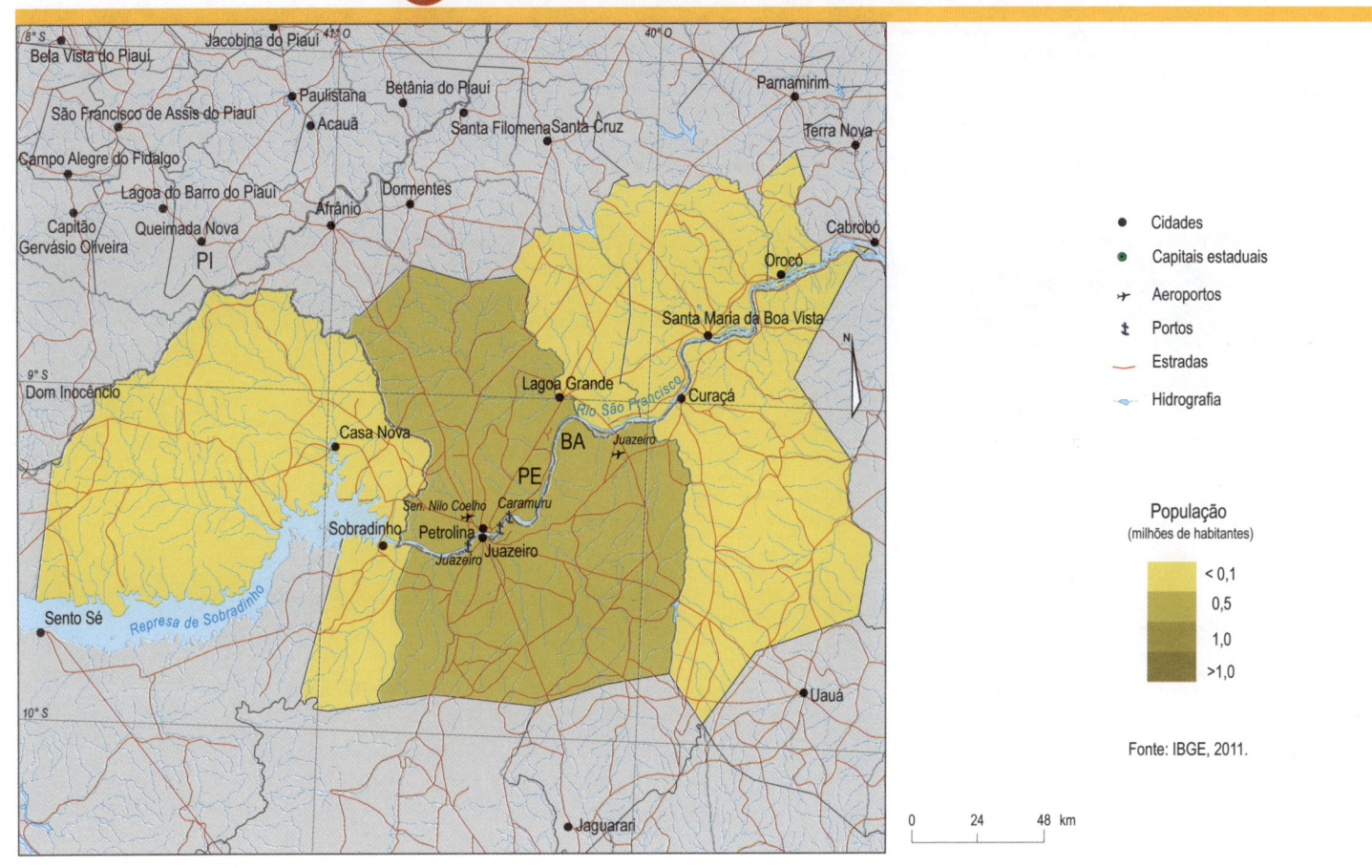

Legenda:
- Cidades
- Capitais estaduais
- Aeroportos
- Portos
- Estradas
- Hidrografia

População (milhões de habitantes)
- < 0,1
- 0,5
- 1,0
- >1,0

Fonte: IBGE, 2011.

164 RM de João Pessoa

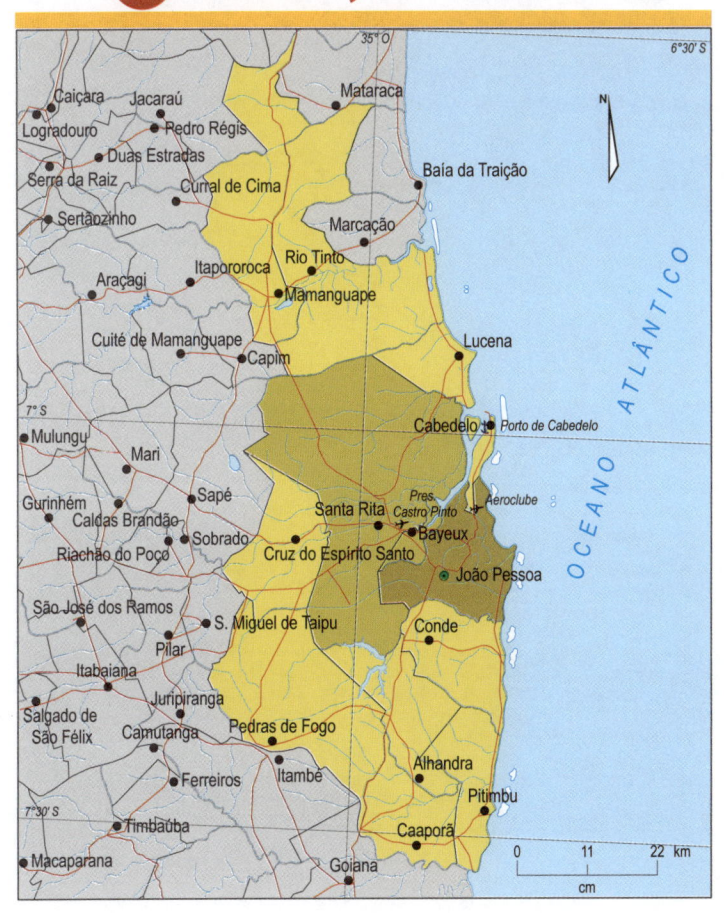

165 RM de Recife

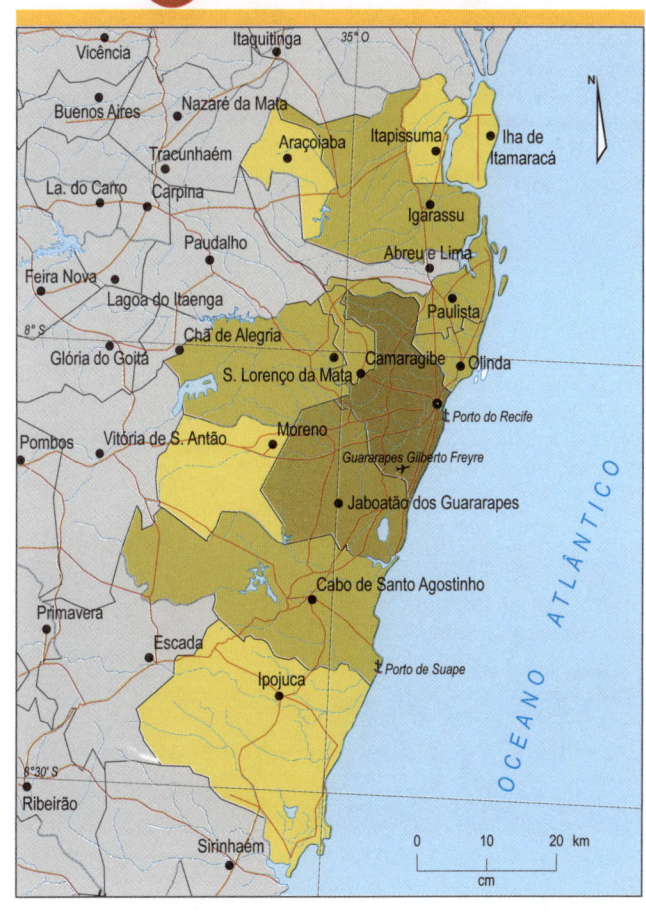

153

166 RM de Vitória

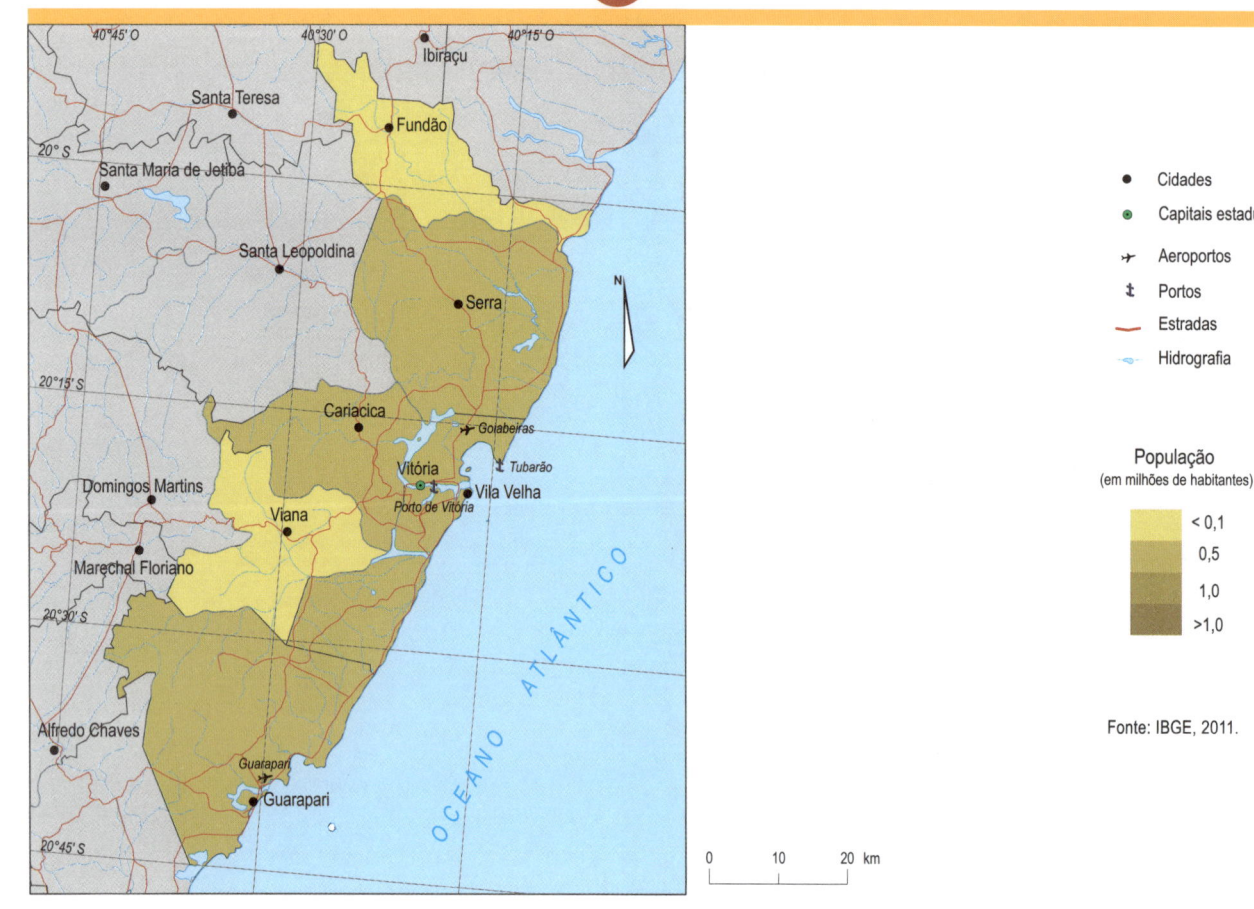

167 RM do Agreste

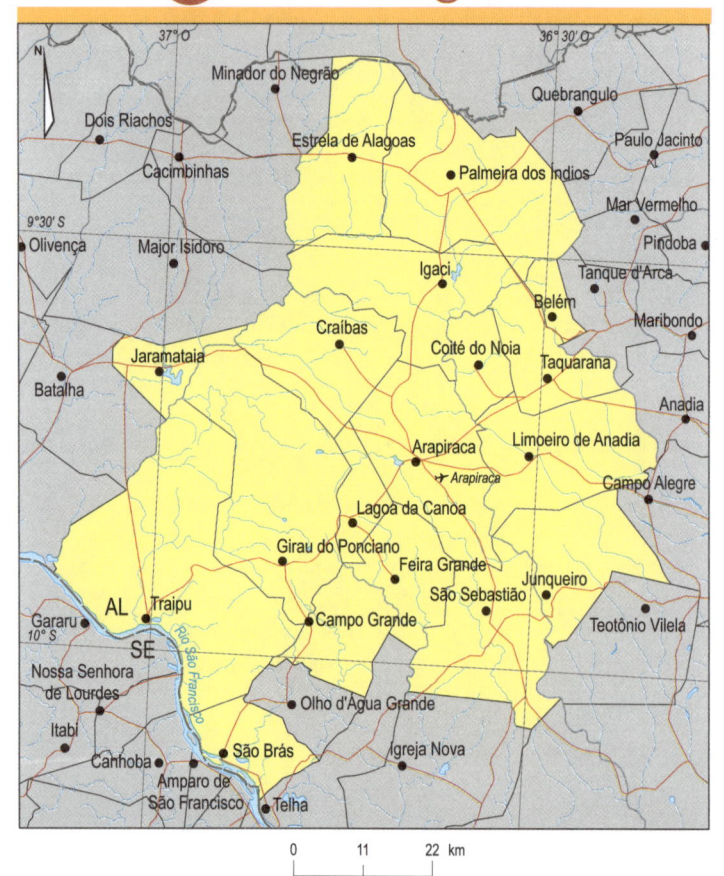

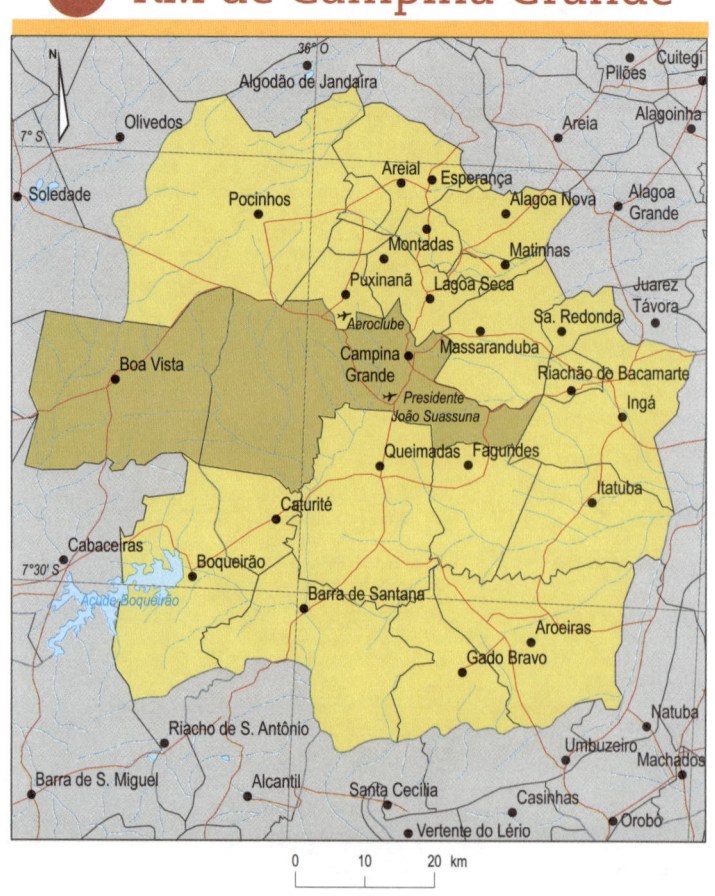

168 RM de Campina Grande

169 RM de Campinas

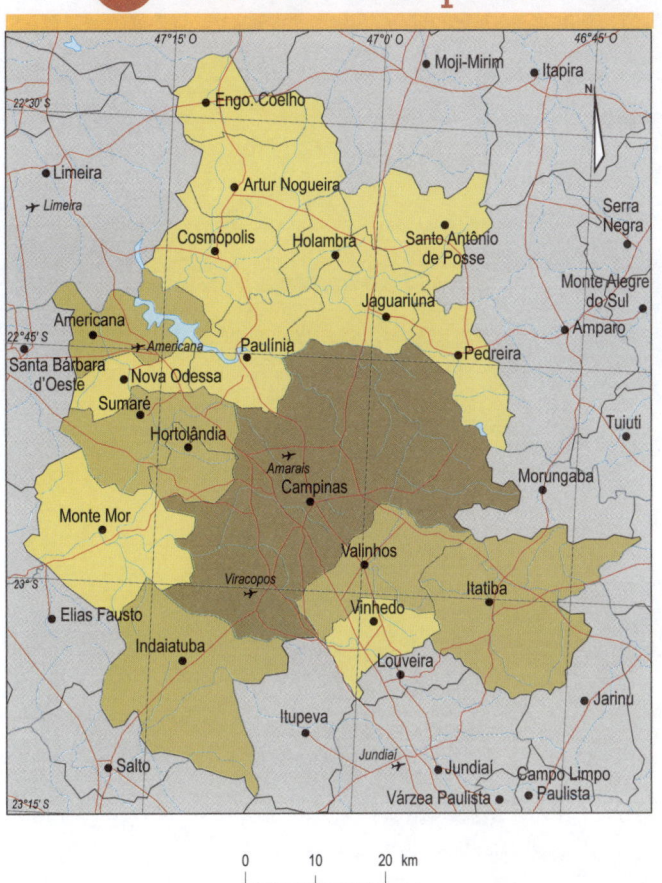

170 RM do Vale do Aço

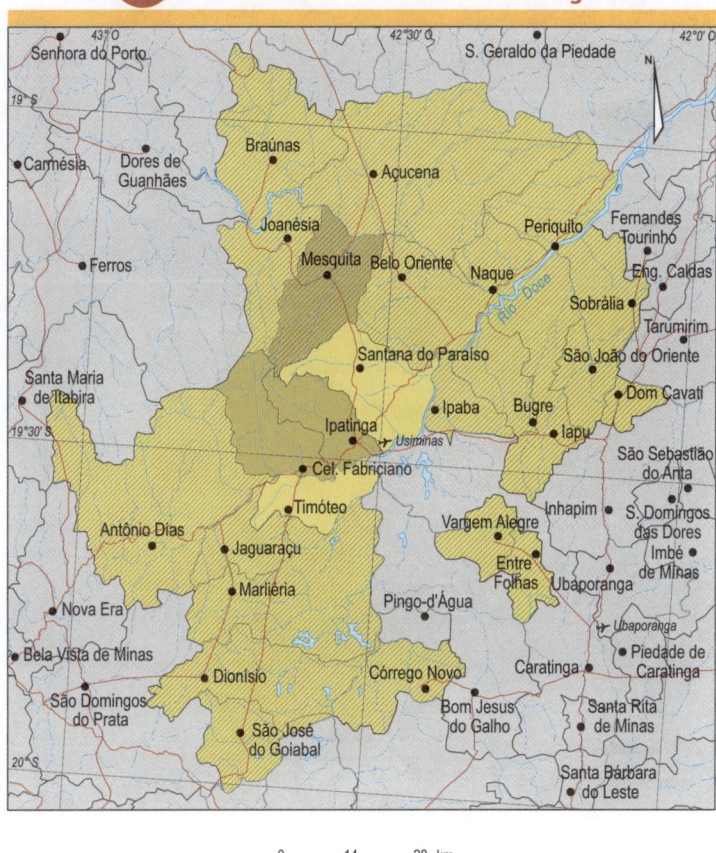

171 RM de Belo Horizonte

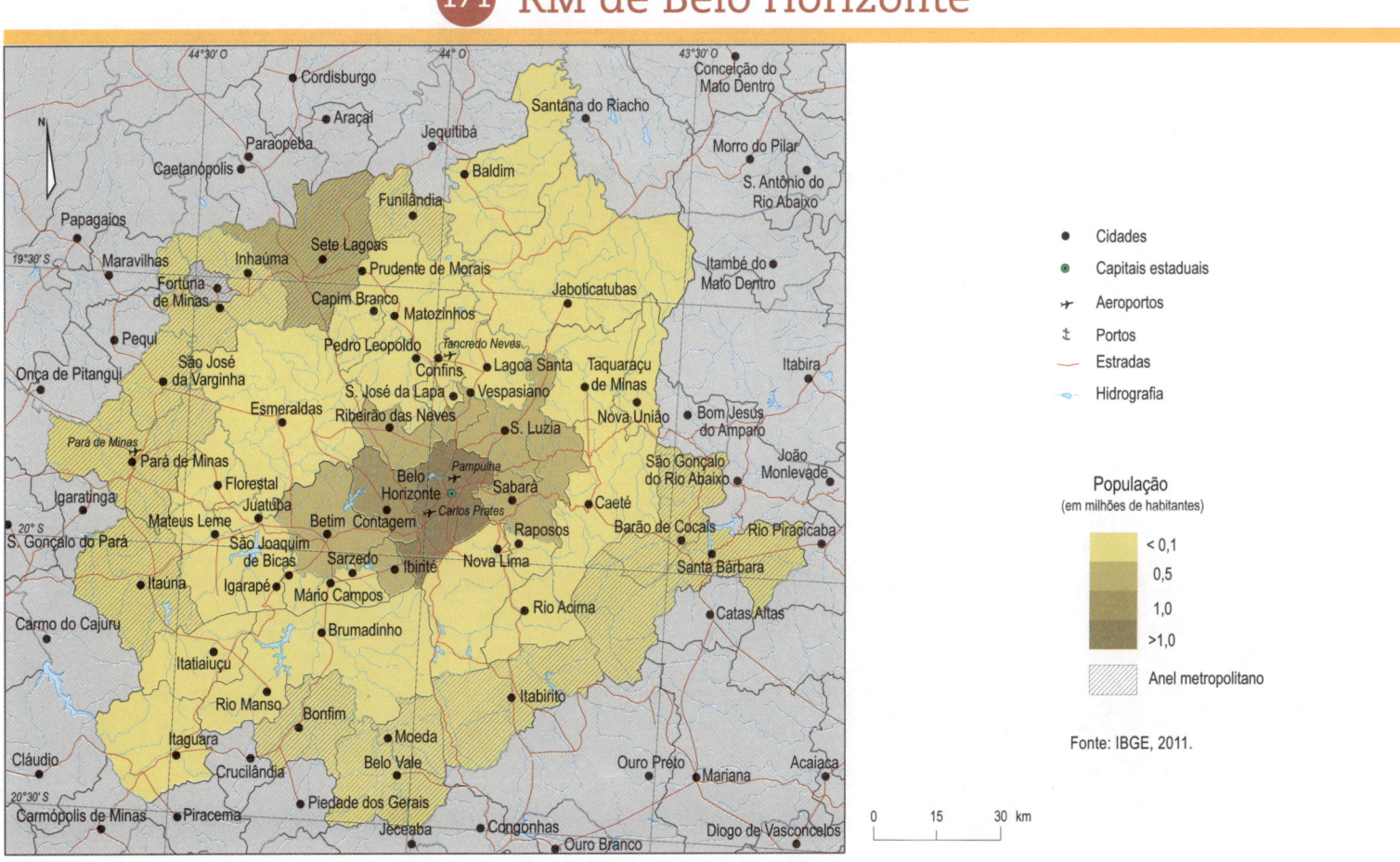

- • Cidades
- • Capitais estaduais
- ✈ Aeroportos
- ⊥ Portos
- — Estradas
- ～ Hidrografia

População
(em milhões de habitantes)

- < 0,1
- 0,5
- 1,0
- >1,0
- Anel metropolitano

Fonte: IBGE, 2011.

Atlas Geográfico do Brasil

172 RM de Londrina

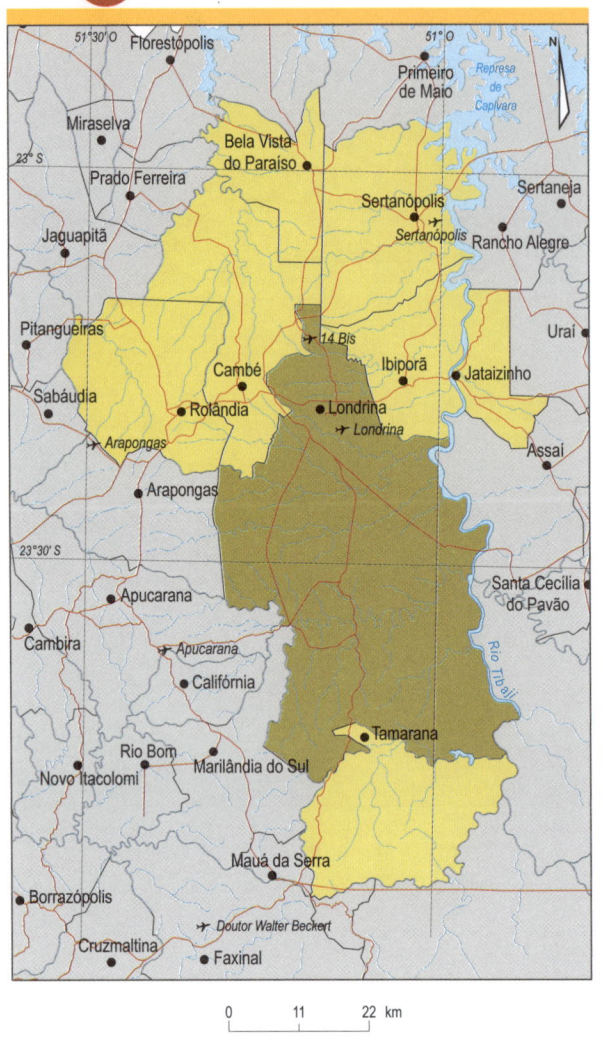

173 RM de Curitiba

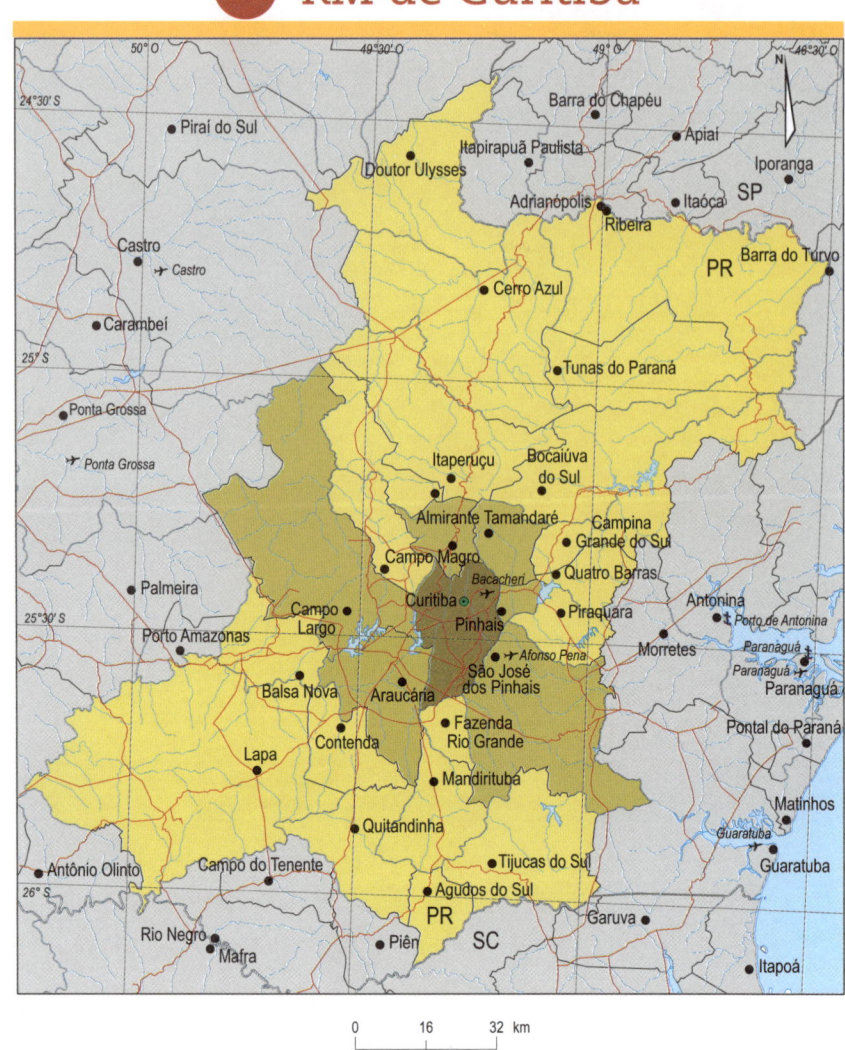

174 RM de Maringá

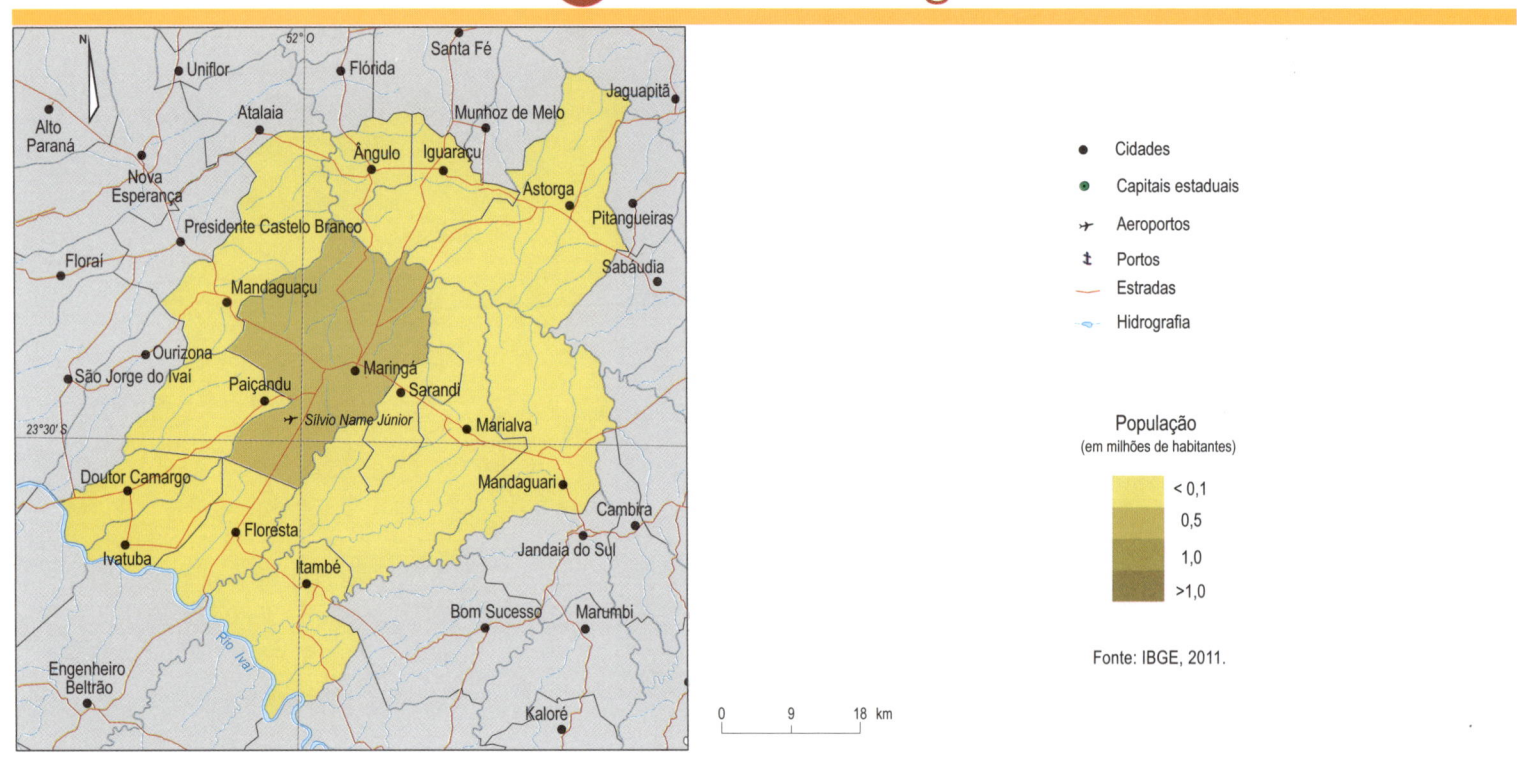

Legenda:
- Cidades
- Capitais estaduais
- Aeroportos
- Portos
- Estradas
- Hidrografia

População (em milhões de habitantes)
- < 0,1
- 0,5
- 1,0
- > 1,0

Fonte: IBGE, 2011.

156

Atlas Geográfico do Brasil

175 RM do Vale do Itajaí

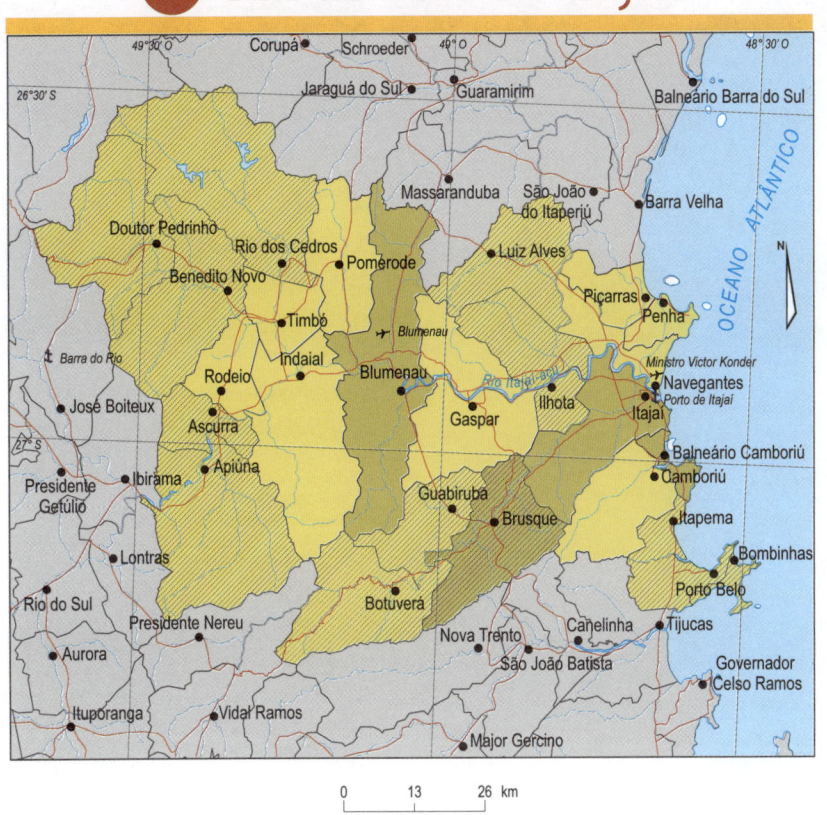

176 RM de Florianópolis

177 RM do Norte-Nordeste Catarinense

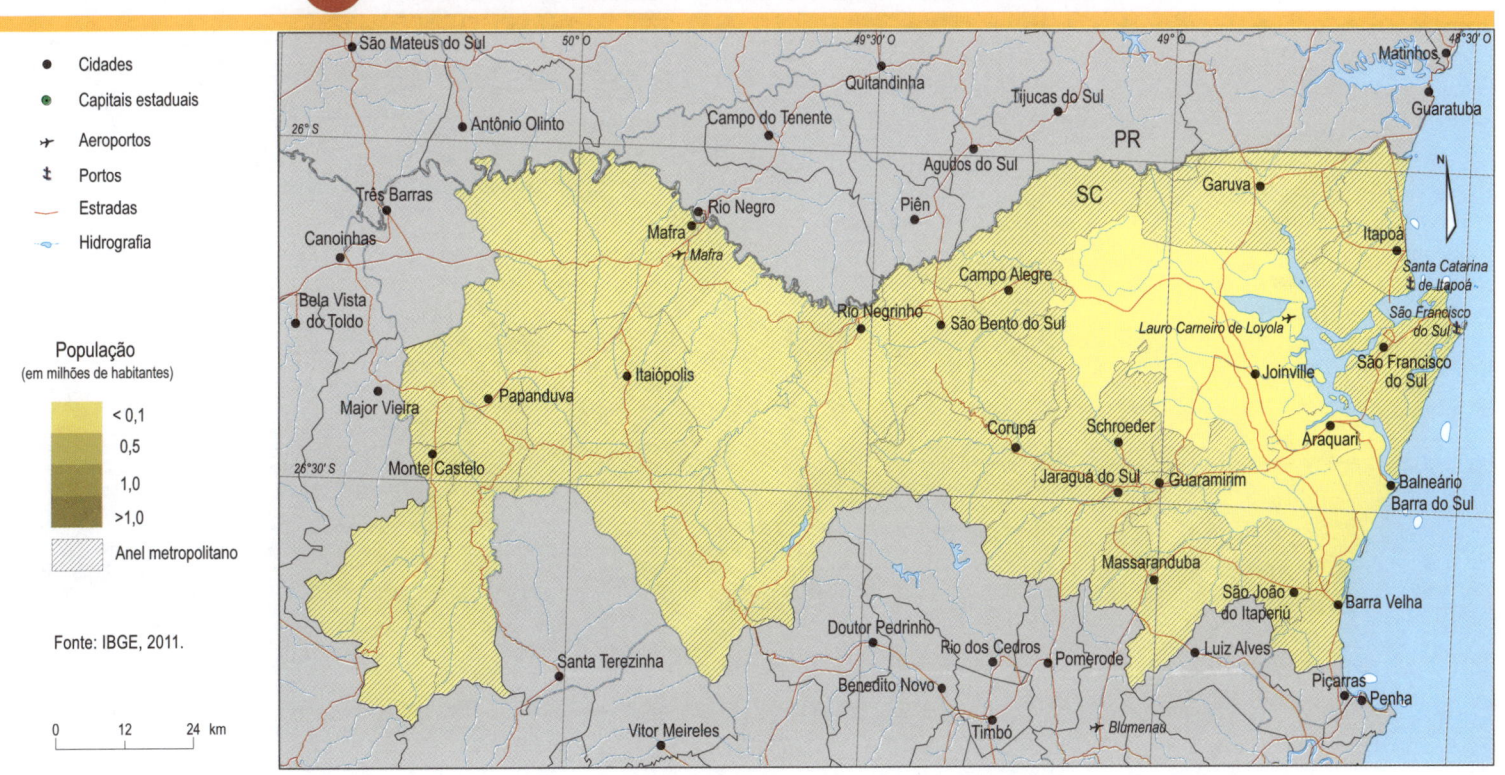

- Cidades
- Capitais estaduais
- ✈ Aeroportos
- ⚓ Portos
- Estradas
- Hidrografia

População
(em milhões de habitantes)
- < 0,1
- 0,5
- 1,0
- > 1,0
- Anel metropolitano

Fonte: IBGE, 2011.

157

Atlas Geográfico do Brasil

178 RM de Macapá

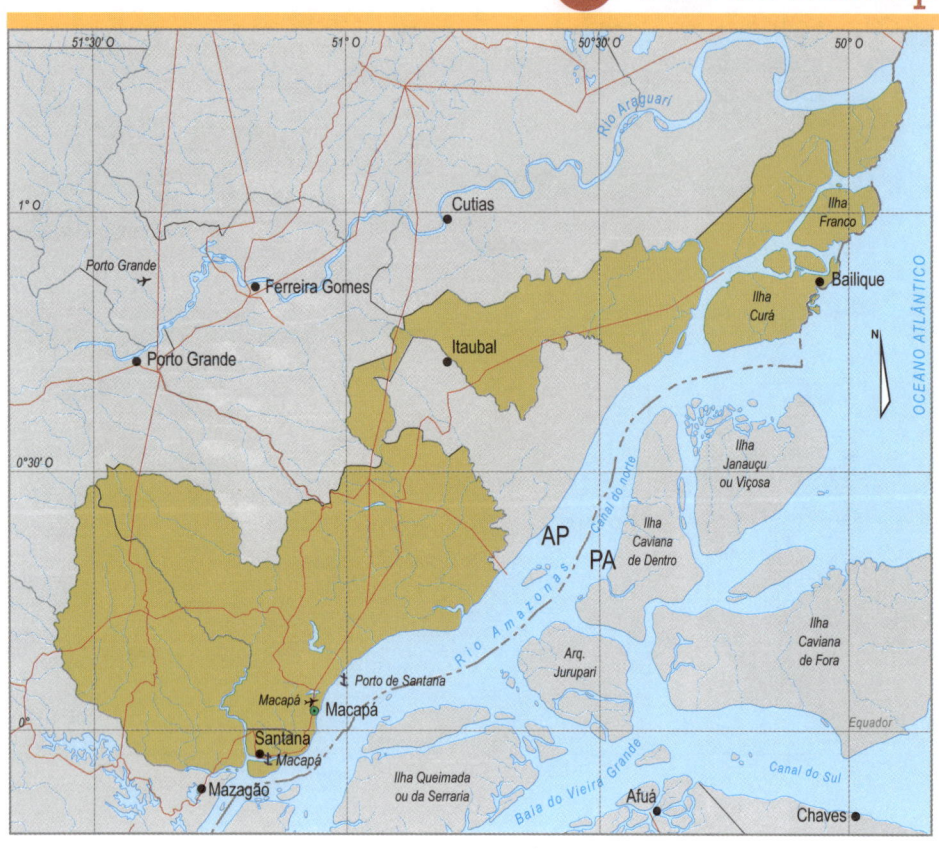

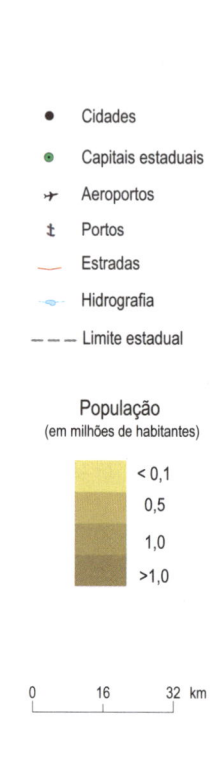

179 RM de Porto Alegre

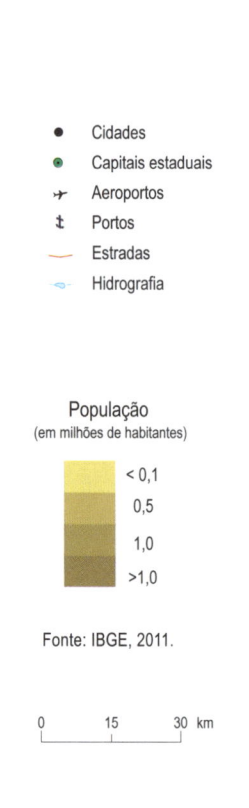

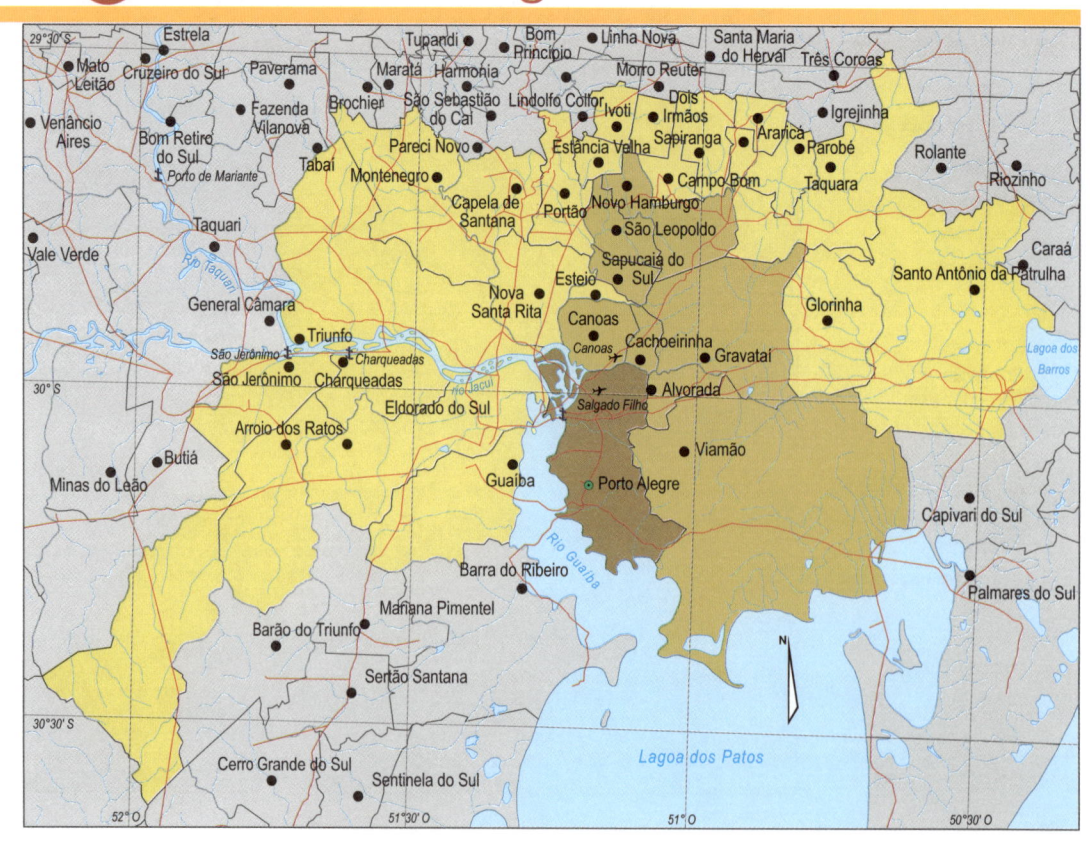

Fonte: IBGE, 2011.

158

Bandeiras

Brasil – BR
Gentílico: brasileiro
Capital: Brasília (DF)

Amazonas – AM
Gentílico: amazonense
Capital: Manaus

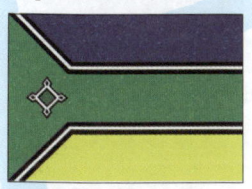

Amapá – AP
Gentílico: amapaense
Capital: Macapá

Rondônia – RO
Gentílico: rondoniense
Capital: Porto Velho

Roraima – RR
Gentílico: roraimense
Capital: Boa Vista

Acre – AC
Gentílico: acreano
Capital: Rio Branco

Pará – PA
Gentílico: paraense
Capital: Belém

Mato Grosso – MT
Gentílico: mato-grossense
Capital: Cuiabá

Mato Grosso do Sul – MS
Gentílico: mato-grossense-do-sul
Capital: Campo Grande

Goiás – GO
Gentílico: goiano
Capital: Goiânia

Tocantins – TO
Gentílico: tocantinense
Capital: Palmas

Maranhão – MA
Gentílico: maranhense
Capital: São Luís

Piauí – PI
Gentílico: piauiense
Capital: Teresina

Ceará – CE
Gentílico: cearense
Capital: Fortaleza

Rio Grande do Norte – RN
Gentílico: rio-grandense-do-
-norte ou potiguar
Capital: Natal

Paraíba – PB
Gentílico: paraibano
Capital: João Pessoa

Pernambuco – PE
Gentílico: pernambucano
Capital: Recife

Alagoas – AL
Gentílico: alagoano
Capital: Maceió

Sergipe – SE
Gentílico: sergipano
Capital: Aracaju

Bahia – BA
Gentílico: baiano
Capital: Salvador

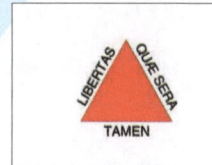

Minas Gerais – MG
Gentílico: mineiro
Capital: Belo Horizonte

Espírito Santo – ES
Gentílico: capixaba
Capital: Vitória

Rio de Janeiro – RJ
Gentílico: fluminense
Capital: Rio de Janeiro

São Paulo – SP
Gentílico: paulista
Capital: São Paulo

Paraná – PR
Gentílico: paranaense
Capital: Curitiba

Santa Catarina – SC
Gentílico: catarinense
Capital: Florianópolis

Rio Grande do Sul – RS
Gentílico: rio-grandense-do-sul
ou gaúcho
Capital: Porto Alegre

Distrito Federal – DF
Gentílico: brasiliense
Capital: Brasília

Siglas e abreviaturas

ANA – Agência Nacional de Águas
ANEEL – Agência Nacional de Energia Elétrica
Anfavea – Associação Nacional dos Fabricantes de Veículos Automotores
ANP – Agência Nacional de Petróleo, Gás Natural e Biocombustíveis
ANTAQ – Agência Nacional de Transportes Aquaviários
APA – Área de Proteção Ambiental
Área de Relevante Interesse Ecológico
Arq. – Arquipélago
BP – British Petroleum
CNES – Cadastro Nacional de Estabelecimento de Saúde
Conab – Companhia Nacional de Abastecimento
CPRM – Companhia de Pesquisa de Recursos Minerais
DNPM – Departamento Nacional de Produção Mineral
EE – Estação Ecológica
Embrapa – Empresa Brasileira de Pesquisa Agropecuária
EPE – Empresa de Pesquisa Energética
FAO – Food and Agriculture Organization / Organização das Nações Unidas para Alimentação e Agricultura
Flona – Floresta Nacional
I/Is. – Ilha/ilhas
Ibama – Instituto Brasileiro do Meio Ambiente e dos Recursos Naturais
IBGE – Instituto Brasileiro de Geografia e Estatística
IEA – International Energy Agency
Incra – Instituto Nacional de Colonização e Reforma Agrária
Infraero – Empresa Brasileira de Infraestrutura Aeroportuária
IUCN – International Union for Conservation of Nature / União Internacional para a Conservação da Natureza e dos Recursos Naturais
L. – lago
MAPA – Ministério da Agricultura, Pecuária e Abastecimento
MDIC – Ministério do Desenvolvimento Indústria e Comércio
MMA – Ministério do Meio Ambiente
MME – Ministério das Minas e Energia
MN – Monumento Natural
MS – Ministério da Saúde
MT – Ministério dos Transportes
MTE – Ministério do Trabalho e Emprego
NOAA – National Oceanic Atmospheric Administration
OMC – Organização Mundial do Comércio
OMT – Organização Mundial do Turismo
Pen. – Península
PIA – Pesquisa Industrial Anual
P. – Pico
PN – Parque Nacional
PNAD – Pesquisa Nacional de Amostra de Domicílios
PNUD – Programa das Nações Unidas para o Desenvolvimento
RB – Reserva Biológica
RDS – Reserva de Desenvolvimento Sustentável
Resex – Reserva Extrativista
RPPN – Reserva Particular do Patrimônio Natural
Sa. – Serra
TSE – Tribunal Superior Eleitoral
USGS – United States Geological Survey
UN – United Nations
ONU – Organização das Nações Unidas
UC – Unidade de Conservação
WB – World Bank / Banco Mundial

Fontes de pesquisa

Amante, C. and B. W. Eakins, ETOPO1 1 Arc-Minute Global Relief Model: Procedures Data Sources and Analysis. NOAA Technical Memorandum NESDIS NGDC-24, 19 pp., March 2009.
ANEEL – Agência Nacional e Energia Elétrica
ANP – Anuário Estatístico Brasileiro do Petróleo, Gás Natural e Biocombustíveis, 2012.
Anuário estatístico do setor metalúrgico. Secretaria de geologia, mineração e transformação mineral. Brasília, 2010.
BIG – Banco de Informações de Geração, 2013.
BOLETIM MENSAL DE BIODIESEL, JULHO DE 2013.
BP Statistical Review of World Energy, 2011.
British Geological Survey. World mineral production – 2007-2011, 2013.
DNPM – Departamento Nacional de Produção Mineral. Sumário Mineral, 2012.
Embrapa – Empresa Brasileira de Pesquisa Agropecuária.
EPE – Anuário Estatístico de Energia Elétrica, 2012.
IBGE – Instituto Brasileiro de Geografia e Estatística.
IEA, Key World Energy Statistics, 2012.
Infraero, Anuário Estatístico Operacional, 2012
MAPA – Ministério da Agricultura, Pecuária e Abastecimento, 2012.
PNM – Plano Nacional de Mineração 2030, Brasília: MME, 2010.
EPE – Empresa de Pesquisa Energética. Balanço Energético Nacional, 2013.
MME – Ministério das Minas e Energia.
MT – Ministério dos Transportes, PNLT, 2010.
NOAA – National Oceanic Atmospheric Administration.
PNAD – Pesquisa Nacional de Amostra de Domicílios, 2011.
Sumário Mineral / Coordenadores Thiers Muniz Lima, Carlos Augusto Ramos Neves Brasília: DNPM, 2012.
United Nations Department of Economic and Social Affairs, Population Division, 2013.
U.S. Geological Survey, 2011. Mineral commodity summaries 2011.
World Population Prospects: The 2012 Revision.